Laura Barnett

Três Vezes Nós

Tradução
Ivar Panazzolo Junior

Novo Conceito

© Laura Barnett 2015
© 2016 Editora Novo Conceito
Todos os direitos reservados.

Excerto de "Four Quarters" de T.S. Eliot reproduzido com a permissão de Faber and Faber Ltd.
Excerto de "The Amateur Marriage" reproduzido com a permissão de HSG Agency como agentes do autor.
© 2004 by Anne Tyler Modaressi.
Excerto de "This is Us" reproduzido com permissão de Mark Knopfler
"Hearts and Bones". Letra e música de Paulo Simon. ©1983 Paulo Simon (BMI). Todos os direitos reservados.

Nenhuma parte desta publicação poderá ser reproduzida ou transmitida de qualquer modo ou por qualquer meio, seja este eletrônico, mecânico de fotocópia, sem permissão por escrito da Editora.

Esta é uma obra de ficção. Nomes, personagens, lugares e acontecimentos descritos são produto da imaginação do autor. Qualquer semelhança com nomes, datas e acontecimentos reais é mera coincidência.

1ª Impressão — 2016
Impressão e Acabamento RR Donnelley 210616

Produção editorial: Equipe Novo Conceito
Preparação: Shirley Gomes
Revisão: Érika Sá; Robson Falcheti Peixoto

Dados Internacionais de Catalogação na Publicação (CIP)
(Câmara Brasileira do Livro, SP, Brasil)

Barnett, Laura
    Três vezes nós / Laura Barnett ; tradução Ivar Panazzolo Junior. -- Ribeirão Preto, SP : Novo Conceito Editora, 2016.

    Título original: The versions of us.
    ISBN 978-85-8163-837-9

    1. Ficção inglesa I. Título.

15-11190   CDD-823

Índices para catálogo sistemático:
1. Ficção : Literatura inglesa 823

Rua Dr. Hugo Fortes, 1885
Parque Industrial Lagoinha
14095-260 – Ribeirão Preto – SP
www.grupoeditorialnovoconceito.com.br

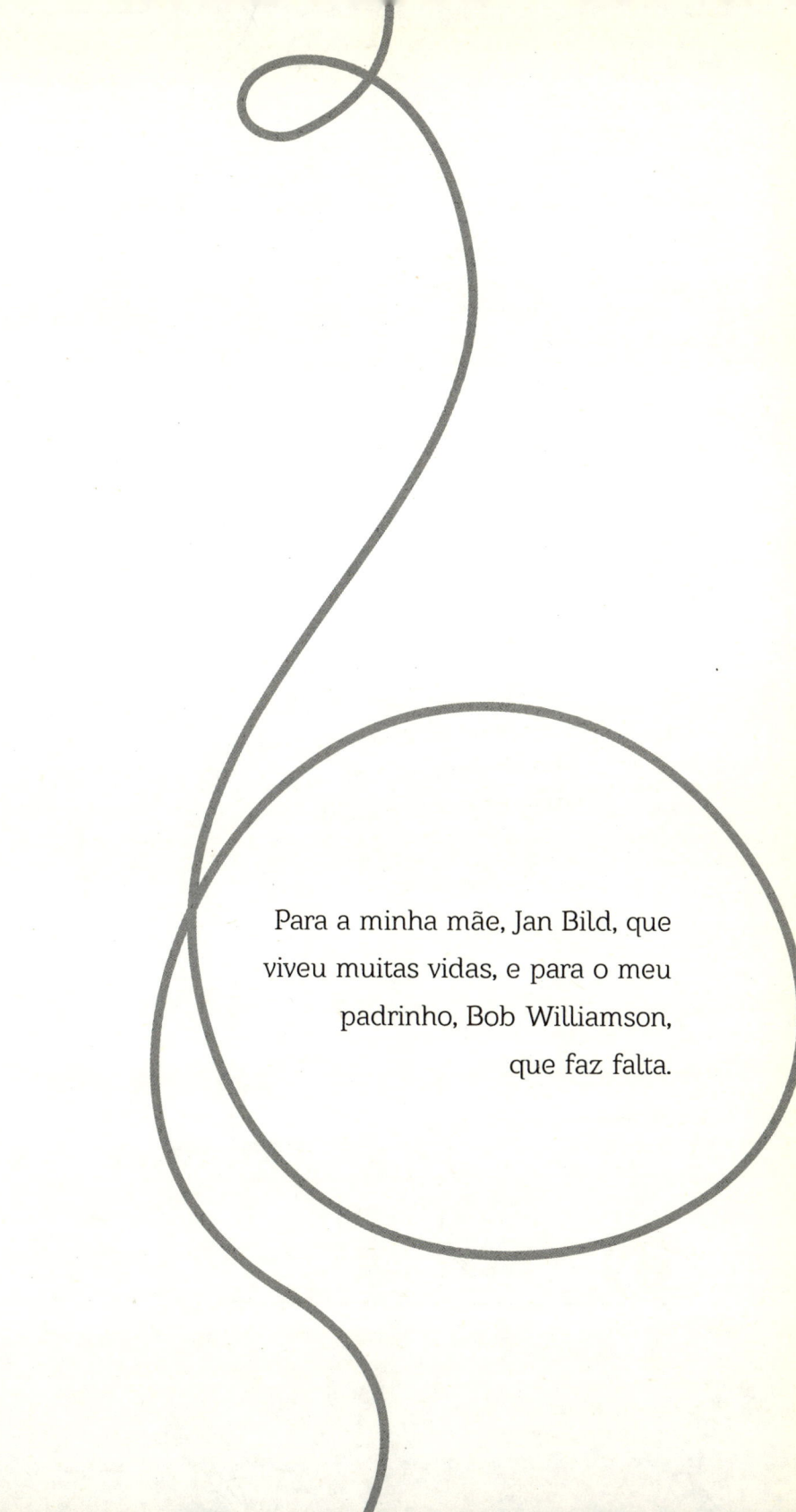

Para a minha mãe, Jan Bild, que viveu muitas vidas, e para o meu padrinho, Bob Williamson, que faz falta.

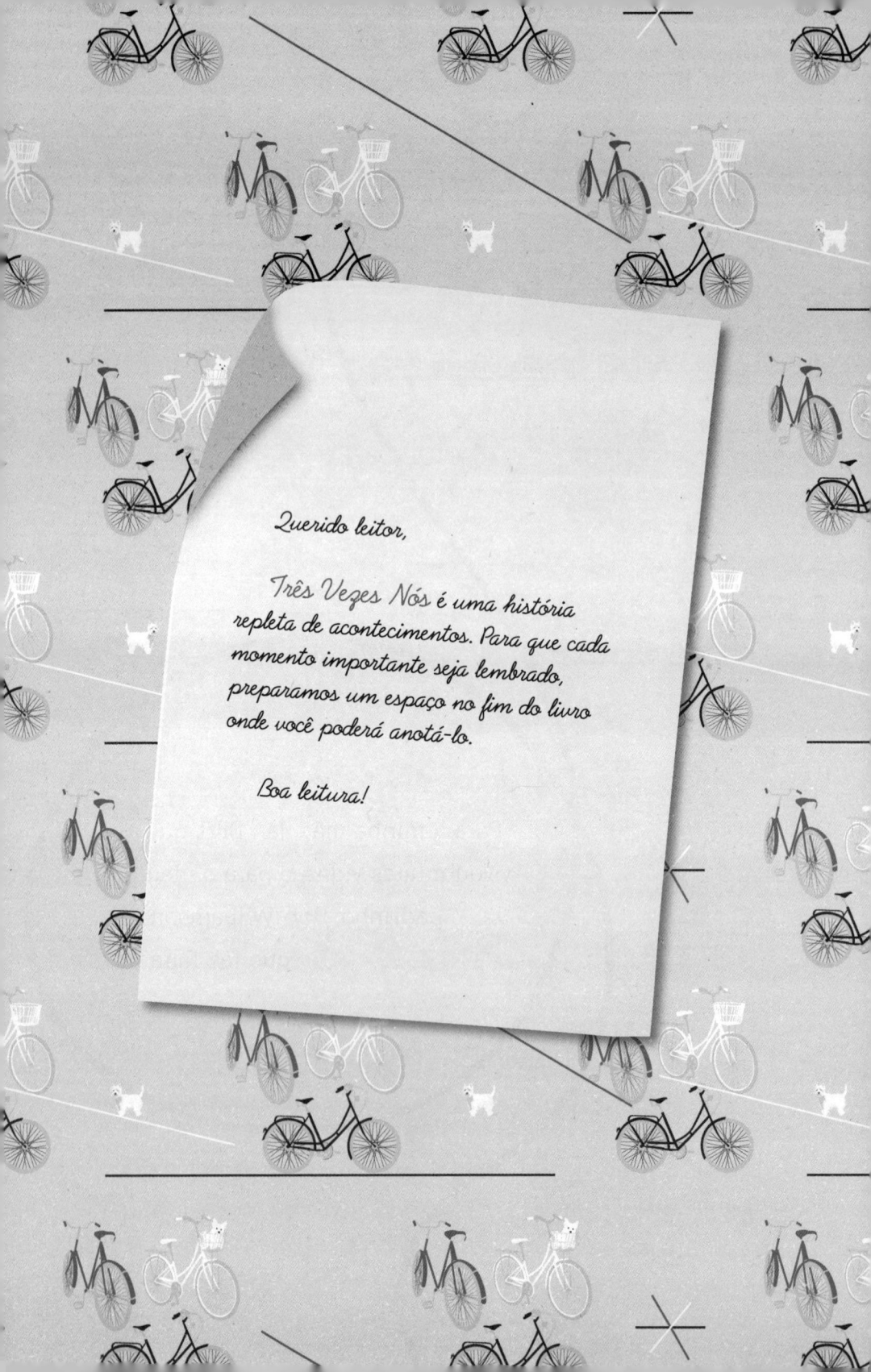

Querido leitor,

Três Vezes Nós é uma história repleta de acontecimentos. Para que cada momento importante seja lembrado, preparamos um espaço no fim do livro onde você poderá anotá-lo.

Boa leitura!

"Às vezes, ele fantasiava, pensando que, no fim da vida, iria assistir a um filme amador mostrando todas as estradas que não havia trilhado e os destinos aos quais elas levavam."
— Anne Tyler, *The Amateur Marriage*

"Você e eu fazendo história. Isso somos nós."
— Mark Knopfler & Emmylou Harris

1938

A história começa assim.

Uma mulher está em uma plataforma da estação de trem, com uma mala na mão direita e um lenço amarelo na esquerda, o qual passa suavemente pelo rosto. As pálpebras, marcadas pelas olheiras, estão úmidas, e a fumaça do carvão irrita sua garganta.

Ninguém veio se despedir. Ela proibiu todos de virem, mesmo que isso fizesse sua mãe chorar, como ela mesma está chorando agora — no entanto, mesmo assim, fica na ponta dos pés para olhar por cima da multidão de chapéus e casacos. Talvez Anton, cansado das lágrimas da mãe, houvesse cedido e, depois de lhe entregar as luvas, com ela na cadeira de rodas, tivesse descido os longos lances de escadas. Mas não vê nem Anton nem a mãe. O terminal está apinhado de estranhos.

Miriam sobe no trem e pisca os olhos sob a luz fraca do corredor. Um homem de bigode e com um estojo de violino corre os olhos por ela, do rosto à grande protuberância do abdome.

— Onde está seu marido? — pergunta ele.

— Na Inglaterra. — O homem a observa, com a cabeça inclinada como a de um pássaro. Em seguida, aproxima-se e, com a mão livre, pega a mala da mulher. Ela abre a boca para protestar, mas ele já está seguindo em frente.

— Há um assento vago na minha cabine.

Durante toda a longa jornada para o oeste, os dois conversam. Ele oferece arenque e picles que tira de dentro de um saco de papel encharcado, e Miriam aceita, mesmo que deteste comer arenque, porque já faz quase um dia inteiro que não come. Ela não menciona nem uma vez que não há marido algum na Inglaterra, mas ele sabe. Quando o trem para na fronteira e os guardas ordenam que todos os passageiros desembarquem, Jakob a mantém perto de si enquanto aguardam, tremendo. A neve que derrete no chão molha as solas frouxas dos sapatos que ela calça.

— Sua esposa? — indaga o guarda a Jakob enquanto ele estende a mão para pegar os documentos dela.

Jakob faz que sim com a cabeça. Seis meses depois, em um dia claro e ensolarado em Margate, com o bebê dormindo nos braços gorduchos e macios da esposa do rabino, é nisso que Miriam se transforma.

* * *

E também começa assim.

Outra mulher está em um jardim, entre rosas, esfregando as costas logo acima da cintura. Usa um longo avental de pintura que pertence ao marido. Ele está pintando agora, dentro da casa, enquanto ela leva a outra mão até a grande protuberância do abdome.

Houve um movimento, algo bem rápido, mas passou. Uma cesta com algumas flores recém-colhidas está no chão, aos seus pés. Ela respira fundo, inalando o aroma de maçã da grama cortada — ela aparou o gramado mais cedo, ainda sob o frio da manhã, com a tesoura de jardinagem. Precisa se manter ocupada; tem horror a ficar inerte, a permitir que o vazio a cubra como um lençol. É muito suave, reconfortante. Tem medo de acabar adormecendo sob esse lençol e que o bebê caia com ela.

Vivian se abaixa para pegar a cesta. Ao fazer isso, sente algo se romper e rasgar. Tropeça, solta um grito. Lewis não a ouve: ele escuta música enquanto trabalha. Geralmente Chopin, ocasionalmente Wagner, quando suas cores estão ficando mais escuras. Ela está no chão, a cesta virada ao seu lado, as rosas espalhadas pelo pátio, vermelhas e rosadas, as pétalas esmagadas e começando a escurecer, exalando seu perfume enjoativo. A dor vem novamente e Vivian geme; em seguida, ela se lembra da vizinha, a sra. Dawes, e chama por ela.

Em um momento, a sra. Dawes está segurando os ombros de Vivian com mãos habilidosas, levando-a até o banco ao lado da porta, na sombra. Manda o filho do quitandeiro, que está boquiaberto no portão da frente, ir chamar o médico, enquanto sobe correndo as escadas em busca do senhor Taylor — um homenzinho bem estranho, com sua barriga saliente e o nariz de batata de um gnomo; não é exatamente a imagem que ela tem de um artista. Mas ele é uma pessoa doce. Encantadora.

Vivian não percebe nada além das ondas de dor, do súbito frescor do toque dos lençóis em sua pele, da elasticidade dos minutos e das horas que se estendem para muito além dos limites até que o médico diz:

— Seu filho. Aqui está o seu filho.

Em seguida, ela baixa os olhos e o vê, o reconhece, piscando para ela com os olhos sábios de um velho.

Parte 1

Versão 1

Pneu furado
Cambridge, outubro de 1958

No futuro, Eva pensará: *Se não fosse por aquele prego enferrujado, Jim e eu nunca teríamos nos conhecido.*

Aquela ideia entrará em sua mente com uma força que lhe arrancará o fôlego. Ela vai ficar deitada, imóvel, observando a luz passar pelas cortinas, considerando o ângulo preciso do pneu na grama irregular; o prego em si, velho e torto; o cãozinho que farejava o chão e que não ouviu o som dos freios e do pneu. Ela deu uma guinada para desviar dele e o pneu acabou encontrando o prego enferrujado. Não seria mais fácil — ou mais *provável* — que nenhuma dessas coisas acontecesse?

Mas tudo isso acontecerá mais tarde, quando sua vida antes de Jim já parecerá algo sem som e sem cor, como se quase não pudesse ser chamada de vida.

— Droga — diz Eva. Ela pisa com força nos pedais, mas o pneu dianteiro salta como um cavalo nervoso. Ela freia, desce e se ajoelha para fazer o diagnóstico. O cãozinho fica a certa distância, late como se pedisse desculpas e depois sai em busca do seu dono — que, naquele momento, já está bem à frente, uma figura usando um sobretudo bege que se afasta cada vez mais.

Ali está o prego, alojado acima de um rasgão irregular, com cinco centímetros de comprimento, no mínimo. Eva aperta as bordas do rasgo e o ar sai num sopro rouco. O pneu já está quase vazio; ela vai ter de empurrar a bicicleta de volta para a faculdade, e já está atrasada para a sua supervisão. O professor Farley vai presumir que ela não fez o trabalho sobre os *Quatro quartetos*, embora ela tenha passado duas noites em claro por causa do livro. O trabalho está em sua mochila agora, cuidadosamente redigido, com cinco páginas (sem contar as notas de rodapé).

Ela até ficou orgulhosa ao finalizá-lo e estava ansiosa para lê-lo em voz alta, observando o velho Farley pelo canto do olho enquanto ele se inclina para a frente, agitando as sobrancelhas como sempre faz quando algo realmente desperta seu interesse.

— *Scheiße*! — exclama Eva; em uma situação grave como aquela, só mesmo o alemão parece ser capaz de descrever o que ela sente.

— Está tudo bem com você?

Ela ainda está ajoelhada, com a bicicleta pesando contra o corpo. Examina o prego, imaginando se seria pior tirá-lo. Não levanta os olhos.

— Estou bem. Só um pneu furado.

A pessoa que passava por ali, quem quer que fosse, está em silêncio. Ela imagina que já foi embora, mas sua sombra — a silhueta de um homem, sem chapéu, levando a mão ao bolso do casaco — começa a se aproximar dela pela grama.

— Deixe-me ajudá-la. Tenho um kit aqui.

Ela ergue os olhos agora. O sol está se pondo por trás de uma fileira de árvores — o outono começou há poucas semanas e os dias já estão ficando mais curtos — e a luz está atrás dele, escurecendo seu rosto. A sombra, ligada aos pés do homem pelos sapatos marrons arranhados, parece ser alta demais, embora ele tenha estatura mediana. O cabelo castanho-claro precisa de um corte; um livro de bolso na outra mão. Eva consegue ler o título na lombada, *Admirável mundo novo*, e lembra-se subitamente de uma tarde, um domingo de inverno, sua mãe preparando *Vanillekipferl* na cozinha, o som do violino do pai que vinha da sala de música — onde ela havia mergulhado completamente na visão estranha e assustadora do futuro descrito por Aldous Huxley nesse mesmo livro.

Ela coloca a bicicleta cuidadosamente no chão e se levanta.

— É muita gentileza sua, mas acho que não faço a menor ideia de como se usa um kit desses. O filho do porteiro sempre conserta o pneu para mim.

— Claro. — A voz dele é tranquila, mas está franzindo as sobrancelhas, procurando no outro bolso. — Acho que fui precipitado. Não estou encontrando meu kit. Desculpe. Geralmente, eu o trago comigo.

— Mesmo quando não está pedalando?

— Sim.

Ele está mais para um garoto do que para um homem; deve ter a mesma idade que Eva e é estudante. Tem um cachecol com as cores da faculdade — listras pretas e amarelas, como uma abelha — ao redor do pescoço. Os rapazes da cidade não falam como ele e com certeza não levam exemplares de *Admirável mundo novo* consigo.

— Esteja preparado para tudo, é o que dizem por aí. E eu em geral faço isso. Ando de bicicleta.

Ele sorri e Eva percebe que os olhos dele são de um azul muito escuro, quase violeta, emoldurados por cílios mais longos que os dela. Em uma mulher, esse seria um efeito bonito; em um homem, é um pouco perturbador; ela está achando difícil olhá-lo nos olhos.

— Você é alemã, então?

— Não. — Ela fala de maneira bastante ríspida; ele desvia o olhar, constrangido.

— Ah, desculpe. Ouvi quando você soltou aquele palavrão. *Scheiße*.

— Você fala alemão?

— Na verdade, não. Mas sei falar "merda" em dez línguas diferentes.

Eva ri; não devia ter levantado a voz.

— Meus pais são austríacos.

— *Ach so*.

— Ah, então você fala alemão, sim!

— *Nein, mein Liebling*. Só um pouco.

O olhar do rapaz cruza com o dela, e Eva fica tomada pela curiosa sensação de que os dois já se encontraram alguma outra vez, embora o nome dele não lhe venha à memória.

— Está lendo para a aula de inglês? Quem lhe falou sobre Huxley? Eu imaginava que eles não nos deixariam ler nada que foi escrito depois de *Tom Jones*.

Ele olha para o livro que tem na mão e faz que não com a cabeça.

— Ah, não, leio Huxley só por diversão. Estudo direito. Mas eles *ainda* nos deixam ler romances, sabia?

Ela sorri.

— Claro, claro. — Não pode ter visto o rapaz nas aulas de inglês; talvez tenham sido apresentados em alguma festa. David conhece muitas pessoas. Qual era mesmo o nome daquele seu amigo com quem Penélope dançou no Baile de Maio de Caius, antes que ela começasse a namorar Gerald? Ele tinha belos olhos azuis, mas não exatamente como os deste rapaz. — Você me parece familiar. Já nos conhecemos?

O rapaz a encara outra vez, com a cabeça inclinada. Tem a pele pálida, com uma aparência tipicamente inglesa e um punhado de sardas salpicadas no nariz. Ela imagina que elas crescem e se juntam assim que o sol aparece, e que ele detesta quando isso acontece, abominando a pele frágil das pessoas do norte.

— Não sei — diz ele. — Tenho a impressão que sim, mas eu me lembraria do seu nome.

— É Eva. Edelstein.

— Certo. — Ele sorri outra vez. — Tenho certeza de que me lembraria. Sou Jim Taylor. Estou no segundo ano em Clare. Você está em Newnham?

Ela confirma com um gesto de cabeça.

— No segundo ano. E estou prestes a ficar bem encrencada por perder uma supervisão, apenas porque algum idiota deixou um prego por aí.

— Eu devia estar numa supervisão também. Mas, para ser honesto, estava pensando em faltar.

Eva o observa cuidadosamente; tem pouco tempo para esses alunos: homens, em sua maioria, que frequentam as faculdades mais caras e encaram o diploma com um desprezo preguiçoso e indulgente. Ela não imaginava que ele pudesse ser um deles.

— Você faz isso sempre?

Ele dá de ombros.

— Não. É que não estava me sentindo bem. Mas, de repente, já estou me sentindo bem melhor.

Eles ficam em silêncio por um momento, os dois sentindo que deviam tomar a iniciativa de ir embora, mas sem querer realmente fazer isso. No caminho, uma garota com um casaco longo de lã azul-marinho passa rapidamente por ali, olhando-os pelo canto do olho. Em seguida, ao reconhecer Eva, ela olha outra vez. É aquela garota Girton, a que interpretou o papel de Emília, a companheira do Iago de David, no teatro ADC. Ela estava de olho em David; qualquer idiota era capaz de perceber. Mas Eva não quer pensar em David agora.

— Bom... — diz Eva. — Acho que é melhor eu voltar. Ver se o filho do porteiro pode consertar minha bicicleta.

— Ou você pode deixar que eu a conserto para você. Estamos bem mais perto de Clare do que de Newnham. Vou encontrar meu kit, consertar o furo do seu pneu, e depois você pode aceitar que eu a leve para tomar alguma coisa.

Eva observa o rosto de Jim e sente uma certeza que não consegue explicar — e nem mesmo tentar — de que este é o momento: o momento depois do qual nada voltará a ser como antes. Ela poderia — *deveria* — dizer não, dar meia-volta, empurrar a bicicleta pelas ruas que levam até os portões da faculdade sob a luz do fim de tarde, deixar que o filho do porteiro venha correndo ajudá-la e lhe oferecer quatro xelins de gorjeta. Mas não é o que faz. Em vez disso, ela vira a bicicleta na direção oposta e caminha ao lado desse rapaz, esse Jim, e suas sombras gêmeas se tocam nos calcanhares, mesclando-se e unindo-se sobre a grama.

Versão 2

Pierrô
Cambridge, outubro de 1958

No vestiário, ela diz a David:

— Quase atropelei um cachorro com minha bicicleta.

David estreita os olhos na direção dela pelo espelho; ele está aplicando uma camada grossa de *pancake* no rosto.

— Quando foi isso?

— Estava indo para a aula do professor Farley. — Era estranho lembrar isso agora. Era alarmante: o cãozinho branco na beira do caminho não se afastou quando ela se aproximava, mas veio em sua direção, abanando o rabo curto. Ela se preparou para desviar dele, mas, no último instante, a poucos centímetros da sua roda dianteira, o cachorro simplesmente saltou com um latido assustado.

Eva parou, atordoada; alguém estava falando:

— Ei, olhe por onde anda. — Ela se virou, viu um homem com um sobretudo bege perto dali, olhando para ela com uma expressão dura.

— Desculpe-me — disse ela, embora o que quisesse realmente dizer fosse *Você devia prender esse seu maldito cachorro em uma coleira*.

— Está tudo bem com você? — Outro homem se aproximava pela direção oposta; um rapaz, mais ou menos da mesma idade dela, com um cachecol com as cores da faculdade enrolado no pescoço.

— Muito bem, obrigada — respondeu ela, com uma formalidade forçada. Seus olhos se cruzaram brevemente quando ela montou outra vez na bicicleta. Os dele, de um azul-escuro incomum, emoldurados por cílios longos e femininos — e por um segundo ela teve a certeza de que o conhecia. Tanta certeza que abriu a boca para cumprimentá-lo. Contudo, naquele momento, tão rapidamente quanto ela duvidou de si mesma, não disse nada e continuou a pedalar. Assim que chegou à sala do professor

Farley e começou a ler seu trabalho sobre os *Quatro quartetos*, tudo aquilo acabou sumindo da sua mente.

— Ah, Eva — diz David agora. — Você sempre se mete nas situações mais absurdas.

— É mesmo? — Ela franze a testa, sentindo a distância entre a imagem que David tem dela, desorganizada e docemente distraída, e a sua própria versão. — Não foi culpa minha. Aquele cachorro idiota veio direto para cima de mim.

Mas ele não está prestando atenção; está olhando atentamente para o reflexo dele, aplicando a maquiagem até o pescoço. O efeito é, ao mesmo tempo, cômico e melancólico, como um daqueles pierrôs franceses.

— Olhe aqui — diz ela. — Você esqueceu um pedaço. — Ela se aproxima e esfrega o queixo de David com a mão.

— Não faça isso — diz ele, ríspido, e ela afasta a mão.

— Katz. — Gerald Smith está na porta, vestido, assim como David, com um longo manto branco e o rosto coberto por uma camada branca e irregular de maquiagem. — Hora do aquecimento do elenco. Ah, oi, Eva. Importa-se de ir procurar Pen? Ela disse que estaria lá na frente.

Ela faz que sim com a cabeça. Para David, ela diz:

— Vejo você mais tarde, então. Boa sorte.

Quando Eva se vira para sair, ele a segura com força pelo braço e a puxa para perto.

— Desculpe — sussurra David. — Estou com os nervos à flor da pele.

— Eu sei. Não fique assim. Vai ser um sucesso.

Ele é um sucesso, como sempre, pensa Eva uma hora mais tarde, aliviada. Está sentada em uma das poltronas preferenciais do teatro, segurando a mão da amiga Penélope. Durante as primeiras cenas, ambas estão tensas, mal conseguem olhar para o palco; por isso, olham para a plateia, medindo as reações, repassando as falas que ensaiaram tantas vezes.

David, no papel de Édipo, tem um longo discurso de cerca de quinze minutos que demorou uma eternidade para memorizar. Na noite passada, após o ensaio, Eva ficou sentada ao seu lado até meia-noite no camarim vazio, repassando o texto com ele várias e várias vezes, embora seu trabalho para a faculdade ainda estivesse pela metade e precisasse passar a noite em claro para terminá-lo. Esta noite, ela mal é capaz de escutar aquelas falas, mas a voz de David é clara e firme. Ela observa quando os dois homens na fileira diante dela se inclinam para a frente, fascinados.

Mais tarde, eles se reúnem no bar, para beber vinho branco. Eva e Penélope — alta, de lábios escarlates e com um belo corpo; suas primeiras palavras para Eva, sussurradas por cima da mesa da recepção aos alunos, foram "Não sei quanto a você, mas eu seria capaz até de roubar um cigarro agora" — estão ao lado de Susan Fletcher. O diretor, Harry Janus, trocou-a recentemente por uma atriz mais velha que conheceu em um espetáculo em Londres.

— Ela tem *vinte e cinco anos* — diz Susan. Está irritada e com lágrimas nos olhos, observando Harry com cara de poucos amigos. — Vi a foto dela na *Spotlight*. Havia um exemplar na biblioteca. Ela é absolutamente *linda*. Como posso competir?

Eva e Penélope trocam um olhar discreto; deviam sentir certa lealdade para com Susan, mas não conseguem pensar em outra coisa a não ser que ela é o tipo de garota que adora esse tipo de drama.

— É só não competir — diz Eva. — Saia do jogo. Encontre outra pessoa.

Susan a encara, piscando os olhos.

— É fácil para você dizer isso. David adora você.

Eva segue o olhar de Susan até o outro lado da sala, onde David está conversando com um homem mais velho de paletó e chapéu — não é um aluno e não tem o ar enfadonho de um aristocrata; é um agente que veio de Londres, também. Está observando David como um homem que esperava encontrar uma moeda de um centavo, mas que, em vez disso, encontrou uma nota de uma libra. E por que não? David está novamente usando roupas normais, com a gola da jaqueta esportiva erguida e o rosto limpo: alto, brilhante, magnífico.

Durante todo o primeiro ano de Eva na faculdade, o nome "David Katz" percorreu os corredores e as salas de estudo de Newnham, geralmente pronunciado em meio a sussurros empolgados. *Ele está no King's, sabia? É a cara de Rock Hudson. Levou Helen Johnson para tomar uns drinques.* Quando finalmente se conheceram — Eva fazia o papel de Hérmia, o par de Lisandro, interpretado por David, em um primeiro contato com o palco que confirmou suas suspeitas de que ela nunca conseguiria ser atriz —, ela sabia que David a observava, esperando pelos rubores habituais ou pelas risadinhas com nuances de flerte. Mas ela não riu; achou que David era um esnobe, vaidoso demais. E mesmo assim ele pareceu não perceber; no Eagle Pub, após a leitura do texto, David perguntou sobre a família de Eva, sobre sua vida, com um interesse que ela começou a pensar que seria genuíno.

— Quer ser escritora? — perguntou ele. — Que coisa maravilhosa. — David recitou cenas inteiras do programa *Hancock's Half Hour* para ela com uma exatidão impressionante, até que ela não conseguiu mais conter as risadas. Alguns dias mais tarde, após os ensaios, ele a convidou para tomar um drinque, e Eva, sentindo uma onda súbita de empolgação, aceitou o convite.

Isso foi há seis meses, na época da Páscoa. Ela não imaginava que o relacionamento sobreviveria ao verão — o mês que David passou com a família em Los Angeles (seu pai era americano e tinha algumas conexões fascinantes com Hollywood), e as duas semanas que ela passou em um sítio de escavações arqueológicas perto de Harrogate (bastante entediante, mas encontrava tempo para escrever nas longas horas de luz mortiça que havia entre o jantar e o horário de dormir). Mas ele frequentemente lhe mandava cartas da América e, às vezes, até telefonava; depois, quando voltou, foi até Highgate para tomar chá, encantou os pais dela enquanto comiam *Lebkuchen* e levou-a para nadar nos Lagos.

Eva estava descobrindo que havia muito mais em David Katz do que havia imaginado. Gostava da sua inteligência, do seu conhecimento sobre a cultura; ele a levou para assistir à peça *Chicken soup with Barley* no Royal Court, e Eva achou o espetáculo extraordinário; David parecia conhecer pelo menos metade de todo o bar. O passado que os dois compartilhavam facilitava um pouco as coisas: a família do pai de David havia emigrado da Polônia para os Estados Unidos, e a mãe, da Alemanha para Londres. Hoje eles moravam em uma enorme *villa* em estilo eduardiano em Hampstead e podiam ir a pé até a casa dos pais de Eva, atravessando uma pequena floresta.

E também, se Eva quisesse realmente ser honesta, havia a questão da aparência dele. Ela própria não era nem um pouco vaidosa; havia herdado o interesse da mãe por estilos elegantes — um paletó bem cortado, um cômodo decorado com bom gosto — e aprendeu, desde pequena, a preferir realizações intelectuais à beleza física. Ainda assim, descobriu que *realmente* gostava da maneira como a maioria dos olhos se virava para David quando ele entrava em algum lugar; o jeito como sua presença em uma festa subitamente fazia a noite parecer mais alegre, mais brilhante. Quando chegou o outono, eles já eram casal — celebrado, até mesmo, pelo círculo de contatos e amizades dele, composto por aspirantes a atores, escritores e diretores de teatro — e Eva se deixou levar pelo seu charme e autoconfiança, pelos flertes dos amigos dele, pelas piadas e brincadeiras que faziam entre si e pela crença absoluta de que o sucesso estava reservado a eles.

Talvez seja assim que o amor sempre chega, escreveu ela em seu diário, *nessa transição imperceptível da amizade para a intimidade*. Eva não era o que se poderia chamar de garota experiente. Conheceu seu único namorado anterior, Benjamin Schwartz, em um baile na Escola de Garotos de Highgate. Ele era tímido, tinha um olhar vidrado que lembrava o de uma coruja e a convicção inabalável de que um dia descobriria a cura para o câncer. Nunca tentou fazer nada além de beijá-la, de segurar sua mão; não era raro, quando estava em sua companhia, que ela sentisse o tédio crescer dentro de si como um bocejo reprimido. David nunca era entediante. Ele é ação e energia em tons brilhantes o tempo todo.

Agora, do outro lado do bar, ele cruza o olhar com o dela, sorri e forma silenciosamente a palavra "Desculpe-me" com os lábios.

Susan, percebendo, diz:

— Está vendo?

Eva toma o vinho devagar, apreciando a emoção ilícita de ter sido escolhida, de ter algo tão doce e desejado em suas mãos.

Na primeira vez que ela visitou o dormitório de David no King's College (era um dia tórrido de junho; naquela noite eles fariam a última apresentação de *Sonho de uma noite de verão*), ele a colocou diante do espelho que havia sobre a pia, como um manequim. Em seguida, ficou atrás dela, arrumando seus cabelos para que os cachos caíssem sobre os ombros, descobertos do vestido leve de algodão que ela usava.

— Está vendo o quanto nós somos bonitos?

Eva, olhando para o reflexo dos dois pelos olhos dele, sentiu subitamente que via. E disse, simplesmente:

— Sim.

Versão 3
🌸 🌸 🌸

Outono
Cambridge, outubro de 1958

Ele a vê cair ao longe: lentamente, deliberadamente, como se fosse uma série de imagens congeladas no tempo. Um cãozinho branco — um terrier — farejava algo na beira da estrada, levantando a cabeça para enviar um latido de reprovação na direção do dono, um homem com um sobretudo bege que já estava alguns passos mais adiante. A garota que se aproxima em uma bicicleta — ela está pedalando rápido demais, seus cabelos escuros esvoaçando-se atrás de si como uma bandeira. Ele a ouve dizer mais alto que o som agudo da buzina.

— Não vai sair daí, garoto? — Mesmo assim, o cachorro, atraído por alguma nova fonte de fascinação canina, não se afasta; em vez disso, vai diretamente de encontro ao pneu dianteiro.

A garota dá uma guinada brusca; a bicicleta, entrando no meio do capim alto, treme e tomba. Ela cai de lado, batendo violentamente, a perna esquerda torcida em um ângulo doloroso. Jim, que agora está a poucos metros dali, a ouve soltar um palavrão.

— *Scheiße*.

O terrier espera um momento, agitando o rabo desconsoladamente, e em seguida corre atrás do seu dono.

— Está tudo bem com você?

A garota não ergue os olhos. Mais perto, agora, o rapaz consegue perceber que ela é pequena, magra e tem mais ou menos a idade dele. Seu rosto se esconde atrás daquela cortina de cabelos.

— Não sei.

A voz da garota está ofegante, entrecortada; foi o choque, é claro. Jim sai da calçada e vai até onde ela está.

— Foi o tornozelo? Quer tentar se apoiar nele?

Aí está o rosto da garota: delicado, como ela toda; o queixo fino; olhos castanhos ligeiros e observadores. Sua pele é mais escura que a dele, levemente bronzeada. Imaginou que ela poderia ser italiana ou espanhola; mas jamais alemã. Ela faz que sim com a cabeça, geme um pouco enquanto se levanta. Em pé, ela mal chega à altura dos ombros dele. Não é exatamente bonita, mas, de alguma forma, é familiar. Embora tenha certeza de que não a conhece. Pelo menos, ainda não.

— Não está quebrado, então.

Ela confirma com um aceno de cabeça.

— Não está quebrado. Dói um pouco. Mas desconfio que vou sobreviver.

Jim tenta abrir um sorriso que ela não chega a retribuir.

— Foi uma queda feia. Bateu em alguma coisa?

— Não sei. — O rosto dela está sujo de terra; ele percebe que está lutando contra a vontade súbita de limpá-la. — Mas acho que sim. Costumo ter cuidado, só que aquele cachorro veio direto para cima de mim.

Ele olha para a bicicleta largada no chão; bem perto do pneu traseiro há uma enorme pedra que estava escondida no meio da grama.

— Aí está a culpada. Seu pneu deve ter batido nela. Quer que eu dê uma olhada? Tenho um kit de consertos aqui.

Ele passa o livro que está trazendo — *Mrs. Dalloway*; ele encontrou o exemplar na mesinha de cabeceira do quarto da mãe quando preparava as malas para voltar à faculdade e pediu o livro emprestado, pensando que isso lhe daria uma ideia melhor sobre o que se passava na cabeça dela — para a outra mão e procura algo no bolso da jaqueta.

— É muita gentileza sua, mas tenho certeza de que...

— É o mínimo que posso fazer. Não acredito que aquele homem nem olhou para trás. Não foi muito cavalheiresco, não acha?

Jim engole em seco, constrangido pela insinuação que fez: de que a sua reação, é claro, *foi*. Ele dificilmente seria o herói que salvaria o dia; seu kit de reparos nem mesmo está ali. Tateia o outro bolso e, então, se lembra: Verônica. Despindo-se no quarto dela naquela manhã — os dois nem mesmo esperaram no corredor para que ele tirasse a jaqueta —, Jim tirou o que tinha nos bolsos e deixou em cima da cômoda. Mais tarde, pegou a carteira, as chaves, algumas moedas. O kit ainda devia estar lá, esquecido no meio dos perfumes, dos colares e dos anéis.

— Acho que falei cedo demais. Não faço ideia de onde ele está. Desculpe. Geralmente, eu o trago comigo.

— Mesmo quando não está andando de bicicleta?

— Sim. Esteja preparado para tudo, é o que dizem por aí. E eu geralmente faço isso. Ando de bicicleta.

Eles ficam em silêncio por um momento. Ela ergue o tornozelo esquerdo e o move em círculos lentamente. O movimento é fluido, elegante: uma bailarina praticando seus passos, apoiada na barra da sala de dança.

— Como está o tornozelo? — Ele fica surpreso ao perceber que realmente quer saber.

— Um pouco dolorido.

— Talvez seja melhor ir ao médico.

Ela faz que não com a cabeça.

— Tenho certeza de que uma bolsa de gelo e uma taça de gim vão curar isso.

Ele a observa, sem saber ao certo como agir após aquela resposta. Ela sorri.

— Você é alemã, então? — pergunta ele.

— Não.

Ele não estava esperando rispidez. E desvia o olhar.

— Ah, desculpe. Ouvi você soltar um palavrão. *Scheiße*.

— Você fala alemão?

— Na verdade, não. Mas sei falar "merda" em dez línguas diferentes.

Ela ri, revelando dentes brancos e reluzentes. Saudáveis demais, talvez, para terem sido criados à base de cerveja e chucrute.

— Meus pais são austríacos.

— *Ach so*.

— Ah, então você fala alemão, sim!

— *Nein, mein Liebling*. Só um pouco.

Olhando para o rosto dela, Jim se dá conta da vontade que sente de puxá-la para si. Consegue ver os dois juntos com uma vivacidade incomum: ela encolhida numa poltrona sob a janela, lendo um livro, a luz banhando seus cabelos; ele desenhando, a sala branca e em total silêncio, exceto pelo barulho da grafite deslizando pelo papel.

— Está lendo para a aula de inglês também?

A pergunta o traz de volta à realidade. O dr. Dawson em sua sala de Old Court, seus três companheiros de supervisão com rosto rechonchudo e impassível, anotando descuidadamente os "objetivos e a adequação da lei criminal". Ele já está atrasado, mas não se importa.

Então, olha para o livro que tem na mão e nega com a cabeça.

— Direito.

— Ah, não conheço muitos homens que gostam de ler Virginia Woolf por prazer.

Ele ri.

— Ando com este livro porque é uma ótima desculpa para quebrar o gelo com as alunas bonitas do curso de inglês. "Então, você adora o *Mrs. Dalloway*?" sempre funciona.

Ela está rindo, e ele a observa novamente, por mais tempo desta vez. Os olhos dela não são realmente castanhos; na íris, são quase negros; na borda, a cor se aproxima mais do cinza. Ele se lembra de um tom exatamente como aquele em uma das pinturas do seu pai: uma mulher — que hoje ele sabe que se chama Sonia; era por isso que sua mãe não queria aquele quadro nas paredes — sobreposta a um céu tipicamente inglês.

— E o que me diz, então? — pergunta ele.

— O que eu digo sobre o quê?

— Você adora *Mrs. Dalloway*?

— Ah, com certeza. — Um silêncio curto. Em seguida: — Você me parece familiar. Acho que já o vi em alguma aula, talvez.

— Não, a menos que você esteja invadindo as fascinantes aulas do professor Watson sobre direito romano. Qual é o seu nome?

— Eva. Edelstein.

O nome de uma cantora de ópera, uma bailarina, não esse arremedo de garota cujo rosto, Jim sabe bem, ele vai desenhar mais tarde, mesclando seus contornos: os ângulos fortes da maçã do rosto; as sombras borradas sobre os olhos.

— Tenho certeza de que me lembraria. Sou Jim Taylor. Segundo ano em Clare. Acho que você estuda em... Newnham. Estou certo?

— Está, sim. Estou no segundo ano também. Prestes a me encrencar bastante por perder uma supervisão sobre a obra de Eliot. E eu fiz o trabalho.

— Uma tragédia nunca vem sozinha, não é mesmo? Mas acho que vão quebrar seu galho, considerando as circunstâncias.

Ela o encara com a cabeça um pouco inclinada; ele não consegue ter certeza se ela o acha um cara interessante ou esquisito. Talvez esteja simplesmente se perguntando por que ele ainda está aqui.

— Eu devia estar numa supervisão também. Mas, para ser honesto, estava pensando em faltar.

— Você faz isso sempre? — Aquele traço de rispidez voltou; ele quer explicar que não é um rapaz *desse tipo*, que negligencia seus estudos devido à preguiça, ao cansaço ou a alguma noção herdada de que pode fazer o que quiser sem se preocupar com as consequências. Quer dizer a ela qual é a sensação de ser colocado num caminho escolhido por outras pessoas.

Mas não pode, é claro; então, simplesmente diz:

— Não. É que não estava me sentindo bem. Mas, de repente, já estou me sentindo bem melhor.

Por um momento, parece que não há mais nada a dizer. Jim imagina como as coisas vão acontecer dali em diante: ela vai erguer a bicicleta, vai se virar para ir embora e fazer uma lenta jornada de volta à faculdade. Ele está aflito, não consegue pensar em nada que possa dizer ou fazer para mantê-la ali. Entretanto ela ainda não foi embora; está olhando para um ponto além de onde ele está, para a calçada. Jim segue o olhar dela e percebe uma garota com um casaco azul-marinho que os observa e em seguida continua seu caminho.

— É alguém que você conhece? — pergunta ele.

— Mais ou menos. — Alguma coisa mudou nela; ele pode sentir. Algo que se fecha. — É melhor eu voltar. Vou me encontrar com alguém mais tarde.

Um homem; claro que tinha de haver um homem. Um pânico lento cresce dentro dele: ele não vai, *não pode*, deixá-la ir. Estende a mão e a toca no braço.

— Não vá. Venha comigo. Conheço um pub aqui perto. Eles têm bastante gelo e gim lá.

Ele deixa a mão no algodão áspero da manga do casaco de Eva. Ela não se desvencilha; apenas volta a erguer o rosto para observá-lo com aqueles olhos atentos. Ele tem certeza de que ela vai dizer não, de que irá embora. Mas em seguida ela diz:

— Tudo bem. Por que não?

Jim faz que sim com a cabeça, fingindo uma tranquilidade que não sente. Está pensando em um pub em Barton Road; e vai empurrar a maldita bicicleta até lá se tiver de fazê-lo. Ele se ajoelha e a examina; não há nenhum estrago visível, exceto por um arranhão estreito no para-lama dianteiro.

— Parece que não foi nada sério. Eu a levo para você, se quiser.

Eva faz que não com um gesto de cabeça.

— Obrigada, mas eu mesma posso cuidar disso.

Em seguida, caminham juntos, saindo das trilhas marcadas das suas tardes e indo rumo às sombras cada vez mais espessas do início da noite, rumo ao lugar indefinido e escuro onde um caminho é escolhido e outro é deixado para trás.

Versão 1

Chuva
Cambridge, novembro de 1958

A chuva vem subitamente logo depois das quatro. Sobre a claraboia, as nuvens se amontoaram sem que ele percebesse, ficaram cinzentas como um bloco de ardósia, com a parte de baixo quase roxa. As gotas de chuva, grossas, batem contra o vidro e a sala fica estranhamente escura.

Jim, diante do seu cavalete, coloca a paleta de tintas no chão e anda rapidamente pela sala, acendendo lâmpadas. Mas não faz muita diferença; sob a luz artificial, as cores parecem não ter vida; a tinta está grossa demais em alguns lugares, as pinceladas ficaram claramente visíveis. Seu pai nunca pintava à noite; ele acordava cedo e ia até o estúdio no sótão para aproveitar toda a manhã. "A luz do dia nunca mente, filho", dizia ele. Às vezes, sua mãe resmungava algo em resposta, com a voz baixa, mas ainda assim suficiente para que Jim ouvisse: "Diferente de *certas pessoas* por aqui".

Ele leva a paleta até a pia, limpa os pincéis com um pedaço de pano velho e os guarda em um pote de geleia cheio de aguarrás. Respingos de tinta aguada mancham o acabamento; a arrumadeira vai reclamar outra vez amanhã. "Não estou aqui para limpar esse tipo de sujeira, não é mesmo?", ela vai dizer, revirando os olhos. Mas é mais tolerante que a sra. Harold, a mulher que cuidava do apartamento no ano anterior. Na terceira semana do primeiro semestre, ela foi até o chefe da manutenção para reclamar, e não demorou muito até que Jim fosse levado ao coordenador do seu curso.

— Não pode ter um pouco de consideração, Taylor? — perguntou o dr. Dawson, com a voz cansada. — Este lugar não é exatamente uma escola de artes.

Os dois sabiam que ele havia escapado sem maiores consequências. A esposa de Dawson é pintora, e, quando Jim conseguiu um quarto enorme no último andar durante o sorteio dos alojamentos, com o telhado inclinado e uma claraboia imensa e desimpedida, ele imaginou que o velho professor pudesse ter usado um pouco da sua influência.

Entretanto, quando o assunto é sua produção acadêmica, a tolerância de dr. Dawson começa a se esgotar: Jim não vem entregando seus trabalhos no prazo neste semestre, e nenhum deles teve nota acima da média.

— Temos que considerar, sr. Taylor, se realmente tem a intenção de permanecer conosco — disse o professor na semana anterior, quando o chamou a sua sala. Em seguida, olhando fixamente para Jim por cima dos óculos com uma expressão intensa, acrescentou: — E então, tem intenção?

É claro que tenho, pensa Jim agora. *Mas não mais pelas mesmas razões pelas quais você gostaria que eu permanecesse. Nem você nem minha mãe.*

Ele passa o dedo levemente sobre a tela para verificar se a tinta fresca já secou: Eva vai chegar logo, e ele precisa cobrir o retrato antes disso. Diz que faz isso porque o retrato ainda não está pronto, mas, na verdade, está quase terminado. Hoje, embora devesse estar estudando contratos imobiliários e copropriedade, passou o dia trabalhando nas áreas de sombra que definem os contornos do rosto de Eva. Ele a pintou lendo, sentada na cadeira da escrivaninha (um truque para fazer com que os longos períodos que ela fica sentada sejam mutuamente benéficos), com os cabelos escuros caindo em cachos soltos sobre os ombros. Assim que traçou os contornos, percebeu que estava dando vida à visão que teve dela quando se encontraram pela primeira vez, no dia do acidente.

A tinta está seca; Jim cobre a tela com um lençol velho. São quatro e quinze. Ela está quarenta e cinco minutos atrasada agora e ainda chove forte, a chuva causando um tamborilado insistente na claraboia. O medo se apodera dele: talvez ela tenha escorregado na calçada molhada. Ou então algum motorista, com a visão prejudicada pelo aguaceiro, bateu na roda da bicicleta de Eva, deixando-a encharcada e contorcida no asfalto. É irracional, ele sabe, mas é assim que as coisas são agora. É assim que as coisas têm sido nas quatro semanas desde que um entrou na vida do outro com a tranquilidade comum dos velhos amigos que retomam uma conversa familiar. Felicidade escorada no medo: o medo de perdê-la. O medo de não ser bom o suficiente.

Eva contou a Jim sobre seu namorado, David Katz, na noite em que se conheceram, depois que ele consertou o pneu furado e pegou a própria bicicleta para ir com ela até um pub em Grantchester Road. Ela conheceu Katz seis meses antes, quando os dois estavam no elenco de *Sonho de uma noite de verão*. (Katz já era ator e tinha alguma fama; Jim reconheceu o nome.) Mas aquele relacionamento não havia tocado verdadeiramente seu coração, de acordo com ela; no dia seguinte, iria dizer a Katz que estava tudo acabado. Teria feito isso antes, mas aquela era a primeira noite do novo espetáculo de Katz, *Édipo Rei*. Ela não foi à apresentação, e não lhe pareceu muito gentil aumentar a potência do golpe dizendo-lhe a razão.

Jim e Eva sentaram-se a uma mesa no canto da sala dos fundos do pub enquanto o barman avisou a todos que era hora de pedirem a última rodada. Já fazia precisamente seis horas desde que os dois se conheceram, e uma hora e dez minutos desde que se beijaram pela primeira vez. Quando ela terminou de falar, Jim assentiu e a beijou de novo. Não disse que havia descoberto por que o nome de Katz era familiar: o fato de Katz ser amigo de um antigo colega de Jim, Harry Janus, que agora estudava inglês. Jim chegou a conversar com Katz em uma festa e sentiu uma antipatia instantânea por ele, por motivos que não conseguia realmente descrever em palavras. Todavia, daquele momento em diante — mesmo quando o sucesso profissional de Katz chegasse a um ponto no qual qualquer fracasso seria inimaginável —, Jim sentiria certa compaixão pelo rival: uma espécie de generosidade sutil do vencedor. Independentemente do que restasse a Katz, Jim ainda teria o maior dos prêmios.

Ali, no pub, Jim admitiu que também havia alguém de quem ele precisava se afastar. Eva não perguntou o nome da pessoa, e ele sabia que, se isso acontecesse, teria dificuldade para se lembrar do nome. Pobre Verônica: será que ela realmente significava tão pouco? E, ainda assim, essa era a realidade: no dia seguinte, Jim sugeriu que se encontrassem para tomar café em um bar de Market Square e disse a ela que o namoro estava acabado sem nem mesmo esperar que ela esvaziasse a xícara. Verônica chorou um pouco em silêncio. As lágrimas borraram sua maquiagem, o delineador escorreu lentamente, deixando uma mancha escura em seu rosto. A intensidade daquela emoção acabou por surpreendê-lo. Jim tinha certeza de que não a havia enganado, e ela não havia feito isso com ele também — e aquela cena não lhe inspirou nada além de um constrangimento distante e cortês; deu-lhe um lenço de papel, desejou-lhe tudo de bom e foi embora. Enquanto voltava para a faculdade, chegou a cogitar como podia ter agido de maneira tão insensível. Mas o desconforto rapidamente foi substituído por outros pensamentos mais felizes — os olhos castanhos de Eva fitando os seus; a pressão dos lábios dela quando se beijaram. Ele praticamente não voltaria a se lembrar de Verônica.

Eva terminou o namoro com Katz alguns dias depois. Na sexta-feira seguinte, ela viajou sozinha a Londres para celebrar o aniversário da mãe; gostaria que Jim fosse com ela, mas seus pais haviam conhecido Katz naquele verão e ela não queria surpreendê-los tão rapidamente com a notícia de um novo relacionamento. Naquele mesmo dia, Jim se apanhou passando diante do teatro ADC e comprou um ingresso para a apresentação de *Édipo Rei* daquela noite.

Mesmo sob várias camadas de maquiagem cênica branca, David Katz parecia ser um adversário formidável: alto, carismático e com certa arrogância que até mesmo Jim imaginou que pudesse ser atraente. E, assim como Eva, Katz era judeu. Embora nunca chegasse a admitir, Jim — um protestante não praticante, batizado somente pela insistência da avó e sem nenhuma noção daquela história comum, ou daquela perda — sentiu certo incômodo.

Em seguida, saiu discretamente do teatro, voltou para a faculdade e andou de um lado para outro em seu quarto, tentando obsessivamente descobrir o que Eva havia visto nele, o que ele poderia oferecer que Katz não fosse capaz de superar. Logo depois, Sweeting chegou, bateu na sua porta e disse-lhe que iria com alguns amigos ao JCR; que tal parar de se preocupar e ir encher a cara?

Agora a chuva se acumulava em poças e formava enxurradas, e os pensamentos de Jim giravam, ganhando velocidade: Katz foi se encontrar com Eva; ele a conquistou outra vez; os dois estão juntos, deitados no alojamento dela, pele contra pele. Ele pega a jaqueta e desce as escadas, dois degraus de cada vez; vai dar uma olhada na fenda da cerca viva — a fenda *deles* —, caso ela tenha decidido evitar a portaria. (O porteiro do dia está começando a levantar as sobrancelhas ao perceber quantas vezes Eva passa por ali. Não é muito justo, de acordo com Jim, pois ela certamente não é a única garota de Newnham que passa boa parte do seu tempo longe da faculdade.) No térreo, ele quase tromba com Sweeting, que está chegando quando Jim está saindo.

— Cuidado, Taylor — diz Sweeting, mas Jim não para, nem mesmo percebe a chuva quando ela encharca seus cabelos e entra por baixo do colarinho frouxo da sua camisa.

Diante da cerca viva, ele para, sussurra o nome dela. Diz o nome outra vez, mais alto. Desta vez ele ouve a resposta.

— Estou aqui.

Ela passa pela brecha, os galhos úmidos puxando-lhe o rosto e o casaco. Ele tenta afastá-los para facilitar a passagem, mas as moitas resistem, arranhando suas mãos. Quando ela está diante dele — encharcada, suja de lama, ofegante, desculpando-se por ter se atrasado porque estava conversando com alguém depois das aulas e não podia simplesmente ir embora —, ele quase chora de alívio. Engole aquele impulso, sabendo que não é uma atitude masculina. Mas não consegue evitar as palavras quando a toma nos braços:

— Ah, querida, achei que não viesse.

Eva afasta-se do abraço, exibindo a mesma expressão ríspida que ele está aprendendo a amar, a chuva escorrendo pelo seu rosto e respingando no chão.

— Seu bobo. Não seja ridículo. Como eu poderia querer estar em outro lugar que não fosse este?

Versão 2

Mãe
Cambridge, novembro de 1958

— Você precisa mesmo ir? — pergunta ela.

Jim, vestindo-se na meia-luz do quarto dela, vira-se para olhar para Verônica. Deitada de lado, seus seios parecem dois montes gêmeos pressionados um contra o outro, firmes, pálidos como porcelana por baixo da camisola violeta.

— Infelizmente, preciso. Tenho de estar na estação quando o trem das onze horas chegar.

— Sua mãe, como ela é? — pergunta ela, sem qualquer emoção na voz, observando-o enquanto ele calça as meias.

— Você não vai querer saber — diz ele, embora o que realmente quisesse dizer fosse "Não quero lhe contar". E realmente qualquer associação entre Verônica e a mãe dele deve ser evitada: a diferença de idade entre as duas mal chega a dez anos, um fato que deixa Jim embasbacado sempre que pensa a respeito. E ele tem certeza de que isso deixa Verônica ainda mais chocada.

Pressentindo isso, talvez, ela não força a questão, mas o segue até o térreo com seu robe de seda e se oferece para preparar café. A manhã está escura e nublada, ameaçando chover. Sob a luz cinzenta, os restos da noite — as taças de vinho, a dela ainda com uma mancha de batom rosado, e os pratos sujos largados na pia — causam em Jim uma impressão incrivelmente sórdida. Ele recusa o café, beija-a rapidamente nos lábios e ignora a pergunta que ela faz, querendo saber quando vão se ver novamente.

— Bill volta na semana que vem, lembre-se — acrescenta ela com a voz baixa enquanto ele abre a porta para ir embora. — Não temos muito tempo.

Com a porta fechada firmemente atrás de si, Jim pega a bicicleta que deixou no passadiço ao lado da casa. As cortinas de renda da casa vizinha se agitam enquanto ele pedala até a rua, mas ele não olha para trás. Há uma sensação estranha de irrealidade em tudo isso — como se não fosse realmente ele girando os pedais, avançando no asfalto negro daquela monótona rua de subúrbio, deixando para trás sua amante (na falta de uma palavra melhor): uma mulher doze anos mais velha com o marido na Marinha Mercante. *Tenho certeza*, diz ele a si mesmo quando vira em Mill Road, desviando-se do fluxo constante que vem do centro da cidade para a estação, *de que isso foi obra dela*. Verônica o procurou em um dos cantos mais empoeirados da biblioteca da universidade (ela estava fazendo um curso noturno sobre culturas antigas); perguntou se ele gostaria de sair para beber algo. Ela já havia feito isso antes e com certeza faria outra vez. Isso não o torna um participante involuntário, longe disso, mas está percebendo cada vez mais que mal a conhece e que não tem vontade de conhecê-la melhor; que aquilo que há pouco tempo parecia empolgante agora traz consigo a aura enfadonha dos clichês. *Isso simplesmente precisa parar*, pensa ele. *Vou falar com ela amanhã mesmo.*

Assim decidido, Jim se sente um pouco melhor ao chegar diante da estação e apoiar a bicicleta em uma parte desimpedida do muro. O trem das onze horas de King's Cross está atrasado. Ele se senta na cafeteria, tomando um café ruim e comendo um pão salgado até que o trem chega com um ranger forte de freios. Demora um pouco para se levantar, tomando os últimos goles com um toque de borra; ainda na bilheteria, ele ouve sua mãe chamar. A voz dela é estridente, mais alta do que o necessário.

— James! James, querido! A mamãe está aqui! Onde você está?

Vivian está em uma das suas fases eufóricas; ele percebeu quando ela telefonou para a portaria dois dias antes, dizendo que viria visitá-lo no sábado. Não seria uma bela surpresa? Não adiantaria dizer a ela que estavam quase no fim do semestre e que ele voltaria para casa dali a duas semanas, e que tinha uma montanha de trabalhos para terminar antes disso, se é que o dr. Dawson permitiria que ele voltasse a estudar no ano seguinte. Isto é, se Jim decidir que quer mesmo voltar.

— Sim, é uma bela surpresa, mãe — respondeu ele obedientemente. E diz a mesma coisa agora quando a encontra ao lado da fila de táxis, ainda chamando seu nome. Ela veste um conjunto de lã num tom forte de azul, cachecol rosa e um chapéu com rosas vermelhas artificiais. Parece minúscula em meio ao seu abraço; ele receia que ela fique ainda menor cada vez que a encontra, como se, de maneira lenta e constante, esteja se evaporando diante dos seus olhos. Foi assim que descreveu suas fases mais depressivas para ele, certa vez — Jim ainda era criança, nove ou dez anos; foi antes da morte do pai —, enquanto estava sentada ao seu lado na cama, com as cortinas fechadas. "A sensação é de que estou desaparecendo, lentamente, e eu não me importo nem um pouco", disse ela.

Ele deixa a bicicleta na estação, se oferece para pagar a viagem de táxi até a cidade, mas ela não aceita.

— Vamos caminhar — sugere ela. — O dia está lindo.

Não há nada de lindo no dia — eles mal chegaram à metade de Mill Road quando as primeiras gotas da chuva tocam seus ombros, mas ela está conversando aceleradamente. Uma torrente de palavras. A viagem de trem de Bristol ontem:

— Conheci uma mulher belíssima, Jim! Dei nosso telefone a ela. E realmente acho que poderíamos nos tornar grandes *amigas!* — Sobre sua tia Frances, com ela quem passou a noite em Crouch End: — Ela assou um *frango*, James, um *frango inteiro!* Todas as crianças estavam lá, aquelas coisas fofas, e ela serviu um bolo de frutas com creme como sobremesa, porque *sabe* que é o meu doce favorito.

Jim reservou uma mesa para o almoço no hotel University Arms. Vivian prefere fazer suas refeições na própria faculdade — "para que eu possa sentir realmente como é ser você, Jim" —, mas, da última vez que ele a levou ao refeitório, ela foi até a mesa dos diretores e começou uma animada conversa com o mestre, deixando-o surpreso. Foi preciso quase meia hora até que ele — um brigadeiro condecorado — conseguisse se livrar. Para Jim, foi exatamente como estar na escola outra vez: ver Vivian acenando para ele dos portões, com um chapéu vermelho e um casaco verde; fortes estocadas de cor por entre a plumagem mais discreta das outras mães. Os garotos à sua volta a olhavam fixamente, cutucavam-se e sussurravam entre si.

Depois do almoço, caminham pela cidade até Clare, atravessam a ponte com suas enormes pilastras de pedra cor de mel e pegam o caminho que leva aos jardins. Já parou de chover, mas o céu ainda está cinzento. O humor dela também está ficando pior. Diante do lago ornamental, ela para, vira-se para ele e diz:

— Você vai voltar para casa logo, não é? Ficar sozinha naquele apartamento me causa uma sensação terrível de solidão.

Ele engole em seco. Até mesmo a menção daquele lugar dá a impressão de ser um peso em suas costas.

— Volto para casa em duas semanas, mãe. Já está quase no fim do semestre. Não se lembra?

— Ah, sim. É claro.

Ela faz que sim com a cabeça e aperta os lábios. Reaplicou o batom — vermelho, provavelmente para combinar com as flores do chapéu, embora o contraste com o cachecol seja horrível — depois do almoço, mas de maneira descuidada, como um rabisco borrado.

— Meu filho, o advogado. O advogado muito, muito inteligente. Você não é nem um pouco parecido com o seu pai. Você não faz *ideia* do quanto isso me deixa aliviada, meu querido.

O peso está ficando maior. Jim sente uma vontade súbita e incontrolável de gritar — de dizer à mãe que não aguenta mais este lugar, que vai embora daqui. De perguntar a ela por que insistiu que viesse estudar em Cambridge em vez de ir para uma escola de artes: certamente ela sabe que pintar é a única coisa que o deixa feliz. Mas ele não grita. Fala com a voz baixa:

— Na verdade, mãe, estou pensando em não voltar no ano que vem. Não acho realmente que...

Vivian cobriu o rosto com as mãos, mas ele sabe que ela está chorando.

— Não faça isso, Jim. Por favor. Eu não conseguiria suportar — sussurra sua mãe.

Ele não fala mais nada. Leva-a para o seu quarto em Memorial Court para que possa lavar o rosto e reaplicar a maquiagem. A efervescência que demonstrava mais cedo desapareceu: ela está caindo para a parte mais baixa da onda, e ele sente a velha e familiar mistura de frustração e impotência, o desejo de ajudar temperado pela noção de que não existe uma maneira de se aproximar dela.

Desta vez, Jim insiste em chamar um táxi. Ele leva Vivian até uma cabine do trem das cinco horas e espera na janela, imaginando se devia embarcar, acompanhá-la até a casa da tia, ter certeza de que sua mãe chegará até lá em segurança. Certa vez, ano passado, num estado que não era tão diferente desse, ela adormeceu em uma cabine vazia logo depois de Potters Bar e só foi encontrada por um guarda muito tempo depois que todos os passageiros desembarcaram do trem e ele fora estacionado em um trilho auxiliar de Finsbury Park.

Mas ele não embarca. Permanece na plataforma, acenando inutilmente para o rosto da mãe — olhos fechados, a cabeça inclinada para trás e apoiada no encosto da poltrona — até o trem sumir ao longe e não haver nada mais para fazer além de pegar a bicicleta e voltar para a cidade.

Versão 3

Catedral
Cambridge e Ely, dezembro de 1958

No último sábado do trimestre, eles acordam cedo no dormitório de Jim na faculdade, escapam pela fenda na cerca viva sem serem percebidos e pegam um ônibus até Ely.

Os charcos estão iluminados por um sol fraco e esmaecido, tão baixo no céu que parece quase tocar o horizonte. O vento sopra do leste. O tempo estava assim na cidade — eles sentiam esse vento há semanas, enrolando os cachecóis com força ao redor do pescoço, vendo o hálito formar nuvens de vapor no ar frio — mas, neste lugar, não há prédios ou casas para interromper a sua passagem, apenas vastas áreas barrentas e árvores baixas e retorcidas.

— Quando você vai fazer as malas? — pergunta ele. Vão partir amanhã: Jim no trem do meio-dia, dividindo a viagem em duas partes com uma noite na casa da sua tia Frances em Crouch End. Eva, após o almoço, no carro dos pais, o irmão Anton cansado e irritado ao lado dela, no banco de trás.

— Amanhã de manhã, eu acho. Não preciso de muito tempo pra fazer a mala. E você?

— Também. — Ele segura a mão dela. A mão de Jim está fria, áspera, o indicador calejado pela madeira dura dos seus pincéis, as unhas emolduradas por meias-luas de tinta ressecada. Ontem à noite ele finalmente mostrou o quadro que a retratava; tirou o lençol com o floreio de um mágico, embora ela percebesse que ele estava nervoso. Eva não admitiu que tinha dado uma espiada alguns dias antes, enquanto ele estava no banheiro do fim do corredor; observou fixamente sua imagem. Ali estava ela, retratada em camadas de tinta, nas formas ligeiras e etéreas: era, ao mesmo tempo, ela mesma e uma versão mais elevada. Não conseguia suportar olhar para o quadro, ver um tributo daqueles e não dizer nada. E, ainda assim, o que havia para dizer?

Ela está em silêncio novamente agora, observando a enorme vastidão dos charcos. Na parte da frente do ônibus, um bebê está chorando, o som baixo e gutural chega até eles, enquanto a mãe tenta acalmá-lo.

— Já passou bastante dos dois meses — disse o médico, fitando-a com um olhar intenso. — Provavelmente três. Você precisa começar a fazer planos, srta. Edelstein. Você e o seu...

Ele deixou a frase no ar, e Eva não a completou. Estava pensando somente em Jim e no fato de que o conhecia há seis semanas.

Se percebia aquele silêncio, Jim não disse nada. Ele está calado também, e pálido, os olhos borrados pelo cansaço. Eva sabe que ele não sente vontade de ir embora, de voltar para o apartamento em Bristol que não vê como um lar — apenas como a moradia alugada que a sua mãe, Vivian, ocupa. Seu lar, disse ele, é a casa em Sussex onde ele nasceu: pedras cinzentas ásperas e um jardim cheio de rosas. Seu pai pintando no sótão; sua mãe sentada diante dele, ou misturando tintas, lavando potes na velha despensa do térreo. É ali que Vivian estava, disse Jim, quando seu pai começou a apertar o peito no alto da escada e caiu: ela correu da despensa para encontrá-lo retorcido diante do degrau mais baixo. Jim estava na escola. Sua tia Patsy foi buscá-lo e o levou para uma casa que não era mais um lar: uma casa cheia de policiais, vizinhos preparando e servindo xícaras de chá e sua mãe gritando, gritando, até que os médicos vieram e tudo ficou em silêncio.

Em Ely, o ônibus freia e para diante de uma agência do correio.

— Última parada. Queiram desembarcar — anuncia o motorista, e eles se enfileiram, ainda de mãos dadas, atrás dos outros passageiros: a mulher com o bebê, que agora está dormindo; um casal idoso, o homem com cara de poucos amigos e uma boina na cabeça, e a mulher gorducha, com um semblante gentil. O olhar dela cruza com o de Eva enquanto eles descem as escadas.

— Um amor juvenil, hein? — diz ela. — Tenham um ótimo dia, vocês dois.

Eva a agradece e se aproxima de Jim. O frio arde no rosto deles.

— Que tal darmos uma olhada na catedral? — sugere ele. — Vi um concerto da Sociedade Jurídica aqui no ano passado, e dei umas voltas. É um lugar bonito.

Ela faz que sim com um aceno de cabeça: tudo o que Jim quiser, qualquer coisa para ficar perto dele, para adiar o momento inevitável em que terá de contar a ele o que está havendo e o que ela terá de fazer.

Começam a caminhar rumo às torres altas: duas delas, quadradas como os baluartes de um castelo, com as paredes marcadas, esburacadas, iluminadas pela luz do inverno. Jim para subitamente e vira-se para ela, o rosto sendo tomado pelo rubor.

— Você não se importa, não é? De ir até lá? Eu nem pensei em perguntar.

Ela sorri.

— É claro que não me importo. Desde que Deus também não se importe.

O espaço é a primeira coisa que chama atenção de Eva: os grandes pilares que se erguem até a vastidão do teto distante, abobadado. Sob seus pés, há um mosaico de azulejos lustrosos.

— Um labirinto com Deus no centro — comenta Jim. Mais adiante, sob enormes vitrais coloridos, há uma tela dourada, sob a qual se ergue o altar coberto com uma fina toalha branca. Eles caminham lentamente pela nave, parando para admirar outro teto extraordinário, com seus painéis pintados em vermelho, verde e dourado, separados por vigas. No centro, uma estrela faz Eva recordar da figura bordada na toalha de mesa que sua mãe usava para o sabá — embora aquela tivesse seis pontas, e esta (ela as conta em silêncio) tenha oito.

— O octógono. — Jim está quase sussurrando. Eva observa os movimentos rápidos e vívidos do seu rosto, ela o ama; sente-se cheia de um amor tão intenso por ele que mal consegue respirar. *Como eu poderia abandoná-lo?* E, mesmo assim, é o que ela deve fazer; sem conseguir dormir no seu alojamento da faculdade, ela se permitiu alguma esperança: imaginou-se contando a ele, observando sua expressão mudar e, em seguida, voltando a ser como antes. *Não importa*, diz ele — este Jim imaginário — e a abraça com afeto. *Nada importa, Eva, desde que estejamos juntos*. É como sonhar acordada, mas ela sabe que o sonho pode se tornar realidade, que este Jim que está aqui diante dela, olhando para as partes mais distantes do teto (ela adoraria estender a mão e tocar-lhe o queixo, inclinar seu rosto para baixo para que os lábios dos dois se encontrassem), realmente poderia dizer isso. E é por isso que, conforme a manhã se estende sobre a cidade e a faculdade começa a ganhar vida, ela decidiu, várias e várias vezes, não dar a ele a oportunidade, não permitir que o homem que ama, com seu talento e seus planos grandiosos — o homem que já sofre com o peso da doença da mãe —, seja aprisionado por uma situação pela qual não é responsável. Ser o pai do filho de outro homem: Jim diria que seria capaz de suportar esse fardo, e o faria muito bem; mas ela não permitirá que ele faça esse sacrifício.

Há algumas noites, Eva ficou sentada em sua cama em Newnham com Penélope, apoiando a cabeça em seu ombro; e nem mesmo sua amiga mais querida tentou fazer com que ela mudasse de ideia.

— E se David recusar? — perguntou Pen. — O que é que nós vamos fazer, então?

Eva ficou muito grata ao ouvir aquele "nós".

— Ele não vai recusar, Pen. E, se isso acontecer... bem, eu vou encontrar uma solução.

— *Nós* vamos encontrar uma solução — corrigiu Penélope, e Eva permitiu que aquela promessa se enraizasse, embora soubesse que o fardo era seu, seu e de David, e que não poderia dividi-lo com ninguém. Nem com Penélope, nem com seus pais. Ela imaginava que Miriam e Jakob entenderiam — como poderiam agir de maneira diferente, considerando o próprio passado deles? E mesmo assim ela não conseguia suportar a ideia de retornar ao seu velho quarto em Highgate, a abandonar seus estudos, grávida e sozinha.

Em seu caderno, ela escreveu: *Eu escolho Jim, e não suporto a ideia de deixá-lo. Mas a escolha não é mais unicamente minha.*

Agora, na catedral, Jim ainda está falando.

— Os monges a construíram depois que os pilares originais da nave desmoronaram. Pensaram que tinha sido um terremoto. Deve ter sido a maneira que encontraram de provar que o desastre não os abalou.

Eva assente. Não sabe como responder, como verbalizar a sensação que cresce dentro de si; amor, sim, mas com ele a tristeza — não somente pela dor da separação, mas pelas pessoas que eles perderam. O pai de Jim, estatelado e arrebentado ao pé da escada. Os avós de Eva, dos dois lados da família, e todas as suas tias, seus tios e seus primos enfiados em trens, sedentos e desorientados, sem saber para onde iriam — apenas a desconfiança, o medo, mas ainda assim levando um pouco de esperança.

Devia haver esperança, é claro, até o último momento, quando percebiam que não havia mais nada a fazer.

Como se pressentisse o que ela está pensando, Jim aperta a sua mão.

— Vamos acender uma vela.

Há um suporte ao lado da porta que dá para o lado oeste: uma dúzia de velas brilha na escuridão. Outras estão empilhadas por ali, logo abaixo do espaço para moedas. Eva apanha alguns centavos na bolsa, coloca-os na máquina e pega uma vela para cada avó, cada avô, em seguida as acende, encaixando-as firmemente, uma após a outra, em uma base de metal. Jim pega apenas uma, para o pai, Lewis, e em seguida eles se erguem e observam os pavios se acenderem, a mão áspera do pintor segurando a dela. Ela sente vontade de chorar, mas lágrimas são inadequadas para expressar tudo o que isso significa: estar aqui com ele, em meio às memórias, esperançosa, quando amanhã ela já terá partido.

Eles tomam uma sopa rala de legumes no refeitório e depois caminham lentamente pela cidade. O sol está desaparecendo, o vento agita fortemente seus cabelos; o calor do ônibus é um alívio. Dentro dele, Eva remove os sapatos e aquece os pés congelados sobre o radiador embaixo do seu assento. Não quer cair no sono, mas sua cabeça rapidamente se apoia no encosto, e Jim deixa que o seu peso lhe caia sobre o ombro. Em Cambridge, ele a acorda gentilmente.

— Chegamos, Eva. Você dormiu durante todo o caminho.

É somente naquele momento, quando descem do ônibus, que Eva pede desculpas a Jim. Não vai poder passar a noite com ele; há algo que precisa fazer. Jim protesta: depois de amanhã, diz ele, os dois vão passar quatro semanas inteiras sem se ver. Eva diz que sabe. Ela realmente lamenta. Em seguida, ela se inclina para a frente, beija-o, dá meia-volta e se afasta rapidamente, embora Jim continue a chamá-la. E tudo o que ela pode fazer é erguer os pés pesados.

Ela não para até chegar a King's Parade. As sombras longas e angulares das torres altas dos portões do King's se projetam sobre o calçamento da rua. Eva se apoia em um poste de luz, ignorando os olhares curiosos dos homens que agora passam rapidamente por ela com suas becas negras. Já é quase hora do jantar. Ela vai perder a refeição em Newnham, mas não se importa. Não consegue se imaginar sentindo fome outra vez, nunca mais.

Ao entrar, o porteiro não faz qualquer menção de esconder sua reprovação.

— É hora do jantar, senhorita. O senhor Katz está ocupado.

— Por favor — diz ela. — É realmente muito importante. Preciso falar com ele agora.

— Eva, o que foi? — pergunta David num sussurro urgente alguns minutos depois. — O jantar está para começar. — Em seguida, observando seu rosto, a expressão dele fica mais suave. Eva pensa no semblante dele quando lhe disse que o relacionamento estava terminado; em como, naquele momento, ele parecia estar totalmente diminuído. *Mas eu escolhi você*, disse ele, e ela não conseguiu encontrar nada para dizer além de desculpas. Ele tira a beca e a dobra sobre o braço. — Certo. Venha comigo. Vamos comer algo no Eagle.

Mais tarde, quando a conversa termina, quando os planos foram feitos, Eva retorna ao seu quarto em Newnham e escreve uma carta. Pega sua bicicleta do depósito, pedala pelas ruas escuras que levam até a faculdade Clare e pede a outro porteiro — um homem mais velho, mais gentil, que está sorrindo para a televisão quando ela entra, e que oferece a Eva o mesmo sorriso — para colocá-la na caixa de correspondências de Jim Taylor.

Em seguida, parte rapidamente, sem querer olhar para trás para não vê-lo. Sem querer olhar para trás e contemplar tudo o que poderia ter sido.

Versão 1

Em casa
Londres, agosto de 1960

Na noite em que Eva e Jim retornam da lua de mel, Jakob e Miriam Edelstein servem bebidas no jardim.

É a mais agradável das noites do verão inglês: os últimos raios de sol ainda aquecem o terraço, o ar plácido e impregnado do aroma de madressilvas e terra molhada. Jim, bebendo o seu uísque com soda, ainda se sente sonolento, a cabeça pesada e embotada — mas de uma maneira agradável, com a mão repousada levemente sobre o braço de Eva. Ela está sorrindo, bronzeada. Sua pele, pelo que ele pensa, traz consigo o calor da ilha; a varanda branca onde tomaram o café da manhã composto por melões e iogurte; a plataforma onde se sentavam com taças de retsina conforme a tarde caía.

— Bem — começa Miriam —, precisamos mandar vocês de volta à Grécia. Os dois estão com uma aparência ótima.

Ela está sentada ao lado de Eva, com as pernas esguias e nuas por baixo do vestido leve. São realmente mãe e filha: ambas pequenas e ágeis, como dois pássaros. Até mesmo a voz das duas era parecida, baixa e melodiosa, embora a de Miriam ainda traga consigo as arestas mais rústicas do seu sotaque austríaco. Estranhamente, quando ela canta — estava estudando no conservatório em Viena quando engravidou de Eva —, fica uma oitava inteira acima: um soprano agudo, claro e puro como uma flauta de osso.

Anton é mais parecido com o pai: os dois são altos, com pernas e braços longos, os movimentos lentos e deliberados. Ele tem dezenove anos e serve-se de um uísque para fazer um brinde à irmã e ao cunhado. E o brinde vem rapidamente, erguendo o copo na direção de Jim.

— Bem-vindos ao lar.

Lar, pensa Jim. *Nós também moramos aqui.* E moram mesmo, pelo menos por enquanto: a família Edelstein cedeu o apartamento de três cômodos — um quarto, uma sala de estar com cozinha conjugada e um pequeno banheiro — que ocupa o andar de cima da casa ampla e graciosa. O apartamento era ocupado, até sua morte no ano passado, por Herr Fischler, um primo distante de Jakob que veio de Viena. Desde então, vinha sendo usado como depósito para caixas de livros, os excessos do restante da casa que, assim como seus proprietários, é dada aos prazeres da música e da leitura acima de todos os outros. Cada cômodo tem sua própria estante, e a sala de estar tem prateleiras de partituras, dominada por um piano de cauda no qual Anton, de maneira reticente e infrequente, pratica suas escalas. (Eva também passou algum tempo usando o piano quando era criança, mas mostrou uma falta de talento tão grande que a família reconheceu que ela seria uma causa perdida.) Sobre os corrimãos de mogno, estão retratos em sépia de alguns parentes da família Edelstein, pessoas com o colarinho alto e que não sorriem. As fotografias são preciosas — nem tanto pela qualidade, mas pela difícil jornada até Londres, depois da guerra, enviadas pelo gentil amigo católico a quem o pai de Jakob, após a Noite dos Cristais, confiou os tesouros que lhe restavam.

Eva — sua *esposa*; essa palavra tão nova e maravilhosa — segura a mão de Jim. No início, quando Jakob sugeriu que se mudassem para o apartamento vazio — eles estavam almoçando no University Arms, celebrando o vigésimo primeiro aniversário de Eva e também o noivado —, Jim não sabia se aquela seria uma boa ideia. Desejava ter seu próprio canto, um lugar onde pudessem se afastar do mundo. Havia recebido a oferta de uma vaga em Slade a partir de setembro: com o apoio de Eva, decidiu finalmente abandonar a carreira de advogado. Eva foi com ele até Bristol para dar a notícia à mãe de Jim, que chorou um pouco. Mas Eva serviu o chá e logo, inteligentemente, distraiu Vivian conversando sobre outras coisas, e Jim permitiu-se acreditar que o peso da decepção da mãe talvez não fosse tão insuportável assim. Várias semanas de incerteza se seguiram, nas quais Jim não sabia se o Ministério do Trabalho lhe permitiria adiar novamente o período em que precisaria cumprir o serviço militar; a carta que confirmava que ele estava definitivamente dispensado finalmente chegou, para seu grande alívio, na mesma semana em que fez seu último exame.

Eva, enquanto isso, foi até Londres para fazer uma entrevista a uma vaga no jornal *The Daily Courier*.

— Na verdade, são só tarefas mais braçais para a página feminina — disse ela ao retornar. Mas Jim sabia perfeitamente o quanto aquele emprego significava para ela. Quando a oferta veio, apenas alguns dias depois da carta do Ministério, eles subiram pela janela do quarto de Jim em Old Court e ficaram juntos na balaustrada, admirando o gramado cuidadosamente cultivado, os pequenos barcos que balançavam mansamente no rio, bebendo um vinho licoroso do Porto (o prêmio que Jim recebeu ao vencer uma competição universitária de artes no semestre anterior) diretamente do gargalo da garrafa.

— Ao futuro — disse Jim, e Eva riu e o beijou. Ele parecia conseguir ver o futuro se estendendo diante deles: seu casamento, sua arte, os textos que Eva escreveria, e o fato maravilhoso de que ele poderia dormir todas as noites com Eva ao seu lado — e sentiu uma onda de felicidade tão verdadeira, tão potente que teve de se segurar na balaustrada de pedra para se firmar.

E foi então que um dos porteiros, que passava pelo gramado mais abaixo, usando seu chapéu-coco, olhou para cima e os viu ali.

— Ei, vocês, desçam daí agora mesmo! — E eles acenaram para o homem, de mãos dadas. Jovens, intocáveis, livres.

A visão do futuro de Jim não incluía morar com a família Edelstein; havia imaginado um apartamento perto de Hampstead Heath — os dois haviam feito caminhadas por ali durante as férias de verão — com uma enorme janela envidraçada para o seu cavalete e um escritório no qual Eva poderia produzir seus textos. Mas Eva era mais pragmática. Com o dinheiro parco da bolsa de estudos de Slade e o que ela receberia no *Daily Courier*, pelo menos no início, não teriam praticamente nenhuma renda.

— Melhor ser pobre e ter algum conforto com a mamãe e o papai do que ser pobre e tremer de frio em algum porão por aí, não é? — disse ela.

Jim sorriu.

— Até que é uma opção bem tentadora. Vamos ter que ficar abraçados para nos aquecer. — Eva retribuiu o sorriso e acariciou seu rosto, mas ele sabia que a decisão já estava tomada.

E, de qualquer maneira, acho que tive sorte, pensa Jim agora, observando a família da esposa. O casal Edelstein o recebeu com uma imensa e sincera generosidade. Jakob, um dos primeiros-violinistas da Orquestra Sinfônica de Londres, é um homem gentil e cortês, quase tímido.

Na primeira vez que se encontraram, Jim percebeu, em várias ocasiões, que Jakob o observava como se procurasse alguma coisa. Jim imaginou que ele o estava medindo, e, como nunca mais viu aquela expressão, só podia presumir que Jakob gostou dele. Anton ficou muito feliz ao descobrir, no dia do casamento, que Toby, um dos primos de Jim, havia estudado na mesma escola e no mesmo ano que ele — um dos representantes de turma, de fato, e membro muito admirado do grupo dos onze titulares do time da escola. E Miriam foi gentil com Jim desde o início. Se ela ou Jakob têm qualquer ressentimento por Eva não ter se casado com alguém do judaísmo, escondem isso muito bem. Pareceram muito felizes com os planos que Eva e Jim fizeram de se casar apenas no civil — Eva com um vestido de seda branca, levando um buquê de flores azuis; havia também um quarteto que tocava música *skiffle* no salão. Em nenhum momento Jim sentiu que prefeririam ver a filha se casando em uma sinagoga.

Pouco tempo depois do noivado — ainda contente por ter pedido a mão de Eva e por ela ter aceitado —, durante uma daquelas conversas sussurradas pela manhã, Jim se ofereceu para se converter; havia falado com seriedade, mas Eva riu, gentilmente, e disse para não pensar nisso.

— Meus pais estão acima disso tudo — disse ela, o corpo quente aninhado na curva do braço de Jim. — Esses tribalismos. Eles sabem até onde isso pode levar.

Por volta das oito horas da noite, ainda está quente. O céu que cobre Highgate está colorido de rosa e a lua cheia é um disco esmaecido no horizonte. Eles decidem jantar no jardim.

— Seria uma pena ficarmos enfurnados naquela sala de jantar velha e mofada — diz Miriam, e Jim a ajuda a levar os pratos, talheres e velas. Miriam traz travessas de salpicão de frango, arenques ao molho de endro (o prato favorito de Jakob), salada de batatas e tomates no azeite de oliva maravilhoso que Eva trouxe da Grécia. Jakob serve o vinho, e, enquanto comem e bebem, Jim é tomado por uma mistura intensa de cansaço, carinho e a maravilhosa proximidade de Eva, sua esposa, a mulher que o escolheu acima de todos os outros, com quem ele se deitou por quase duas semanas em um emaranhado de braços e pernas, seu sabor quente e salgado ainda presente.

— Chegaram algumas cartas para vocês dois — avisa Miriam. — Eu as deixei no apartamento, em cima do aparador. Vocês as viram?

Eva faz que não com a cabeça.

— Ainda não, mãe. Fomos direto para a cama. Vamos lê-las mais tarde.

Miriam olha para Jim.

— Uma delas tinha o carimbo do correio de Bristol. É da sua mãe?

Jim assente e desvia o olhar. Vivian voltou para o hospital algumas semanas antes do casamento, e desta vez nem mesmo Eva foi capaz de dissuadi-lo da ideia de que não havia nenhuma conexão com a decisão dele de abandonar o curso de direito. A última vez que viu a mãe foi logo depois das provas finais. Havia saído de Cambridge e foi diretamente para a casa da família Edelstein, ocupando o apartamento no andar de cima enquanto Eva dormia no seu antigo quarto dos tempos de criança. Em uma manhã ensolarada de sábado, ele pegou emprestado o Morris Minor dos Edelstein e dirigiu a Bristol, até o hospital. Vivian estava sentada sozinha diante de uma janela com vista para um bosque de árvores altas. Ele a chamou pelo nome, várias e várias vezes, mas ela não se virou para encará-lo.

Jakob, sentindo o desconforto de Jim, fala por ele.

— Eles terão tempo para lê-las mais tarde, Miriam. Deixe que se acomodem antes, não é melhor assim? — Marido e mulher trocam um olhar, e Miriam faz um rápido meneio com a cabeça, limpando os lábios com o guardanapo.

— Então, quando é que as suas aulas começam em Slade, Jim? Está ansioso?

Mais tarde, quando estão deitados juntos no apartamento, Eva sussurra em seu ouvido:

— Vamos visitar a sua mãe no próximo fim de semana, Jim. Podemos levar algumas fotos do casamento. Fazer com que ela se sinta como se estivesse lá.

Ele diz:

— Sim, acho que podemos fazer isso — e a puxa para mais perto de si. Cai num sono profundo e escuro, sonhando que está novamente no trem da noite, cruzando rapidamente a Itália, os campos escuros do outro lado da janela entreaberta, e sua mãe dormindo na cabine ao lado. Sua cabeça balança contra o assento e ele a observa pela divisória de vidro, incapaz de alcançá-la, e sem vontade de fazê-lo.

Versão 2

Véu-de-noiva
Londres, agosto de 1960

Eva Maria Edelstein e David Abraham Katz se casam em um domingo na Sinagoga Central em Hallam Street, e a recepção ocorre no Hotel Savoy.

A noiva usa um vestido longo e rodado, com um decote em forma de coração, comprado pela sogra, Judith Katz, por um valor considerável. O buquê tem as flores preferidas de Eva: rosas-chá e véu-de-noiva. Depois, todos os convidados vão dizer que ela estava muito bonita — embora, na verdade, seja o rosto do noivo que desejam ver. Tão lindo em seu terno cinza-claro e bem cortado, os cabelos perfeitamente arrumados.

— Mal consegui reconhecer meu sobrinho — dirá uma das tias da família Katz na recepção a quem se dispuser a ouvi-la. — Pensei que fosse o próprio Rock Hudson.

O dia está muito quente; a mesma tia desmaia dentro da sinagoga no momento em que se bebe o vinho, causando uma pausa curta e carregada de ansiedade na cerimônia, mas é rapidamente despertada por um lenço embebido em essência de alfazemas tirado da bolsa da irmã mais nova. Em seguida, os convidados se enfileiram nos degraus, naquele calor, com as mãos cheias de papel de arroz branco e rosa. O casal surge, piscando os olhos sob a forte luz, rindo enquanto o confete lhes cai nos cabelos, no rosto, nos ombros, e o fotógrafo dispara a câmera sem parar.

No Savoy, há música para dançar, e muita comida e bebidas também. Anton Edelstein e seu colega Ian Liebnitz bebem uma quantidade maior de ponche de rum do que deveriam e vomitam discretamente em uma urna ornamental. Depois dos discursos, Miriam Edelstein canta um *lied* de Schubert, acompanhada por Jakob ao piano. Intimamente, Judith

Katz considera que aquilo é um excesso, mas sorri e aplaude educadamente, esforçando-se para esconder qualquer resquício de desaprovação enquanto os convidados vão para a pista de dança para a *hora*, e Eva e David são erguidos em cadeiras prateadas, cada um deles segurando uma das pontas de um lenço branco.

Logo, também, chega a hora em que a noiva e o noivo se retiram. Vão passar a noite de núpcias ali mesmo, em uma das maiores e mais elegantes suítes do hotel; outro presente de Judith e Abraham Katz, junto da lua de mel. Amanhã pela manhã, bem cedo, Eva e David vão de avião para Nova York, onde passarão alguns dias com os avós dele no Upper East Side, e depois tomarão um trem para Los Angeles. Há beijos e abraços; lágrimas das tias e das duas damas de honra; da melhor amiga da noiva, Penélope (pálida e desconfortável dentro do corpete apertado de cetim) e da prima do noivo, Deborah (uma morena de beleza arrogante que, conforme alguns dos observadores mais perspicazes notaram, bocejou duas vezes enquanto estava ao lado do *chuppah*). Em seguida, não há mais nada além do silêncio estofado do elevador, duas mãos entrelaçadas, e o novo anel da noiva, uma aliança brilhante e sem adereços, reluzindo sob os diamantes do noivado.

A suíte também está em silêncio. O casal para por alguns instantes sob o vão da porta, e o carregador de malas espera, hesitante, atrás deles.

— Posso lhes trazer alguma coisa, senhor, senhora? Há champanhe em seu quarto, com os nossos cumprimentos.

— Muita delicadeza — diz David. — Obrigado, mas você pode ir. — O garoto obedece, após oferecer mais felicitações e um meio sorriso recatado que Eva decide ignorar.

Há um gramofone na suíte e uma pilha de discos.

— Que tal colocarmos um pouco de música para tocar, sra. Katz?

Eva concorda e David escolhe um álbum dos Everly Brothers, espantando o silêncio. Ele a toma nos braços, gira com ela sobre o carpete azul e macio. Existe, como em várias outras ocasiões, uma espécie de ação descritiva e constrangida em seu jeito de agir — Eva já se apanhou sentindo-se mais como se fosse a plateia de David do que sua noiva —, mas nesta noite isso não tem importância, pois ele está muito bonito, eles estão casados e David é o único homem que ela realmente ama.

Ou que pensa que ama. Houve uma manhã, logo depois que ele pediu sua mão em casamento, na qual Eva acordou tomada por uma espécie de pânico: uma sensação forte e incômoda de que não amava David, não como deveria; ou talvez que ela simplesmente não soubesse *como* amar. Na biblioteca, enquanto devia estar terminando um trabalho sobre *Hamlet*, Eva pegou seu caderno e escreveu — curvando-se sobre a mesa de modo que nenhuma das outras garotas por perto pudesse ver — *David é tão inteligente, tão brilhante, tão encantador. Parece que, com ele, sou capaz de fazer qualquer coisa, ir a qualquer lugar. Eu realmente o amo, tenho certeza disso. E mesmo assim uma pequena parte de mim, essa parte horrível e teimosa, insiste que o que existe entre nós não é real, de algum modo — que é algo fútil, uma espécie de arremedo de amor. Venho pensando na caverna de Platão, sobre a ideia terrível de que a maioria de nós passa a vida inteira com as costas para a luz, observando as sombras na parede. E se a minha vida com David for exatamente assim? Supondo que simplesmente não é algo real?*

Eva rapidamente afastou aquela ideia, achando-a absurda — estava certamente complicando algo que devia ser muito simples. Mesmo assim, mais tarde, quando estava indo para a aula, ela perguntou a Penélope:

— Como você sabe, Pen... digo, como é que você *realmente* sabe que ama Gerald?

— Querida, eu simplesmente sei. É instintivo. — Ela tomou a mão de Eva na sua. — Mas, se você está preocupada com David, esqueça isso. É natural ter dúvida. Você se lembra de como eu era quando disse sim para Gerald: um coelho surpreendido pelos faróis de um carro, desesperada para saber se estava fazendo a coisa certa. "Qualquer pessoa percebe que vocês foram feitos um para o outro", você disse. Lembra disso? Agora, é a minha vez: David Katz é um homem brilhante e ele a ama. E eu sei que vocês dois vão ser muito felizes.

Eva se permitiu sentir certo alívio. Realmente acreditava que David a amava: todas as sextas-feiras, ele a presenteava com um buquê de rosas vermelhas, que enchiam seu quarto com seu perfume intenso. Quando ele a pediu em casamento (reservou até mesmo uma mesa no University Arms; apoiou-se com um dos joelhos no chão. Tudo muito bem ensaiado, é claro, e o casal da mesa ao lado começou a aplaudir), ele disse que sabia, desde o primeiro momento em que a viu, que algum dia ela seria sua esposa.

— Você não é como as outras garotas, Eva. Você tem suas próprias ambições, seus próprios planos — ele disse. — E eu gosto disso. É algo que respeito. E a minha família também a adora, como você sabe.

Parecia que o restaurante inteiro os olhava quando David colocou o anel no dedo de Eva.

— Até mesmo a sua mãe? — perguntou ela.

David riu.

— Ah, não se preocupe com ela, meu bem. Daqui a alguns meses, *você* será a única sra. Katz que importa.

Sra. Eva Katz. Ela escreveu o nome no caderno, como se estivesse experimentando algo para ver se lhe servia. Com David, ela era bonita, leve e livre. Isso era o amor? Realmente, Eva não tinha motivos para acreditar que não fosse. E, assim, ela ignorou suas dúvidas, achando que fossem frutos da inexperiência, da falta de algo concreto com que pudesse comparar o que sentia.

Agora, no quarto do hotel, David serve duas taças de champanhe. Eles vão até a enorme cama cheia de almofadas e colchas e fazem amor de maneira um pouco desajeitada — ambos beberam um pouco além da conta. Depois, ficam deitados juntos, umedecidos pelo suor, em silêncio. David adormece quase que imediatamente, mas Eva está totalmente desperta. Veste sua nova camisola e o roupão — uma das poucas coisas que Miriam teve permissão de comprar para ela, em meio às bateladas de presentes patrocinados por Judith Katz. Pega os cigarros do bolso da frente da mala, que já está arrumada para a viagem de amanhã, e vai até a sacada.

A noite está caindo e, no ar, ainda se sente o calor do dia. Há casais caminhando pela margem do rio, de braços dados, enquanto os postes da rua se acendem; barqueiros levando suas embarcações até o outro lado do rio que fica cada vez mais escuro. É estranho pensar que amanhã eles estarão no ar, voando para longe de Londres, muito acima da extensão inimaginável do Atlântico.

Ela acende um cigarro. Pensa em Jakob, em como, na noite passada, antes de subir para dormir em seu velho quarto pela última vez, ele a chamou de lado e perguntou em alemão:

— Você tem certeza absoluta, *Liebling*, de que quer se casar com esse homem?

Ele a levou até a sala de música, sentou-se ao seu lado diante do piano, das partituras da orquestra, dos violinos. Não era uma sala para conversas inconsequentes; isso e o fato de Jakob estar falando em alemão fizeram com que Eva sentisse um frio no estômago.

— Por quê? — rebateu ela em inglês. — Você não gosta de David? Não acha que poderia ter dito algo antes?

Jakob a observou com uma expressão firme, os olhos castanho-escuros infinitamente gentis. Miriam sempre disse que aqueles olhos foram a primeira coisa que a atraiu no trem que ia para Viena: isso e o fato de Jakob ter pegado sua mala sem pedir, levando-a para sua cabine sem questionar aquela intersecção repentina da vida de ambos.

— Não é que eu não goste dele — disse Jakob. — Ele é uma pessoa fácil de gostar, e eu percebo que ele gosta de você. Mas é por você que eu receio, Eva. Receio que ele nunca vai amá-la tanto quanto ama a si mesmo.

Eva estava irritada demais para falar. Irritada porque Jakob havia esperado tanto tempo para lhe dizer o que realmente sentia, e irritada porque ele estava, de certa forma, dando voz aos medos que ela já havia se esforçado tanto para sufocar. No decorrer dos últimos meses, conforme seus planos futuros tomaram forma, ela teve a sensação incômoda de que todos estavam mais focados na conveniência de David em vez da sua. Dali a um mês, ele começaria a atuar na Academia Real de Arte Dramática, e eles se mudariam para a casa dos pais de David em Hampstead. Eva sugeriu que fossem para o apartamento vazio no segundo andar da casa dos pais dela, mas a mãe de David forçou a decisão.

— Ele vai ter de trabalhar muito, Eva — disse Judith. — Tenho certeza de que será melhor se nós duas estivermos por perto para cuidar dele, não é mesmo?

Eva esperou um momento antes de responder e então disse calmamente que, se dependesse dela, não tinha a menor intenção de se dedicar a cuidar de David. Havia pleiteado um emprego no *Daily Courier* (apenas algumas tarefas mais braçais para a página feminina, nada deslumbrante), mas outra pessoa havia assumido a função; sua intenção, agora, era ler roteiros para conseguir dinheiro — David prometeu usar um pouco de sua influência em Royal Court — e começar a escrever um romance. No entanto, em Hampstead, eles ficariam confinados ao velho quarto de David: um santuário dedicado às suas conquistas escolares, abarrotado com seus velhos bastões de críquete e seus troféus das sociedades de arte dramática. Sim, havia uma escrivaninha na qual Eva poderia, em tese, conseguir escrever, mas ela suspeitava que o tempo e o espaço para fazer isso seriam, se Judith estivesse por perto, exíguos.

Mas ali, na sala de música dos seus pais, Eva não permitira que Jakob ressuscitasse suas velhas ansiedades; já era tarde demais. Subiu as escadas correndo. No quarto, ficou deitada por horas, acordada. O dia já estava quase amanhecendo quando conseguiu finalmente cair num sono leve e agitado.

Agora ela fuma, observando o rio, as luzes, o céu tingido de lilás. Em seguida, volta para o quarto e se deita na cama, ao lado do marido adormecido.

Versão 3

Maré
Londres, setembro de 1960

É o meio da manhã de sábado: Eva foi despertada pela campainha. No começo, não reconhece o som. Ainda está atravessando as camadas do sono, ainda está imersa em um sonho ruim: ela e Rebecca, sozinhas em uma pequena ilha, e a maré que vem subindo; o som forte de uma buzina náutica ecoa pelo ancoradouro vazio, e a criança chora sem parar, impossível de reconfortar.

Ao abrir os olhos, as ondas retrocedem: a ilha é a velha *chaise* reclinável em seu quarto, e a buzina náutica é o retinir da campainha, tocando em intervalos regulares.

— Anton! — grita Eva, enquanto Rebecca se agita e gorgoleja, aninhada em seu braço. Mas não há resposta. Tarde demais, ela se lembra de que o irmão foi ao treino do time de críquete. Sua mãe está dando suas aulas semanais de canto em Guildhall; o pai, viajando com a orquestra. E David... bem, David também está viajando. Elas estão sozinhas.

Ela ergue Rebecca até estarem em pé, equilibra-a sobre os joelhos. Seus olhos se abrem, ainda sonolentos, castanho-escuros, sabendo de tudo, e ela encara a mãe de maneira bem franca. Parece considerar a hipótese de abrir um berreiro — afinal de contas, foi despertada sem qualquer cerimônia da soneca matinal —, mas resolve não fazer isso, e a boquinha se abre num sorriso sem dentes. Eva retribui o sorriso, segura a filha longe do corpo enquanto se levanta e a coloca gentilmente no chão.

— Espere só a mamãe se vestir, e depois nós vamos descer para ver quem está aprontando toda essa barulheira.

É Penélope. Ela está no último degrau, o rosto corado acima da jaqueta estampada, trazendo um buquê de rosas amarelas. Observa a amiga por um breve momento e, em seguida, vai em sua direção; quando elas se beijam, Eva percebe os aromas familiares da amiga: batom e lírios do campo.

— Francamente, meu bem, você esqueceu que eu vinha para cá?

Eva está prestes a responder, mas Penélope já está se curvando na direção de Rebecca, que pesa nos braços de Eva.

— Ah, meu Deus, Eva. Fiquei somente três semanas fora e ela já cresceu tudo isso! — Ela coloca a mão na cabeça de Rebecca, agita os cabelos da criança; estão longos demais (Eva já vinha querendo cortá-los há dias) e espetados, apontando em várias direções. — Como você é lindinha, Becca. Vai dar um sorriso para a sua tia Penélope?

Rebecca obedece. Eva desconfia que a filha herdou um pouco da disposição do pai para atender às expectativas de uma plateia. Ela compartilha do mesmo apetite por atenção: ainda acorda com frequência no meio da noite, chorando e gritando por causa de alguma afronta nova e invisível. Eva e sua mãe já desgastaram um pedaço do carpete da sala de tanto andarem de um lado para outro, esfregando as costas quentes de Rebecca que se contorcem sem parar, enquanto Miriam cantarola velhas canções de ninar em iídiche. Na cozinha, Eva entrega Rebecca a Penélope. Em seguida, cuida de preparar chá, encontrar um vaso para as flores e um prato para os biscoitos que a amiga tirou das profundezas da sua bolsa de pele de crocodilo.

— Teve uma noite difícil?

— Acho que dá para descrever assim. — Enche a chaleira de água e pega do armário o vaso de cristal da mãe. — David chegou tarde ontem. Foi ao pub com todo mundo depois da aula. Claro, quando voltou, decidiu que queria ver a filha e resolveu acordá-la. Rebecca ficou toda animada. E adivinhe quem teve que passar o resto da noite tentando fazê-la dormir de novo?

— Ah! — Eva tem a sensação de que Penélope gostaria de dizer mais alguma coisa, mas não o faz. Foi até a pia, saindo do caminho de Eva; Rebecca, aproveitando a oportunidade, pega uma colher de madeira do escorredor de louças e a bate na lateral da cabeça de Penélope.

— Não faça isso, Becca, meu bem — diz Penélope, mansamente.

Eva geme.

— Desculpe. Deixe que eu a pego.

— Por que vocês duas não se sentam um pouco? Eu cuido do chá.

Eva está cansada demais para discutir. Então, acomoda a filha no chão da sala de jantar, diante das vidraças, com sua boneca favorita e uma bela vista para o gato do vizinho. Ela pensa em como David estava na noite passada, passos meio cambaleantes, o cheiro forte de cerveja e fumaça de cigarro. Ele a acordou quando chegou, acordou a casa inteira, provavelmente. Inclinando-se sobre a cama, exalando aquele hálito rançoso do pub, ele perguntou:

— Onde está a minha garota favorita?

Acordando confusa, Eva estendeu as mãos para ele, pensando que David queria pegá-la nos braços; mas ele se afastou.

— Estou falando de *Rebecca*. Ela não tem um carinho para o papai?

Pelo menos, Eva pensa agora, ela não pode acusar David de não demonstrar interesse pela filha — mesmo que seja somente nos momentos em que acha adequado fazer isso. E ele ainda é carinhoso com Eva, também, às vezes. Houve aquele dia em que viajaram a Brighton no mês passado, somente os três, fugindo do calor abafado e da umidade da cidade: peixe e batatas fritas, sorvetes e Rebecca gritando de felicidade quando David a baixou até que seus pezinhos tocassem a espuma das ondas. Eva os observou, o marido e a filha, sentindo a tensão se esvair. Havia fechado os olhos por um momento. Mais tarde, sentiu o toque suave dos lábios de David em sua bochecha. "Veja agora, meu amor!", sussurrou ele em seu ouvido. "Por que seu rosto está tão pálido? Como podem as rosas se esmaecer tão rápido?" E ela sorriu: eram Hérmia e Lisandro, personagens de *Sonho de uma noite de verão*; ali estava a poeira suspensa nos raios do sol da tarde na sala de ensaios; ali estava David, entrelaçando sua mão na dela no jardim do Eagle pub. Naquela época — antes de Jim, antes de todo o resto —, eles eram felizes; e David prometeu, naquela noite, há quase dois anos, quando fizeram seus planos, tentar fazê-la feliz outra vez. Não seria um exagero acreditar que ele poderia ter desistido dessa ideia tão cedo?

Penélope traz os aparatos para o chá e senta-se ao lado da amiga.

— David está se ajustando bem na Academia Real?

— Ele parece estar na crista da onda. — Eva se esforça para manter um tom alegre na voz. — Ele mudou de nome, você sabe. Agora é conhecido como David Curtis, profissionalmente. O coordenador do curso diz que ele vai conseguir mais trabalhos assim.

Penélope, enquanto come um dos biscoitos, arregala os olhos.

— Por que Curtis?

— David *diz* que é porque sua tia na América se casou com um homem chamado Curtis, e por isso o nome faz parte da família. Mas eu acho que é por causa de Tony Curtis. Você sabe, assim os diretores podem imaginar que eles têm algum parentesco.

— Entendo. Bem, desejo boa sorte a ele. Não queremos que nada atrapalhe os planos de David para dominar o mundo, não é mesmo? — Ela fala com um tom amistoso de provocação, e seus olhares se cruzam. Penélope ri primeiro e Eva o faz logo em seguida, e subitamente a manhã parece estar ensolarada e alegre de novo.

— É tão bom ver você — diz Eva, estendendo o braço para tocar a mão da amiga. — Fale da sua lua de mel. Quero saber de tudo.

Primeiro, eles foram a Paris, diz Penélope; ficaram em um hotel pequeno e maravilhoso em Montmartre, com vista para Sacré-Coeur. Durante um ou dois dias, mal saíram do quarto — ela diz isso com um toque de rubor no rosto —, exceto para ir até o bistrô na esquina, um lugar que saiu diretamente de um filme de Jean-Luc Godard: toalhas de algodão xadrez nas mesas, velas nos gargalos de velhas garrafas de vinho, *moules marinière* e *steak-frites*. ("Embora não houvesse nenhum casal por perto com aquela aparência digna de pena, graças a Deus", acrescenta Penélope com um sorriso.) Gerald lhe comprou um bracelete antigo em um mercado de pulgas, passaram horas no Louvre e, certa noite, descobriram um bar de jazz que funcionava no porão de uma casa e dançaram sob uma nuvem de fumaça de cigarros.

— Eles eram bem sisudos — comenta Penélope. — Enquanto a banda fazia uma pausa, um homem subiu no palco e leu um poema horrível. Sério, era muito ruim. Comecei a rir sem parar. Você devia ter visto como as pessoas olhavam para nós.

Saindo de Paris, foram para o interior e encontraram um chalé nas proximidades de um velho *gîte* que caía aos pedaços. Ficaram ali por duas semanas, nadando na piscina dos proprietários e engordando à base de salame e queijo. Penélope dá palmadinhas na barriga. Ela nunca foi magra e visivelmente ganhou peso desde o seu casamento, mas Eva acha que aquilo combina com a amiga.

— E agora é hora de voltar à realidade. Gerald começou a trabalhar no departamento de Relações Exteriores na semana passada. Acho que ele está em seu ambiente natural, tem a oportunidade de falar russo e tudo mais. Não parece sentir a menor falta de ser ator.

— Fico muito feliz, Pen. — Eva observa Rebecca cuidadosamente. A menina se cansou da boneca, ficou em pé com certo esforço e agora está olhando atentamente para o gato do vizinho que se espreguiça no terraço, lavando metodicamente o rosto. Ela pensa em Gerald, com seus casacos de veludo sintético com reforço nos cotovelos e o rosto de expressão suave, juvenil; sua total e irrestrita devoção por Penélope. Pensa em sua própria lua de mel: uma semana em Edimburgo, no Scotsman Hotel, cortesia do sr. e da sra. Katz. Uma apresentação da *Tosca* no Royal Lyceum, as ruas úmidas e escuras, e a consideração extravagante de David pela condição de Eva — que, por sorte, ainda não era tão visível sobre o casaco generoso — transformando-se em uma impaciência que não era tão fácil de disfarçar.

Não vou sentir inveja da minha melhor amiga, pensa Eva. Em voz alta, ela diz:

— E você vai começar a trabalhar na editora Penguin na próxima segunda.

Penélope assente.

— Estou bem empolgada. Embora seja provável que só me mandem fazer as coisas mais chatas no início.

Um silêncio carregado se forma, durante o qual Rebecca decide dar um passo na direção do gato sem perceber o obstáculo que representam as vidraças. Ela começa a chorar e Eva corre para acalmá-la. Quando Rebecca volta a se aquietar, feliz em se sentar novamente no chão e brincar com a sua boneca, Eva retorna ao sofá.

Penélope pergunta:

— E você? O que vai fazer?

Ela sabe exatamente o que Penélope quer saber, e mesmo assim uma obstinação estranha toma conta de Eva. É muito fácil formular uma pergunta, mas é muito difícil responder de maneira honesta.

— Em relação a quê, Pen?

— Bem, em relação a trabalhar. Você está escrevendo?

— O que você acha? Não passo meus dias sentada sem fazer nada. — Eva está mais irritada do que desejava aparentar.

Penélope desvia o olhar, com o rosto corando novamente; ela sempre teve as emoções à flor da pele. Mas não se dá por vencida facilmente.

— Você teve uma filha, Eva. Não é uma sentença à prisão. Tem sua mãe por perto. E também Jakob, Anton e David, quando ele está por aqui. Os pais de David. Você poderia arrumar algum emprego. Ou encontrar tempo para escrever. Afinal de contas, dentro de pouco tempo eu vou saber exatamente para quem devo mostrar o seu romance, não é mesmo?

Elas ficam em silêncio outra vez. Eva, em meio ao cansaço, sabe que Penélope tem razão. Devia estar escrevendo, tem metade de um romance no andar de cima, em cadernos escondidos embaixo da cama, além de suas tentativas pífias e desanimadas de escrever contos. Mas o desejo que Eva sente de escrever, a necessidade de moldar o mundo numa forma que ela seja capaz de compreender, um impulso que sempre lhe pareceu tão natural quanto o ato de respirar, parece quase ter desaparecido desde aquela noite terrível quando voltaram de Ely — ela e Jim —, na qual não lhe deu nenhuma explicação além daquela carta; deixou-a na mesa do porteiro, mostrando toda a sua covardia.

Jim não tentou encontrá-la. Eva forçou-se a lembrar de que era assim mesmo que ela havia planejado — que havia lhe dado um fato consumado porque não queria que Jim tentasse fazê-la mudar de ideia. Mesmo assim, no fundo do seu coração, guardou uma pequena fagulha de esperança.

Saiu de Newnham imediatamente. Eva ainda não conseguia tirar da lembrança o rosto da sua coordenadora de estudos enquanto conversavam — simpatia temperada pelo desconforto e por um leve toque de desgosto —, quando ela entregou a decisão oficial à faculdade, trancando sua matrícula. A professora Jean McMaster era uma mulher alegre e de gostos simples, do tipo que, em outras épocas, poderia ser chamada de pedante em relação aos seus conhecimentos literários — e que talvez, em alguns cantos da universidade, ainda fosse.

— Não consigo expressar o quanto eu lamento por você, Eva — disse ela. — Só posso esperar que as regras algum dia se alinhem com a vida conforme ela seja vivida, e não como os homens desejam que as mulheres a vivam. Mas sei que isso não é nenhum consolo para você.

O casamento aconteceu algumas semanas depois, em uma das salas do centro cívico de St. Pancras. Foi uma cerimônia pequena e organizada às pressas, embora Jakob e Miriam se esforçassem para diminuir a tensão da situação, conversando de maneira determinada com Abraham e Judith Katz: o primeiro era reciprocamente jovial, enquanto sua mulher dava respostas lacônicas e só chegou a dar um abraço muito breve em sua nova nora.

Depois, em janeiro, Eva e David mudaram-se novamente para Cambridge, passando a morar no apartamento de casal que lhes foi cedido pelo King's. Um apartamento úmido e malcheiroso em Mill Road, o qual Eva fez de tudo para transformar num lugar confortável — produzindo capas para as almofadas, enchendo os quartos com livros —, mas que continuava a ser um lugar escuro, meio embolorado e frio.

Durante grande parte daquele inverno infindável em Fenland, Eva ficou dentro de casa enquanto sua barriga crescia, e David voltava para casa cada vez mais tarde, todas as noites — sempre havia alguma peça de teatro, alguma leitura dramática, alguma festa. Eva não conseguia arrumar um emprego. Logo depois que voltaram para a cidade, ela foi a livrarias, cafeterias, perguntando se havia alguma vaga para cobrir horários eventuais, mas todas as vezes os proprietários a olhavam da cabeça aos pés e lhe davam a mesma resposta:

— Não na sua condição.

E assim ela tentou escrever. Não tinha a energia necessária para voltar ao romance que havia começado durante o verão — seus cadernos continuavam onde ela os havia deixado, debaixo da cama —, mas começou a desenvolver um conto, e depois outro, até se dar conta de que não conseguia passar do terceiro ou quarto parágrafo. As personagens que havia se acostumado a observar em sua mente — moldando seus pensamentos, sua aparência física, seus maneirismos ao falar até quase sempre precisar se lembrar de que não eram realmente pessoas de carne e osso — não mais lhe pareciam reais; haviam se tornado efêmeros, insubstanciais. Depois de algumas semanas, ela desistiu de tentar persegui-los. E assim não havia nada que pudesse fazer além de ler, ouvir o rádio, preparar as receitas do livro de Elizabeth David que sua mãe lhe deu (o carneiro agridoce foi um sucesso; as batatas ao forno com creme, nem tanto) e esperar a chegada do bebê.

Não, ela não havia procurado Jim e se esforçou muito para não pensar nele. E, mesmo assim, certo dia, ali estava ele. Era março, alguns dias antes de Eva completar vinte anos; ela estava no sexto mês da gravidez. O sol havia surgido pela primeira vez depois de um tempo tão feio, que parecia ter durado uma eternidade. Eva quis sair de casa, sentir o calor em seu rosto. Caminhou até a cidade, obrigando-se a passar diante de King's Parade, passando pela Casa do Senado, já que nunca viria a se formar ali, admirando o jeito como a luz brincava sobre as pedras. Na livraria Heffers em Petty Cury, ela parou — estava desesperada em busca de algo novo para ler — e foi então que o viu, abrindo a porta, levando dois livros em uma sacola de papel, vestindo a mesma jaqueta de *tweed*, o mesmo cachecol com as cores da faculdade. Eva nem se atreveu a respirar. Ficou ali parada, imóvel, esperando que ele não a notasse, mas esperando também que ele não fosse embora sem olhar para trás.

Ele olhou para trás. O coração de Eva lhe saiu pela boca, e ela viu uma expressão curiosa se formar no rosto do rapaz. Era como se ele fosse sorrir, mas em seguida se lembrou do que houve e mudou de ideia. Jim deu meia-volta naquele momento e ela ficou olhando para as suas costas enquanto ele percorria a curta distância que o levaria até Sidney Street e desapareceu.

Ela o viu mais algumas vezes depois — passando pelo apartamento de bicicleta; em Market Square em junho do ano seguinte, no dia da formatura de David, enquanto ela estava ao lado dos sogros com Rebecca nos braços. Mais tarde, David e Eva encaixotaram suas coisas e foram para Londres, mudando-se para o apartamento que ficava no segundo andar da casa dos pais dela (havia batido o pé e se recusado a morar na casa da família Katz, dizendo que precisaria da ajuda da mãe com o bebê) e foi assim que as coisas terminaram: nunca mais teve a oportunidade de ver Jim, nunca mais.

No dia seguinte, enquanto desfazia as malas, Eva novamente guardou os cadernos embaixo da cama; e foi ali que ficaram desde então.

— Cheguei a pensar em algo — Penélope interrompe seus pensamentos. Eva reconhece aquela voz; é a mesma que Penélope usa com

Gerald quando sugere algo que suspeita que talvez ele não vá querer fazer.

Ela se inclina para a frente e serve o que ainda resta do chá.

— No quê?

— Bem, as editoras sempre precisam de leitores, não é mesmo? Pessoas que lhes digam quais manuscritos aceitar e quais recusar.

Eva entrega-lhe uma xícara.

— Obrigada. — Penélope pega outro biscoito do prato. — Assim, talvez eu consiga recomendar você para a Penguin. Dizer a eles o quanto você é brilhante, e que ninguém conhece mais a respeito de livros do que você.

Eva fica emocionada; subitamente, parece que faz muito tempo que ela pensou em si mesma como alguém brilhante em qualquer coisa que não seja acalmar sua filha, interpretar suas emoções ou misturar as sobras do jantar da noite anterior e transformar em algo que possa passar por uma refeição.

— Ninguém além de *você*, na verdade.

Penélope sorri, aliviada.

— Devo fazer isso, então? Recomendá-la?

Na janela, Rebecca está sussurrando sons suaves na orelha da boneca. Eva pensa em sua mãe, em suas confidências sussurradas, trocadas neste mesmo sofá há poucas semanas, quando finalmente conseguiram fazer com que Rebecca voltasse a dormir.

— Você realmente precisa encontrar algo para fazer com seu tempo além de ser mãe, querida — disse Miriam. — A maternidade é maravilhosa e importante, mas, se você simplesmente fechar as cortinas da criatividade na sua vida, vai acabar se ressentindo.

Eva, em meio ao delírio da falta de sono, olhou para a filha, os olhos fechados, a expressão agora absolutamente serena.

— Foi assim que você se sentiu quando engravidou? Quando teve de sair do conservatório?

Miriam ficou em silêncio por um momento.

— Talvez um pouco, no início. Mas em seguida, quando ele me deixou, quando entendemos o que realmente estava acontecendo em Viena, tudo em que conseguíamos pensar era em sair de lá, em fugir. E quando você nasceu e também quando Anton chegou, é claro, vocês dois eram o centro da minha vida. Mas, ainda assim, sempre que podia, eu voltava a cantar.

Eva recostou-se e fechou os olhos; conseguiu ver Judith Katz na cabeceira da mesa de jantar na noite da sexta-feira anterior, presidindo a refeição (eles haviam se atrasado; Rebecca estava berrando enquanto Eva tentava colocá-la para dormir) e lembrando ao filho e à nora que era o dinheiro *deles* — o dela e o de Abraham — que estava lhes proporcionando uma vida confortável, e o mínimo que podiam fazer era demonstrar respeito e chegar para o jantar do sabá na hora certa.

Sim, Eva pensa agora. *Ter meu próprio dinheiro faria toda a diferença.* Ela estende o braço e segura na mão de Penélope.

— Obrigada, Pen. Vai ser ótimo se você puder fazer isso.

Versão 2

Ponte
Bristol, setembro de 1961

Às sextas-feiras, os assistentes jurídicos têm um acordo já tradicional de se encontrarem no pub após o trabalho.

Hoje, Jim fica até um pouco mais tarde do que os outros. Decidiu ficar no escritório por mais algum tempo para amarrar uma das muitas pontas soltas que às vezes, em seus momentos de maior desolação, ele imagina como centenas de cordas grossas e ásperas, parecidas com trepadeiras, se enrolando ao seu redor.

Essas idas ao pub, pensa ele enquanto percorre a pé o trajeto curto ao sair do escritório, são apenas mais um exemplo da devoção irrestrita dos seus colegas de trabalho à rotina. Nove da manhã em ponto: os assistentes chegam. Nove e meia: os assistentes começam a reunião da manhã. Uma da tarde: os assistentes saem para comer sanduíches de queijo tostado na cafeteria da esquina. Duas da tarde: os assistentes retornam às suas escrivaninhas. Cinco da tarde, às sextas-feiras: os assistentes vão até o White Lion para encher a cara de cerveja e tentar a sorte com a garçonete, Louise.

Aqui estão eles agora, amontoados ao redor de uma mesa do lado de fora. O clima durante a semana ficou mais quente do que se esperava, e a ponte suspensa se ergue, altiva e bela, atrás dele, com o sol poente fazendo as estruturas de ferro brilharem como ouro. *Os meninos*, é como os chefes deles os chamam, embora não haja nada que remeta particularmente à meninice naqueles homens, que em sua maioria têm educação universitária, com mãos macias e cabelos repartidos com precisão: jovens que já estão começando a se parecer com seus pais. Na mesa de trabalho, eles repetem piadas que ouvem em programas de rádio ou outras anedotas juvenis que ouviram nos dormitórios da faculdade — mas, fora do escritório, confrontados por outros homens trabalhadores e mais vigorosos, aquela camaradagem tranquila parece murchar. Há somente um deles — Peter Hartford, não do grupo dos formados, mas filho de um estivador, há cinco anos na empresa separando e entregando as correspondências — que Jim poderia tentar chamar de amigo.

Ele encontra Peter dentro do pub, diante do balcão. Louise está inclinada em sua direção, os seios enormes apoiados no tampo, a boca num tom gelado de cor-de-rosa curvada em um sorriso. Ao ver Jim, ela recua rapidamente e retoma o *froideur* habitual. Peter vira-se e sorri para ele:

— O que vai querer hoje?

Eles levam as canecas de cerveja para o terraço e encontram uma mesa a uma distância discreta dos outros assistentes.

— Um brinde a mais uma semana no batente. — Peter ergue o copo para tocá-lo no de Jim. Ele é baixo, atarracado, com os cabelos avermelhados e um rosto largo e sem malícia, o primeiro em cinco gerações que não segue os passos do pai para trabalhar nas docas. *Mais inteligente do que qualquer um de nós*, pensa Jim, e sente uma onda de afeição por ele. Decide-se novamente a não fazer confidências honestas demais, a não admitir o quanto ele detesta a profissão que Peter está se esforçando tanto para aprender, enquanto ele, Jim, caiu na carreira como um sonâmbulo, empurrado... pelo quê? Medo, ele imagina, o medo e a força centrífuga da doença da mãe.

Depois da formatura, ele viajou de carona até a França com Sweeting, passou duas semanas bastante agradáveis cruzando vilarejos e vinhedos, pintando aquarelas — garotas de pernas à mostra bebendo *citron pressé* nas mesas de uma cafeteria; um milharal, as plantas com suas pontas amarelas brilhando — com uma energia que não sentia há anos. Voltou à Inglaterra disposto a informar a mãe de que se matricularia na escola de artes, mas, ao chegar em Bristol, descobriu que ela havia voltado para o hospital. O médico só lhe daria alta sob a condição de que houvesse alguém em casa que pudesse cuidar dela todos os dias.

— Ela não pode ser deixada sozinha, sr. Taylor — disse o médico. — Não até que possamos ter certeza de que ela está mais estável. O senhor vai morar com ela?

— Acho que sim — respondeu Jim, vendo seus planos escaparem, como uma paisagem que se afasta pela janela de um trem.

Mas havia também a questão sobre o que ele iria fazer. Em seus momentos mais lúcidos, Vivian insistia em que ele não deveria abandonar a carreira de direito, e mesmo Jim não conseguia pensar em outra carreira que pudesse mantê-lo em casa. Ainda assim, tinha de prestar os exames finais, e não havia faculdade de direito em Bristol. No fim das contas, a tia Patsy veio em seu socorro: ela se dispôs a vir morar com Vivian, deixando o tio John sozinho em Budleigh Salterton, enquanto Jim ia até Guildford para prestar os exames; em seguida, voltaria para casa quando Jim voltasse para as férias. Em uma questão de semanas, tudo havia sido combinado. A Arndale & Thompson — o primeiro escritório de advocacia que Jim encontrou na lista telefônica — o aceitou como estagiário. Depois de passar seis meses em Guildford — onde dividiu um apartamento com um viúvo chamado Sid Stanley, uma pessoa entristecida e solitária, com quem Jim passava a maioria das noites assistindo a programas de comédia na televisão —, ele estava de volta a Bristol, qualificado como assistente jurídico e morando com a mãe.

Não era assim que ele queria que as coisas terminassem — nem mesmo quando permitiu que Vivian o persuadisse a prestar o processo seletivo de Cambridge para estudar direito. (Ele queria o curso de história da arte, mas os dois tiveram uma discussão e ele acabou se decidindo por direito num desatino, sem considerar no que estava se metendo; mas, no fim das contas, descobriu que, apesar do que sentia, tinha certa aptidão para a lógica fria do direito, pela separação comedida do que é certo e do que é errado.) Talvez, ele pensa, sua vida fosse bem diferente agora se houvesse encontrado uma mulher na universidade — alguém com quem desejasse começar uma vida que fosse sua. E houve outras, desde Verônica. No último semestre, ele teve uma breve paixão por uma aluna do primeiro ano de história, extremamente bonita chamada Ângela Smith, mas ela não deixou aquilo progredir, mencionando um antigo namorado do tempo do colégio —, mas ninguém por quem ele sentisse algo remotamente mais sério.

— Não é um lugar tão ruim, não é mesmo? — diz Jim em voz alta. — Até mesmo o velho Croggan parece estar começando a gostar de mim.

Peter concorda com um aceno de cabeça.

— Percebi que é melhor evitá-lo até o início da tarde. Geralmente, é quando ele volta do almoço, já meio bêbado depois de uns goles de vinho do Porto.

Eles trocam sorrisos e bebem a cerveja. Jim, de frente para a ponte, admira suas enormes vigas e curvas, a maneira pela qual parece se erguer organicamente da grossa folhagem que já aparece nas duas margens. Peter, como a maioria dos nativos de Bristol, parece nem mesmo perceber a estrutura, mas Jim nunca deixa de admirar como a grande construção de Brunel se ergue sobre o Avon como um pássaro imenso e imóvel, com as asas cinzentas estendidas.

Na primeira vez que vieram ao White Lion, Peter lhe contou uma história: uma operária de fábrica, rejeitada pelo amante, se atirou do parapeito da ponte e flutuou lentamente até o chão — as saias e sobressaias vitorianas se abriram e formaram uma espécie de paraquedas.

— Ela viveu até os oitenta e cinco anos — disse Peter. — Uma lenda em sua própria época.

Jim estremeceu, pensando nas noites — há quantas noites ele havia voltado a morar em Bristol? Três? Quatro? — em que saiu correndo pelas ruas de Clifton atrás da mãe. Vivian geralmente estava descalça, a capa de chuva amarrada frouxamente por cima da camisola. Certa vez, ela chegou a subir no parapeito antes que ele conseguisse alcançá-la. Agarrou-a pela gola como se faz com um gato e tentou não olhar para a escuridão profunda e lamacenta que havia abaixo.

Agora, para afastar aquela lembrança, Jim pergunta a Peter quais são seus planos para o fim de semana.

— Não pensei em muita coisa. Vou trabalhar amanhã, é claro. Talvez eu saia com Sheila no domingo. Clevedon, talvez, se o tempo ainda estiver bom. Sorvete e um passeio no píer. O de sempre.

Jim foi apresentado a Sheila na festa de aniversário de Peter: ela tem quadris largos, é alta (mais alta do que Peter, mas nenhum deles parece se importar com isso), com uma cabeleira de cachos loiros e uma risada baixa e contagiosa. São recém-casados e moram numa pequena casa em Bedminster, não muito longe do lugar onde ambos passaram a infância.

— É isso mesmo — disse Peter orgulhosamente quando a apresentou a Jim. — Eu realmente me apaixonei pela filha do vizinho. Não é uma sorte enorme ela ter se apaixonado por mim também?

— E você? — pergunta Peter agora, observando Jim cuidadosamente por cima da caneca de cerveja. — Tem alguma coisa em mente? Como está... bem, como estão as coisas?

Jim descreveu de maneira geral a sua situação para Peter: a doença da mãe, sua decisão — se é que Jim poderia chamá-la assim, pois certamente não era essa a sensação que tinha — de esquecer a escola de artes, esquecer Londres, e ficar aqui com ela.

— Certo — diz ele.

É verdade, em termos relativos: Vivian está em uma das fases eufóricas. Na noite anterior, ela o acordou às três da manhã, colocando Sinatra para tocar no volume máximo na sala.

— *Dance* comigo, Lewis — falou ela, os olhos estranhamente brilhantes. E assim Jim dançou com ela, uma ou duas músicas, porque não teve coragem de dizer, pela milionésima vez, que não era o seu pai, que o pai havia morrido há muito tempo.

— Tire algum tempo para pintar alguma coisa neste fim de semana, certo?

— Talvez. — Jim montou seu cavalete em um canto do quarto; a luz não é boa e ele geralmente acorda com a cabeça doendo por causa da aguarrás, mas pelo menos ele pode trancar o lugar quando sai. Há mais ou menos um mês, quando se esqueceu de trancar o quarto, ao voltar, encontrou enormes borrões de tinta pincelados sobre a tela branca que havia deixado ali, os tubos de tinta espremidos, sangrando pegajosamente sobre o carpete. — Espero que consiga.

Em seguida, ficam em silêncio, desfrutando do silêncio de homens felizes por deixar as minúcias dos seus sentimentos entre parênteses. Logo os seus copos estão vazios; outro dos assistentes, passando por eles enquanto vai até o balcão, pergunta se querem outra bebida. Os dois dizem que sim: Peter porque sente que Jim precisa de companhia, e Jim porque esta é uma noite quente de sexta-feira que traz consigo os aromas doces e resinosos do outono, e ele quer ficar aqui, sob a luz mortiça, pelo máximo de tempo que puder.

Versão 3

Rosto
Bristol, julho de 1961

Ele vê o rosto dela em uma tarde de domingo.

Jim está caminhando pela rua, levando seu caderno de desenhos e seus lápis na mochila; a tia Patsy e o tio John vieram visitar sua mãe, e assim ele tem o dia inteiro para si. Está pensando em ir até as docas, desenhar os pescoços curvados dos guindastes, o volume imóvel do vapor *William Sloan* que acabou de chegar de Glasgow. Talvez mais tarde assista a um filme ou vá até a casa de Richard e Hannah para jantar; tem um convite aberto para ir comer com eles em Long Ashton sempre que quiser. Vão servir frango assado, salada colhida direto da horta, o gato aninhado no colo de Hannah. Richard vai abrir uma boa garrafa de vinho e eles vão colocar discos para tocar, conversar sobre arte, e, por algum tempo, vai sentir algo parecido com a felicidade: vai esquecer a mãe e a sua vasta e insuportável carência, o vazio que ainda existe bem no fundo do seu coração. É nisso tudo que Jim está pensando, mansa e agradavelmente — e então ele avista Eva.

Ela está subindo a ladeira, na calçada do outro lado da rua. Seu rosto está obscurecido pela sombra de um prédio, mas é ela. O mesmo queixo estreito e pontudo; os mesmos olhos escuros, emoldurados por sobrancelhas grossas e arqueadas. Veste um casaco leve de verão, solto, por cima de um vestido verde. Seu cabelo está preso em um coque, expondo o pescoço esguio, a cor atraente da sua pele.

Jim para onde está, imóvel, tromba com uma mulher que vem em sentido contrário. Ela ralha, manda que olhe por onde anda, mas Jim não responde. Na calçada oposta, Eva continua a caminhar, o passo rápido e resoluto. Está de costas para ele agora. Ele atravessa a rua correndo, quase sendo atingido por um carro que passa; o motorista grita e faz a buzina gritar. Jim não ouve; tem vontade de chamá-la pelo nome, mas não consegue formar a palavra. Começa a acompanhar seus passos, maravilhado com a presença dela. Ouve também o sangue pulsando em seu corpo.

Da última vez que a viu, ela estava em Market Square. A bebê era uma coisa pequena que se contorcia em seus braços — bonita, como todos os bebês, com cabelos e olhos escuros da mãe. David Katz estava ao seu lado, com a beca e o chapéu da formatura, com as bordas felpudas. Um casal mais velho — o homem aristocrático, aparentando ser estrangeiro; a esposa com uma expressão dura no rosto, sem sorrir — estava a alguma distância, como se não tivesse certeza de que queriam admitir o fato de fazer parte do grupo.

São os pais de Katz, não gostam dela, pensou ele. E, sobre a memória muscular profunda da própria dor — a dor que Jim traz consigo desde aquela noite em que encontrou a carta que ela lhe deixou no escaninho da portaria —, ele sentiu uma onda de preocupação por ela. Foi a primeira vez que lhe ocorreu imaginar como as coisas realmente seriam para *ela*: até aquele momento, em meio ao egoísmo extremo dos rejeitados, ele pensou que o sofrimento era algo exclusivamente seu. Na verdade, chegou até mesmo a *querer* que ela sofresse; virou o rosto quando a viu diante da livraria Heffers, com a barriga proeminente por baixo da blusa. Certificou-se de que ela notou que ele a tinha visto e, em seguida, lhe deu as costas.

Ela ainda está caminhando, alguns passos à frente. Não traz nenhuma criança consigo. Talvez Katz esteja com ela, ou talvez — e Jim sentirá um calafrio mais tarde, quando se lembrar da rapidez com que o pensamento lhe veio, no quanto ele desejou, de forma egoísta, que fosse verdade — eles a tivessem entregado para adoção.

Pensa atabalhoadamente no que poderia dizer, em todas as coisas que gostaria de contar a ela. *O que você está fazendo em Bristol, Eva? Como você está? Ficou sabendo que larguei a faculdade de direito? Estou trabalhando como assistente de um escultor agora, Richard Salles. Talvez você tenha ouvido falar dele. É muito bom. Eu o conheci em uma exposição, e ele se tornou um amigo, até mesmo um mentor. E eu estou trabalhando, Eva. Realmente trabalhando — bem melhor do que trabalhei em anos. Você sente saudades de mim? Por que você terminou o nosso relacionamento daquele jeito? Por que não me deu uma escolha, pelo amor de Deus? Não faz ideia de qual seria a minha escolha?*

As palavras são tão sonoras dentro da sua cabeça que Jim não consegue acreditar que não as disse em voz alta. Ele estende a mão para tocá-la no braço e ela gira sobre os calcanhares para encará-lo, os olhos arregalados e furiosos.

— Mas que diabos você acha que está fazendo, me seguindo assim? Vá embora agora, senão eu vou gritar!

Não é ela. O rosto de Eva se transformou em outro: mais largo, um pouco mais gorducho, sem aqueles olhos inteligentes e questionadores. Ele seguiu uma estranha pela rua e quase a matou de susto.

— Desculpe-me. Sinto muito, pensei que fosse outra pessoa.

A mulher balança a cabeça, dá meia-volta e acelera o passo ladeira acima, rumo a Clifton. Jim fica ali parado, observando-a ir embora. E em seguida ele volta a caminhar no sentido oposto, rumo às docas, rumo à água, à tranquilidade profunda dos navios que ali repousam.

Versão 1

Casa cor-de-rosa
Londres, outubro de 1962

É uma boa casa. Não é enorme, mas é sólida, com um formato quadrado; um par de janelas de cada lado da varanda pintada de branco com suas colunas idênticas; uma árvore grande, com uma enorme copa de folhas avermelhadas, quase obscurecendo metade da fachada.

Foi essa característica, acompanhada da cor do estuque — um tom rosa-salmão pouco comum — que deixou o corretor pouco à vontade para lhes mostrar o imóvel. O homem — seu nome era Nicholls; com um paletó xadrez que não inspirava muita confiança e um bigode fino — lhes disse, sem muita convicção, que ninguém colocava os pés ali dentro desde a década de 1920.

— Não vale muita coisa — disse ele. — Vocês vão ver. Ele era um *artista*, sabia? Não fazia a menor ideia de como manter o lugar em boas condições.

Isso foi o bastante para fazer com que Jim batesse o pé — eles *iriam* ver a casa, naquela mesma tarde. Podia até mesmo ter sido o bastante para que entregassem o dinheiro sem ver o imóvel (e o preço era bem razoável, comparado ao das outras casas que visitaram). Tinham dinheiro no banco, afinal de contas: Eva o recebeu, em um gesto imprevisível e jamais esperado pela família Edelstein, de sua falecida madrinha, Sarah Joyce — uma soprano, a primeira pessoa com quem Jakob e Miriam fizeram uma verdadeira amizade em Londres.

Mas o que realmente pesou para fecharem a compra foi o jardim. Nem tanto pelo terreno, que tinha uma inclinação bem acentuada, descendo pela encosta de Gipsy Hill — o canto empoeirado e esquecido da parte sul de Londres pelo qual Eva e Jim, por razões que não sabiam realmente explicar, se apaixonaram —, mas pela estrutura que havia no fundo: o estúdio do artista falecido. Era apenas uma edícula, na verdade, mas o artista havia retirado o telhado original e o substituiu por painéis de vidro que podiam ser abertos quando o tempo estava bom, expondo o lugar ao céu. Sem dúvida, seria congelante no inverno e escaldante no verão — e, desde que o homem morreu, ficou abandonado. A erva daninha havia surgido por entre as frestas das tábuas do piso e o telhado de vidro estava coberto por uma camada de fezes ressecadas de pássaros. Mas tudo o que Eva precisou fazer foi dar uma olhada em Jim para ter certeza: aquele era o lugar dele, o lugar dela; o lugar que transformariam em seu lar. Disseram a Nicholls que fechariam o negócio ali mesmo, imediatamente.

Agora Eva está diante da janela da cozinha, descascando batatas para fazer uma torta. Ela enxerga o marido no estúdio, do outro lado do terreno inclinado: o alto da sua cabeça, o ângulo do cavalete. Jim passou boa parte do verão trabalhando na casa, lixando os pisos e os armários da cozinha, pintando paredes; Eva se juntava a ele quase todas as noites, trocando as roupas que usava no escritório por camisas velhas e calças manchadas por respingos de tinta. Ela mal o viu desde que terminou de preparar o estúdio. Ele já está lá fora antes que ela saia para trabalhar, faz uma pausa para jantar quando ela retorna e depois volta para lá até tarde da noite; sua antiga regra sobre trabalhar somente à luz do dia foi esquecida. (Seu mentor em Slade não demorou a repudiar aquela ideia, dizendo que era uma grande bobagem, e Jim acabou tendo de aceitar essa maneira de pensar.)

Os estudos em Slade mudaram o trabalho de Jim também: quase não há mais pinturas figurativas, os retratos refinados e texturizados de terra e mar e da própria Eva. Em seu lugar, há algo muito mais urgente, liberto, quase febril. "Energia pura" foram as palavras usadas por um crítico entusiasmado na exposição do Museu de Artes — embora, no fim das contas, não tenha encontrado espaço para mencionar Jim em seu artigo. Ela sentiu a mesma decepção que o marido quando o viu dar ao amigo Ewan — o tópico principal do artigo — suas felicitações sinceras. Ela desejava que houvesse alguma coisa, qualquer coisa, que pudesse fazer além de dizer que acreditava nele, que o sucesso chegaria no tempo certo.

Depois de descascar as batatas, Eva as corta em fatias, coloca-as em uma assadeira e as cobre com água. O peixe já está cozido, imerso em seu molho grosso e cremoso; o bolo está esfriando no armário. Os convidados vão chegar dali a uma hora. Ela enche a chaleira para o chá, apoia o corpo contra o balcão enquanto espera a água ferver, admira prazerosamente a cozinha que eles mobiliaram — de certa forma — com uma mesa de tampo de pinheiro escovado que compraram em Greenwich Market, um tapete colorido do qual sua mãe parecia ter se esquecido e que encontraram enrolado em um canto do sótão.

— A casa não tem conveniências modernas — avisou Nicholls. — Vocês serão muito mais felizes na outra casa que eu lhes mostrei. — Eles nem se incomodaram em corrigi-lo: como explicar a alegria de um chão de tábuas, das cantoneiras de gesso no teto, dos azulejos vitorianos lascados a alguém que prefere fogões a gás, carpetes e cozinhas planejadas? Nicholls achava que eles eram um casal excêntrico. Talvez fossem. Não se importavam.

Eva atravessa o jardim para levar uma xícara de chá para Jim. Antes de entrar, ela bate duas vezes e espera que ele responda, como é o seu costume. Ele olha para trás, os olhos ainda vidrados pela concentração. Eva tenta não olhar para a tela — ele ainda prefere mostrar apenas seus trabalhos finalizados, embora não cubra mais o cavalete com um lençol. Ela compreende. Age da mesma forma em relação aos seus textos; recusa-se a ler até mesmo uma única frase antes que a história — ou, nos dias de hoje, o artigo — esteja completa.

— São seis horas, querido. Eles vão chegar às sete, lembra? Quer que eu prepare o seu banho?

Ele faz que não com a cabeça.

— Não tenho tempo. Eles vão ter que me aceitar deste jeito mesmo, eu receio.

— Vou tomar um, então. — Ela se aproxima, entrega-lhe o chá e se inclina para beijá-lo. Sente o gosto sutil e acre da tinta. — Você vai entrar às sete, então, não é?

Voltando ao andar de cima, Eva enche a banheira e estende roupas limpas sobre a cama. Haverá oito pessoas para jantar hoje: Penélope e Gerald; Frank, o editor de Eva no *Daily Courier,* e a esposa, Sophia; Ewan e a namorada, Caroline. *Um grupo bastante peculiar*, pensa Eva enquanto tira as roupas e entra na água quente e perfumada. *Mas todos vão se dar bem, não é?* Ela fecha os olhos e apoia a cabeça na superfície esmaltada. E pensar que este é o primeiro jantar que oferecem em sua casa nova: a sensação é de que tudo parece absurdamente adulto.

Por volta das sete e meia, todos com exceção de Ewan e Caroline já chegaram (Ewan sempre se atrasa). Eles tomam martínis perigosamente fortes na sala de estar — faz pouco tempo que Jim começou a preparar coquetéis e ainda não conseguiu compreender o conceito de medidas. Às oito horas, quando Ewan e Caroline finalmente chegam e eles já podem se sentar para comer, todos estão mais do que apenas alegres. Penélope conta uma história sobre a primeira vez que ela e Eva tentaram preparar espaguete em Newnham num fogareiro elétrico de uma boca.

— Fomos até o quarto ao lado para beber, pois Linda Spencer tinha uma garrafa de gim, e nos esquecemos completamente do jantar. Quando voltamos, a água havia evaporado toda e o macarrão estava todo queimado. Em seguida, é claro, o alarme de incêndio começou a tocar...

Ewan, que já terminou de tomar seu martíni, faz Caroline enrubescer dizendo que ela tentou lhe servir um ovo cru, pois esqueceu de colocar a panela para ferver. E, em seguida, Sophia — uma garota pequena e delicada, ex-debutante, com um senso de humor inesperadamente ácido — admite para os outros que, da última vez que Frank se ofereceu para preparar o jantar (para "lhe dar uma noite de folga"), ele a presenteou com uma porção de carne moída crua coberta por um ovo e tentou convencê-la de que era um bife tártaro.

— Eu quase me convenci — diz Sophia, com um pedaço de torta de peixe espetado no garfo suspenso entre o prato e a boca pintada de vermelho —, se não tivesse reconhecido que aquela era a mesma carne moída que eu coloquei no prato de comida do cachorro naquela manhã. A cor estava estranha... chegava a estar *cinzenta*, na verdade. Oh, e o cheiro!

Logo, a torta de peixe está terminada, as travessas foram raspadas até não sobrar nada e há seis garrafas de vinho vazias sobre a mesa da sala de jantar. Depois do café, Jim sugere que coloquem alguns discos para tocar. Ele e Frank discutem amistosamente sobre o tipo de música que querem ouvir. Antes de se tornar o editor da página feminina do *Courier* (um título que, certamente, apenas um homem tão seguro de si e masculino como Frank poderia ostentar), ele era o editor de artes, e ainda guarda uma afeição particular pelo jazz. Frank vence a disputa e os casais dançam desajeitadamente pela sala ao som sensual do saxofone do Dave Brubeck Quartet.

Mais tarde, Penélope e Eva, ainda sentindo o calor após dançarem, vão até o jardim para fumar. A noite está fresca e limpa, as estrelas pontilhando o céu acima do brilho das luzes da cidade.

— Foi uma reunião maravilhosa, Eva, meu bem — diz Penélope, equilibrando-se sem muita firmeza nos saltos. — Acho que estou um pouco bêbada.

— Talvez só um pouco, Pen. Eu também.

Elas se encostam na parede, observando as pontas alaranjadas e brilhantes dos cigarros.

— Adorei a sua coluna esta semana. Foi muito engraçada, Eva. Engraçada e inteligente. Acha que eles vão continuar a publicar?

Eva sorri; ela ainda não consegue acreditar que sua ideia de publicar uma coluna regular tenha dado certo. Havia lançado a ideia para Frank há algumas semanas:

— O casamento moderno, de A a Z — disse ela quando estavam bebendo no fim da tarde de sexta-feira no Cheshire Cheese. — Vai cobrir tudo, de "angústia" a "zigoto". Podemos chamá-la de "O alfabeto da mulher casada".

Frank riu, cuspindo a cerveja que tinha na boca.

— É uma ótima ideia, Eva. Vou falar a respeito com o chefão, mas acho que você faria um ótimo trabalho. Apenas me prometa que não vai usar "zigoto".

Agora, para Penélope, ela diz:

— Não sei. Espero que sim. Pergunte a Frank.

— Talvez eu pergunte. — Penélope sorri, seus dentes brancos brilhando na escuridão. — Não, tudo bem, talvez não hoje. — Ela inclina a cabeça e a apoia no ombro de Eva. — Amei esta casa. É perfeita. *Você* é perfeita.

— Nada é perfeito — emenda Eva, mas ela está pensando: *Talvez isto seja a coisa mais próxima da perfeição. Aqui, agora, não há absolutamente nada que eu quero que mude.*

Versão 2

Anfitriã
Londres, dezembro de 1962

— É claro que todos nós adoramos David. Ele é muito talentoso, não é mesmo?

A atriz — Eva tem dificuldade para lembrar o nome dela: Julia, talvez, mas não quer se arriscar a dizê-lo em voz alta — está olhando para Eva com uma expressão audaciosa, como se a desafiasse a discordar. Seus olhos são de um tom encantador de azul pálido, como os de Elizabeth Taylor, emoldurados por uma linha grossa e ascendente de delineador.

— Oh, sim — diz Eva distraidamente. Sua cabeça está na cozinha, onde esqueceu uma bandeja de rolinhos de salsicha; se passarem muito mais tempo no fogão, seu único destino será a lixeira. — Incrivelmente talentoso. Se me der licença...

Ela atravessa a sala cheia de gente, sorrindo para os convidados. "Muito obrigada por virem", diz conforme avança. É impossível disfarçar a barriga agora, mesmo sob esse vestido enorme que mais parece uma barraca; não que ela queira escondê-la, mas gostaria de se sentir menos desajeitada, menos parecida com um obstáculo enorme e exagerado ao redor do qual os convidados têm de se afastar para depois se unirem outra vez. Aquela atriz — não é Julia, lembra-se Eva tarde demais, e sim Juliet: ela interpretou Jéssica, a contraparte do Lorenzo de David em *O mercador de Veneza* no teatro Old Vic — chegou até mesmo a torcer o nariz para Eva, como se estivesse exalando um cheiro desagradável.

— Oh, meu Deus, *olhe só* para você, está enorme! — comentou Juliet, sem qualquer traço de afeição. Eva teve vontade de arrancar o copo de coquetel daquela mãozinha delicada e entornar o líquido na cabeça da garota; o esforço necessário para não fazer isso acabou por exaurir suas reservas de autocontrole.

Na cozinha, Harry Janus está colocando a mão na coxa de uma garota muito jovem que Eva não reconhece. Ele se afasta rapidamente quando ela entra e lhe oferece um dos seus sorrisos mais encantadores.

— Nossa graciosa anfitriã — diz ele. — Em sua melhor forma.

Eva o ignora. Vai até o forno, curva-se para pegar a assadeira. A mulher fica atrás dela, sem se oferecer para ajudar.

— Quando vai nascer? — pergunta ela timidamente. — Tem sentido muito enjoo? Minha irmã ficava enjoada o tempo todo quando engravidou pela primeira vez. Mesmo assim, não o bastante para que ela não quisesse engravidar de novo.

Ela parece uma garota bem meiga, pensa Eva enquanto passa os bolinhos para uma travessa. *Ainda não sabe quem é o verdadeiro Harry.*

— Fiquei mal durante os primeiros três meses — diz ela em voz alta. — Já não é mais tão ruim. O bebê nasce no mês que vem.

— Que maravilha! — Quando Eva se vira desajeitadamente, carregando a travessa pesada, a mulher parece se lembrar dos bons modos. — Eu posso levar a travessa? Ah, me chamo Rose.

— Obrigada, Rose, é gentileza sua. Sou Eva.

— Eu sei. — Rose pega a travessa enquanto Harry fica sem saber o que fazer ao lado da porta. Não está habituado a deixar de ser o centro das atenções. — Por falar nisso, adorei o seu apartamento. É muito elegante.

— Obrigada. — Pela janela do passador de pratos entre a sala e a cozinha, Eva observa os convidados que circulam pelo ambiente, conversando aqui e acolá. Alguns estão dançando, emoldurados pelas enormes vidraças das janelas, que agora estão enegrecidas, mas que durante o dia são inundadas pela luz do inverno, exibindo uma paisagem de árvores desfolhadas e grama coberta por uma fina camada de geada. A localização do apartamento, próxima ao Regent's Park, foi o que a fez se decidir pela compra. A escolha foi de David, na verdade — o que significa que a escolha foi da mãe dele. Eva preferia algo mais aconchegante, algo que não fosse tão frio e moderno; achava que tinha o direito de tomar a própria decisão, e não apenas porque parte do dinheiro que empenharam no apartamento pertencia à própria Eva, herança que recebeu da madrinha. Mas não era fácil desobedecer a Judith Katz. Ela simplesmente entrou no quarto de Eva e David sem bater — estavam na metade da manhã;

David e Abraham haviam saído e Eva estava tentando se concentrar em um espetáculo de estreia de autoria de um jovem escritor de Manchester — e disse:

— Eva, você *tem* de me dizer o que diabos há de errado com aquele lindo apartamento. O lugar é perfeito. Não entendo por que você sempre tem que ficar contra mim.

Eva — que não havia completado três meses de gravidez e ainda sofria de uma náusea que, longe de ficar confinada ao período da manhã, parecia durar até o meio da tarde — abriu a boca para discutir e percebeu que simplesmente lhe faltavam forças. Tudo bem, comprariam o apartamento. E seria maravilhoso, Eva teve de admitir (embora não tenha dado a Judith o prazer de dizer isso em voz alta), estar a poucos metros do parque quando o bebê nascesse e as árvores voltassem a florir.

O bebê. Embora Eva não houvesse dito nada, o bebê parecia escutá-la — ela sente que a reação é um chute forte, como se algo dentro de si estivesse lutando para se libertar.

— Eva, por que você está escondida aí? Venha conversar com as pessoas, sim? — David está na porta da cozinha; ela se vira para ele, leva um dedo aos lábios e faz sinal para que ele se aproxime. — O que foi?

Ela segura a mão de David e a traz para o ventre. Ele sente o movimento ali, firme, agitando-se sob sua mão, e seu rosto se abre num sorriso.

— Meu Deus, Eva, às vezes eu ainda não consigo acreditar que ele está realmente aí dentro. Nosso filho. Nosso menininho.

Ele se aproxima para beijá-la. É um gesto tão inesperado — David quase não a beijou em várias semanas, e certamente não tentou nenhum contato mais íntimo — que Eva resiste à ideia de dizer que eles não sabem realmente se *será* um menino. Na verdade, com uma convicção inexplicável que ela só compartilhou com sua mãe e com Penélope, Eva sabe que o bebê é uma menina.

Eles esperaram um bom tempo para ter um filho. "Prefiro estar mais estabelecido antes, Eva", disse David, "e você já está bastante ocupada com o trabalho de edição e revisão de roteiros, não é?" Eva estava ocupada — ocupada demais, em algumas semanas — e havia também o fluxo intenso do trabalho de David: os testes para assumir papéis, as leituras das falas, as festas nas noites de estreia. Ele vivia num mundo de pessoas, de eventos sociais, de esforços coletivos, enquanto o mundo de Eva estava encolhendo para se encaixar entre quatro paredes. Ela buscava uma pilha de roteiros de espetáculos no Royal Court a cada quinze dias mais ou menos, entregava-os com as devidas correções algumas semanas depois, e raramente tinha de sair de casa. Certa vez, quando não suportava a ideia de passar mais nenhum momento sozinha em casa com Judith, ela decidiu fazer uma visita a David em um de seus ensaios, sem comunicá-lo; o diretor, aos gritos, mandou que ela saísse dali imediatamente, e David ficou emburrado por vários dias depois disso. O mundo que já lhe pareceu tão fascinante, tão misterioso — a magia magnífica do teatro, plateia e atores cooperando em uma gloriosa ilusão sob os holofotes —, já estava, devido à familiaridade, perdendo o encanto.

Enquanto isso, os textos que Eva produzia, como já temia que acontecesse, não estavam dando quaisquer frutos: havia começado a escrever um romance, mas a história se desfez no meio do caminho. Ela mostrou o que havia escrito a Penélope, que foi gentil: "estou vendo um potencial verdadeiro aqui, Eva, mas a história não está realmente ganhando vida, não é mesmo?". Começou, então, a repassar o texto página após página, procurando um fio condutor que pudesse tecer suas palavras e transformá-las em algo sólido e coeso. Mas não conseguia encontrá-lo; no fundo da sua mente, uma voz dizia: *Você nunca será uma escritora de verdade, Eva. Você não é boa para isso.*

Conforme os meses passavam, ela começou a buscar seus cadernos com uma frequência cada vez menor e a pensar cada vez mais sobre o quanto gostaria de ter um bebê; esse era um dos poucos assuntos nos quais ela e a sogra concordavam.

— Não consigo entender por que você está esperando tanto tempo para engravidar, Eva — disse Judith Katz certa vez durante o jantar do sabá. — Fica andando pela casa sem ter absolutamente nada para fazer.

— Nada disso, Judith — retrucou Eva, bruscamente. — Estou trabalhando, você sabe disso.

— A maternidade é o único trabalho verdadeiro de uma mulher — respondeu Judith, um refrão familiar, recitado com toda a pompa acumulada de uma viúva da era vitoriana. A prima Deborah revirou os olhos diante de Eva, e Abraham estendeu a mão para tocar o braço da esposa.

— Não é bem assim, Judith. Tenho certeza de que David e Eva vão resolver isso em seu devido tempo. David tem de pensar em sua carreira.

Quando finalmente aconteceu — quando uma semana inteira de enjoos constantes foi, para a alegria de Eva, confirmada como um sintoma da gravidez —, David ficou tão exultante quanto a própria Eva. Dentro de poucos dias, ela já havia escolhido um nome secretamente — Sarah, em homenagem à madrinha Sarah Joyce, uma mulher que ela amava, e cujo último gesto foi tão inesperadamente generoso. Este seria um assunto que Eva não aceitaria discutir com Judith Katz ou com qualquer outra pessoa.

— Vamos lá, querida, você está perdendo a festa.

David pega sua mão e a leva novamente para a sala. Alguém mudou o disco, colocou o álbum que Eva comprou especialmente para aquela noite: Ella Fitzgerald cantando as velhas canções de Natal. (Independentemente do fato de pelo menos metade dos convidados celebrar o *chanuca*.) Os primeiros acordes do piano emanam pela sala, sincopados, leves como uma pena; Ella canta sobre a neve, campos e trenós, e mais pessoas se juntam aos dançarinos diante da janela. Alguém — Penélope — segura na outra mão de Eva, e em seguida ela está dançando, girando pelo piso da sala, o bebê chutando e virando-se em um ritmo que somente ela consegue sentir.

No início, Eva não percebe Juliet do outro lado da sala, um pouco afastada. Contudo, quando para de dançar abruptamente — estonteada, corada e ofegante, os chutes de Sarah vindo mais rápido agora, como um segundo coração que bate agitado, trepidante —, Eva percebe o olhar de Juliet: uma expressão que não é sorridente nem carrancuda, mas que a observa sem piscar os olhos, como se a desafiasse a ser a primeira das duas a desviar o olhar.

Versão 1

Dançarina
Nova York, novembro de 1963

A primeira coisa que Jim nota nela são os pés: os dedos são longos e sinuosos; os tornozelos pálidos contrastam com a calça justa. Ele observa o seu corpo também, a ampla curva dos quadris. A cintura fina; os seios pressionados firmemente contra o peito. Mas são os pés que prendem a atenção dele enquanto ela dança, traçando contornos irrequietos pelo chão, o ritmo agitado, imprevisível, obedecendo a um metrônomo interno que apenas ela é capaz de ouvir.

Outros dançarinos atravessam o palco — um homem de rosto longo, lúgubre; uma mulher magra com cabelos ruivos, os espaços entre cada costela visíveis através da sua fantasia —, mas ele só enxerga aqueles dois pés. Em seu estado levemente inebriado — outro dia perdido, uma manhã no apartamento, sem conseguir pintar; uma tarde bebendo *bourbon* no bar da esquina das ruas Charles e Washington —, ele acha que talvez sejam as coisas mais bonitas que já viu.

Ao final, a plateia parece relutar em ir embora. Uma pequena multidão se reúne nos degraus da igreja, como se uma missa houvesse terminado, embora o vento esteja frio, soprando as últimas folhas caídas rumo a Washington Square. Uma garota trajando um casaco azul, com olhos que trazem um brilho estranho, lustroso — *Só pode estar chapada*, pensa Jim —, se vira para ele. Com uma voz pequena e aguda, ela pergunta:

— Não foi a *melhor* coisa que você já viu? Não é o tipo de coisa que faz sua vida mudar?

Jim hesita. Ele gostou da apresentação, achou algo libertador, hipnótico, na maneira como os dançarinos se moviam e se contorciam pelo palco. Lembrou-se das colagens de Matisse pelas quais havia, em Slade, desenvolvido uma breve obsessão — as linhas cinéticas, energia pulsante e contagiosa. Mas não sabe exatamente como explicar isso a uma estranha.

— Foi ótima, sim.

A estranha sorri para ele.

— Você é britânico! — E diz isso com um ar triunfante, como se ele houvesse esquecido.

Ele retribui o sorriso, sem qualquer afeição, e enfia as mãos mais fundo nos bolsos — deixou as luvas no apartamento, subestimou o frio do inverno de Nova York que faz o rosto doer.

— Sou sim, realmente.

A garota de sobretudo azul — seu nome é Deana — ainda está falando quando os dançarinos aparecem: figuras altas e disformes, envoltas em grossas camadas de casacos e cachecóis. Os pés longos e pálidos daquela dançarina agora estão encerrados em botas de couro, mas ele reconhece o rosto; não consegue deixar de sorrir para ela, embora, é claro, ela não o conheça. Ela não retribui o sorriso; por que deveria? O dançarino com o rosto comprido cumprimenta Deana com um beijo, jogando-lhe um braço por sobre os ombros. Deana ergue uma sobrancelha para Jim, como se quisesse pedir desculpas, mas ele mal percebe. Ainda está olhando para a mulher das botas de couro.

Todos eles estão indo para um bar em Cornelia Street. Jim os acompanha, ainda são dez horas, e Eva vai demorar um bom tempo para voltar do teatro — há uma festa após a apresentação no Algonquin. Quando pensa que ela estará perto de David Katz, seu velho rival — conversando, rindo, compartilhando lembranças dos velhos tempos —, Jim sente um aperto no peito. Talvez devesse ter ido ao espetáculo com ela; percebe agora que não ir foi uma decisão relativamente infantil da sua parte. E mesmo assim, quando Eva disse que Katz entrou em contato, que a peça de Harry foi transferida para a Broadway, a recusa de Jim em acompanhá-la foi instintiva: autopreservação, ele imagina, ou apenas uma boa dose do velho ciúme. Já faz cinco anos desde a última vez que Katz teve qualquer direito sobre Eva — cinco anos nos quais ela se tornou a *esposa* de Jim; que comprou uma casa com ele e tornou-se a pedra fundamental de sua vida. Mas ainda há um coro zombeteiro e rosnador no fundo da sua mente que Jim não consegue ignorar. *Katz é um astro agora — e o que foi que você fez? Quem é você? É só um gigolô disfarçado de marido, vadiando por Nova York enquanto a sua esposa sai para trabalhar. Você não é um artista. Não vendeu um único quadro desde que saiu de Slade. Não consegue nem mesmo dar seus quadros. Você não é nada.* É apenas no bar que fica na esquina da Charles com a Washington que ele consegue silenciar aquele coro; ali, ele se senta com um *bourbon* conforme a manhã se transforma em tarde.

O bar em Cornelia Street funciona num porão, tem paredes negras e o piso pegajoso; uma pequena plataforma com uma cadeira na qual um homem com um violão pode ou não aparecer. Os dançarinos do Judson ocupam uma mesa. Jim demora para se juntar a eles após voltar do banheiro — e mal consegue acreditar na sua sorte quando o único assento que resta é o que fica ao lado dela. A garota está olhando para ele agora.

— Pamela — diz ela quando ele se senta ao seu lado.

Ele não vai se lembrar de muitas das coisas que acontecerão naquela noite: apenas a semiescuridão cheia de fuligem; o vinho tinto que chega em garrafas gordas, envoltas em ráfia; a voz grave e rouca do músico que, em algum momento, sobe ao palco para cantar canções de Woody Guthrie. De Pamela, ele vai se lembrar em fotogramas. Uma mecha de cachos negros, colocada atrás da orelha; uma taça levada aos lábios; a brancura ofuscante do seu corpo nu, marcado pelas sombras. E os pés, é claro, que gelados pressionam as pernas de Jim quando ela goza.

Não vai se lembrar de quando saiu do apartamento dela, ou de quando voltou para casa, embora tenha conseguido fazer isso de algum modo. No dia seguinte, ele acorda tarde, na cama — a cama dele e de Eva —, ao som do telefone que rasga dolorosamente aquela que provavelmente é a pior ressaca que ele já teve. Jim anda a passos trôpegos pelo quarto até o alto da escada e tateia para encontrar o telefone. É Eva, ligando do seu trabalho — ela tem um cubículo no prédio do *The New York Times*; de lá ela escreve sua nova coluna, "Uma inglesa em Nova York", para o *Courier*, e também artigos sobre notícias, moda, cultura — para lhe dizer que um atirador matou o presidente. A comitiva passava por uma praça em Dallas. Três tiros. O sangue escorrendo pelo belo traje cor-de-rosa da sra. Kennedy.

Por trás daquela história, há uma forte e constrangedora sensação de alívio: essa é a história do momento. Isso é a única coisa sobre a qual as pessoas vão falar durante dias, semanas, meses. Eva estará ocupada com os artigos que terá de mandar para Londres. Ocupada demais para se preocupar com o lugar onde seu marido esteve na noite passada; por que ele chegou em casa quase ao amanhecer, tomou banho e depois se deitou ao seu lado na cama, com a mente ainda embotada com as imagens de outra mulher. Mais tarde haverá culpa, é claro. Mas não agora. Ainda não.

Versão 2

Algonquin
Nova York, novembro de 1963

Após a apresentação, os produtores oferecem uma festa de estreia no Algonquin.

Pelos padrões britânicos, é um evento exageradamente ostentoso — garçons com uniformes chiques, um trio de jazz e um fluxo aparentemente infinito de champanhe. As paredes revestidas por painéis de madeira do salão de carvalho dão um ar intimista e levemente medieval ao lugar; uma série de candelabros pesados de ferro pontilha o céu coberto por uma grossa camada de gesso, e as lâmpadas de luz suave conferem aos convidados o privilégio de uma semiescuridão.

Paul Newman e Joanne Woodward estão juntos em um canto; em outro, Rex Harrison curva a cabeça em direção a Burt Lancaster, seu barítono claro e inconfundível mal sendo ouvido em meio ao burburinho geral. No centro de tudo, estão Harry, David e Juliet, o jovem diretor do espetáculo e seus astros. A mão de David está pousada levemente nas costas nuas de Juliet, na altura da cintura, conforme eles fazem um lento e sorridente circuito pela sala.

Eva fica ligeiramente de fora, segurando uma taça de champanhe. Os sapatos machucam seus pés — ela os comprou ontem na Bloomingdale's, junto com o vestido de gala que vai até o chão. Deixou Sarah com os avós de David em Upper East Side. Foi a primeira vez que ficou longe da filha por um tempo maior do que meia hora, e mal conseguiu se concentrar devido à preocupação — assim, escolheu o primeiro vestido que experimentou. Agora, observando o próprio reflexo no revestimento espelhado do balcão do bar, Eva pergunta a si mesma se tomou uma decisão ruim; a seda verde está amontoada em dobras que não valorizam seu corpo na altura da barriga, que ainda traz as marcas da gravidez. Ela se endireita um pouco mais.

— Tudo correu muito bem na apresentação, não foi? — Rose está ao lado de Eva, parecendo uma noiva com seu vestido branco drapeado; Eva tem a impressão de que ela está tentando insinuar alguma coisa para Harry. Mas isso seria indelicado, ela gosta de Rose e ficou feliz ao perceber que o relacionamento dos dois parece ter se solidificado. Nessas semanas mais recentes, abandonada com Sarah no pequeno apartamento de um prédio sem elevador que os produtores americanos do espetáculo alugaram para eles — David se recusou a ficar com os avós, insistindo que precisava do seu próprio espaço, embora a decepção que eles sentiram fosse palpável —, Rose se tornou uma amiga, talvez a única amiga de Eva nesta cidade linda e enlouquecedora, com a cafonice à base de néon, toldos que avançavam pelas calçadas e mendigos que vagavam de um lado para outro. Nas longas caminhadas que Eva começou a fazer, levando Sarah em um "carrinho de passeio", como os americanos charmosamente o chamam, os mendigos são as únicas pessoas que parecem ter tempo para parar e conversar. Há algumas semanas, enquanto observava os pombos com Sarah em Washington Square, Eva foi acossada por uma mulher velha e de baixa estatura que usava sacos plásticos azuis no lugar dos sapatos.

— Tome cuidado, dona — sibilou a mulher quando Eva empurrava o carrinho de Sarah rapidamente para longe dali. — Eu *mordo*. — Desde então, Eva não conseguia apagar da cabeça a imagem do rosto daquela mulher.

— Sim. Acho que não podia ter sido melhor — diz ela agora. — Mas fiquei preocupada, achando que John acabaria perdendo a deixa. Sabe quando ele pede um fósforo a David, logo antes de a cortina fechar? Ele atrasou alguns segundos.

Rose a observa fixamente, impressionada.

— Não percebi. Você conhece o roteiro melhor do que eles. — A garota bebe lentamente o seu champanhe. — Mas, claro, esse é o seu trabalho. Ler tudo atentamente. Perceber as coisas.

— Sim, eu acho que é. Ou era.

Desde que teve Sarah, há pouco mais de dez meses, Eva deixou a função de leitora e revisora de roteiros. O Royal Court anunciou, logo depois que Sarah nasceu, que iriam contratar alguém para trabalhar em período integral, e ela não entrou em contato com outros teatros. Ficou feliz em poder mergulhar completamente na vida de mãe — aquela rotina diária, intensamente focada nas necessidades da filha. E ainda assim uma parte dela se pergunta — especialmente nas horas insones da noite, quando David enterra a cabeça embaixo do travesseiro e ela precisa andar pela sala minúscula do apartamento, tentando acalmar Sarah da melhor maneira que pode — se isso será o bastante. Certamente não foi esse o futuro que imaginou ao lado de David; havia visualizado os dois crescendo juntos, o sucesso do marido na carreira de ator complementando o seu próprio sucesso como escritora. E ainda assim, agora, ela tem tão poucos momentos livres que, quando se senta para escrever, sua mente parece estar frouxa, esfarrapada, cheia de buracos, e ela sente a convicção de que nada do que diz é digno de ser colocado no papel. Quando tenta tocar no assunto — buscar outra vez o afeto da autoconfiança tão ampla de David —, a resposta dele geralmente é: "Bem, querida, você tem que pensar em Sarah agora, não é? Tenho certeza de que você vai encontrar tempo para voltar a escrever quando ela crescer".

Eva, em um momento de fraqueza e exaustão, confessou sua frustração a Rose — que diz agora, como se fosse capaz de ler seus pensamentos:

— Você poderia deixar Sarah com os avós de David novamente, como sabe. E conseguir tempo para escrever.

Eva olha para David, que agora estende a mão para cumprimentar Lancaster. Juliet ainda está ao seu lado. Eva observa os olhos de Lancaster irem do formato perfeitamente oval do rosto da garota para o decote em V do seu vestido.

— Ou então David poderia cuidar dela, não acha? Ele vai estar livre durante o dia, não é? Todos eles vão. Você podia deixar Sarah com David e ir até a biblioteca.

Eva considera aquela ideia: deixar a filha sob os cuidados de David; caminhar pela Quinta Avenida até a biblioteca pública, com um dia inteiro se estendendo à sua frente; voltar para casa e encontrar um apartamento limpo, uma bebezinha alegre e relaxada, o jantar quente sobre o fogão (ou pelo menos algumas caixas de comida chinesa para viagem). É inimaginável; David ama a filha, não há dúvida disso. Mas ele tem tanto talento de trocar as fraldas dela quanto de voar para a Lua.

Elas são interrompidas por Harry, que se aproxima com um homem que Eva não reconhece. Seus cabelos estão penteados cuidadosamente com gel e o terno que usa é cinza-escuro, quase da cor do carvão, folgado e um pouco antiquado. Não é um ator, portanto — um empresário. Entretanto, conforme eles se aproximam, Eva reconsidera sua avaliação; existe algo estranhamente familiar no rosto daquele homem.

— Queridas. — Harry está exuberante, inebriado pelo sucesso. Ele passa o braço ao redor da cintura de Rose. — Quero que vocês duas conheçam uma pessoa. Jim Taylor. Jim, esta é a minha bela rosa inglesa. E esta é Eva, a esposa de David.

Jim estende a mão para Rose, um gesto mais formal; reprimindo uma risada, ela se aproxima e o beija uma vez em cada face.

— Muito melhor do que um aperto de mão, não é?

Com o rosto corado, ele se vira para Eva. Quando se inclina para beijá-lo, ela percebe que os olhos dele são de um azul muito escuro, quase violeta, emoldurados por cílios mais longos que os dela. Em uma mulher, esse seria um efeito bonito; em um homem, é algo um pouco perturbador.

A atenção de Harry já está mudando de foco; ao concluir sua tarefa, ele recua um passo, procurando companhias mais úteis.

— Vocês vão cuidar de Jim por mim, não é, queridas? — Ele dá as costas para o grupo sem esperar por uma resposta.

Há um silêncio breve e um pouco incômodo. Em seguida, Jim diz a Eva:

— David estava ótimo hoje. Foi um espetáculo brilhante.

O homem, Jim, tem um olhar bastante direto, que fica ainda mais intenso pela cor incomum dos seus olhos.

— Sim, ele é muito bom no que faz, não é? — Outra pausa breve. — E você? De onde conhece Harry? Você é ator?

— Oh, não, nada de tão glamouroso, eu receio. Sou advogado. — Ele ergue as palmas, como se quisesse se desculpar. — Harry e eu estudamos na mesma escola e também em Cambridge, mas não o via com tanta frequência na época da faculdade.

— Qual faculdade? Eu estudei em Newnham.

— Clare. — Jim olha para Eva outra vez, mais atentamente. — Sabe, eu estou com uma sensação muito estranha de que já nos conhecemos.

Rose solta um suspiro exagerado.

— *Por favor*, não comecem uma daquelas conversas sobre Cambridge. Não suporto isso. Já ouço o bastante quando Harry fala a respeito.

Eva ri.

— Desculpe. Você tem razão. É entediante.

Por alguns minutos, eles falam sobre outras coisas: a carreira de modelo de Rose, Sarah, o que Jim está fazendo em Nova York (um programa de intercâmbio de dois meses, diz ele, para "fortalecer as relações anglo-americanas"). Em seguida, Rose, vendo que Harry se aproxima de uma moça que usa um vestido preto bem justo, se afasta.

— Prazer em conhecê-lo, Jim.

Um garçom que passa por ali para e enche as suas taças. Quando ele se afasta, Jim diz:

— Queria descobrir de onde eu a conheço.

— Eu sei. É muito estranho, não é? Também não consigo me lembrar. — Agora que eles estão a sós, Eva subitamente se sente um pouco tímida.

Os dois ficam em silêncio por um momento, e ele pergunta:

— Quer se sentar um pouco?

— Meu Deus, quero, sim. Estes sapatos estão me matando.

— Foi o que pensei. Você está apoiando o peso do corpo em um pé e depois no outro desde que nos apresentaram.

— É mesmo? — Ela observa o rapaz, alerta para a possibilidade de que ele a esteja ridicularizando, mas Jim está sorrindo. — Que constrangedor.

— Não é, não.

Eles escolhem uma mesa em um canto. Discretamente, Eva tira os sapatos por baixo da mesa. Há outro silêncio — um pouco mais carregado, agora que decidiram se afastar do restante do grupo. Jim o quebra.

— Há quanto tempo você conhece David? Vocês se conheceram em Cambridge?

— Sim. Apresentamos uma peça no ADC, *Sonho de uma noite de verão*. Eu era Hérmia e ele era Lisandro.

— Então você estudava artes cênicas também?

— Não, na verdade, não. Minha amiga Penélope foi fazer um teste, e eu fui com ela. Foi divertido. — O cheiro seco e poeirento do velho depósito na King's onde eles ensaiavam; beber cerveja quente com limão no jardim do Eagle depois; David, mais alto, mais inteligente, e de algum modo mais *tudo* que qualquer homem que Eva já viu. — Eu o achei insuportavelmente arrogante na primeira vez que o vi.

— Mas ele conquistou seu coração.

— É verdade. — Eva hesita, tomando cuidado para não insinuar infidelidade. Cautelosamente, ela pergunta: — E você? É casado?

— Não. Na verdade, eu... as coisas andam um pouco difíceis. Minha mãe, ela... — Jim a está observando novamente, com aquele olhar fixo e desconcertante, como se ponderasse o quanto deveria contar. — Ela não está muito bem. Da última vez que recebeu alta do hospital, os médicos disseram que ela não podia morar sozinha. E o meu pai já faleceu. — Ele faz uma pausa, e Eva percebe o quanto lhe custa continuar. — Minha tia foi morar com ela por algum tempo enquanto eu terminava meu treinamento em direito em Guildford, mas depois eu tive que assumir a responsabilidade. Assim, voltei para Bristol para morar com ela.

— Entendo. — Do outro lado da sala, o trio de jazz começou a tocar novamente, com o saxofone se erguendo tristemente acima da batida suave do chimbau e do baixo. — E como ela está agora?

— Não muito bem. — A expressão de Jim muda, e Eva se arrepende da pergunta. — Nem um pouco bem. Voltou para o hospital. Não teria vindo até aqui, mas... na verdade, o médico disse que eu deveria viajar. Disse que seria como um tônico. Para mim, pelo menos.

— E tem sido assim?

— Sim. Sim, acho que foi. Para ser honesto, estou me sentindo melhor agora do que nos últimos tempos.

Eles passam a falar de Nova York — do ritmo incansável da cidade; a altura estonteante dos seus prédios; a estranheza das nuvens de vapor que se erguem como fantasmas das calçadas. ("Na primeira vez que as vi, achei que o metrô estava pegando fogo", diz Eva.) Jim fica impressionado ao saber que Eva e David estão hospedados em Greenwich Village — o apartamento onde ele mora fica em Midtown, quadrado e sem nenhuma característica interessante, a alguns quarteirões do escritório de advocacia. Mas ele diz que passou a maior parte do seu tempo livre em Greenwich Village, admirando tudo o que existe ali.

— Encontrei algumas galerias impressionantes em porões, em lojas e em garagens antigas. Todos os tipos de obras também: esculturas, instalações, artes performáticas. Até mesmo espetáculos de dança na igreja Judson em Washington Square. Existe um verdadeiro espírito artístico.

— Talvez tenha sido lá que eu o vi. No Village.

Ele assente.

— Sim. Talvez tenha sido lá.

Dali, eles passam a falar sobre o pai de Jim — Eva viu sua última retrospectiva na Academia Real — e sobre o próprio Jim; o amor que ele tem pela pintura, o fato de que sempre quis ir para a escola de artes em vez de Cambridge, mas sua mãe não admitia isso.

— Meu pai morreu quando eu tinha dez anos. Bem, talvez você saiba disso, se conhece a obra dele. Depois disso, ela piorou bastante. Vendeu a casa em Sussex e quase todos os quadros que ele pintou. Não conseguia suportar a ideia de que eu seguiria os passos do meu pai.

Um garçom está ao lado da mesa; eles ficam em silêncio enquanto ele enche as taças. Em seguida, Jim diz:

— Houve uma mulher, sim. Sonia. — Os dedos dele traçam o contorno da haste da taça. — Na verdade, houve várias mulheres.

Conforme conversam, Eva tem a sensação de que está se afastando cada vez mais da sala, rumo a um lugar sem fronteiras, onde o tempo se fragmenta, se distende, e onde existe apenas este homem, esta conversa, esta sensação inexplicável de que há uma conexão profunda. Não há outra maneira de descrever a sensação, embora ainda não esteja tentando descrevê-la a si mesma — ela simplesmente está aqui, percebendo intensamente o momento (a proximidade dele, a elevação e queda suaves daquela voz) conforme o resto do mundo se desfaz.

Ela fala de sua carreira de escritora, de suas tentativas frustradas de concluir um livro, descreve a trama, as personagens e o cenário.

— É sobre mulheres trabalhadoras, eu creio — diz ela. — Quatro mulheres que se conhecem em Cambridge e vão morar juntas em uma casa em Londres. Carreiras, amizade, sonhos grandes. — Faz uma pausa e oferece um sorriso ao rapaz. — E o amor, é claro.

Ele retribui o sorriso.

— Parece ser fascinante. Já deu um título?

Eva faz que não com a cabeça e diz que está preocupada com a possibilidade de nunca conseguir terminar a história, que está muito ocupada com Sarah; e também admite que, se for honesta consigo mesma, acha que tem medo de terminar e descobrir que o livro não é bom o bastante.

Quando ela diz isso, Jim se aproxima um pouco, com um olhar feroz em seus olhos de um azul incomum. Sua mão se encontra com o tampo da mesa com um baque surdo.

— Bom o bastante para quem, Eva? Com certeza, o livro só precisa ser bom o bastante para você.

Aquilo, em sua gloriosa simplicidade, provavelmente é a coisa mais interessante que alguém já lhe disse. Eva se recosta no assento de couro, lutando contra o desejo de estender o braço e tocá-lo, de pegar na mão dele.

— E você? — diz ela com uma nova urgência. — Ainda está pintando?

— Não. — Ela percebe o quanto dói em Jim dizer a verdade. — Na verdade, não. Eu apenas... — Ele suspira. — Bem, não tenho qualquer justificativa.

— Bem, Jim Taylor, filho de Lewis Taylor — diz Eva em voz baixa. — Eu diria que é melhor você voltar a cuidar da sua arte também.

— O que você está fazendo, querida, escondida aí? — David, erguendo-se diante da mesa deles, estende a mão para Jim. — Acho que não nos conhecemos. David Curtis. Estou vendo que você está cuidando da minha esposa.

Jim levanta-se e aperta a mão de David. Ele é um pouco mais baixo, seu terno cinzento é decididamente mais pobre do que o Savile Row de corte perfeito que o ator veste, mas ele não tem qualquer dificuldade de olhá-lo nos olhos.

— Jim Taylor. Eu diria que é ela quem estava cuidando de mim. Não conheço ninguém aqui além de Harry.

David não tira os olhos do rosto de Jim.

— Harry, hein? Como você conhece o meu velho camarada?

— Estudamos no mesmo colégio. E também em Cambridge. Na verdade, nós dois já nos encontramos uma vez. Na festa de aniversário de Graham Stevenson no Maypole. Você foi com Harry.

— É mesmo? Eu realmente não me lembro de você. — O olhar de David vai de Jim a Eva. Odiosamente, ela sente o rosto corar, embora não tenha feito nada de errado e estivesse apenas conversando com um homem interessante enquanto David desfilava pela festa com Juliet. Eva fica tomada por uma raiva justificada (e pelo ciúme, embora ela não usasse essa palavra; mas não passa despercebido para Eva o fato de que, há alguns anos, *ela* o acompanharia pelo salão). Mesmo assim, não diz nada; um garçom se aproxima da mesa de novo. Desta vez, ele não está trazendo champanhe.

— Sra. Curtis? — Eva confirma com um aceno de cabeça; em ocasiões ligadas ao mundo do teatro, ela adota o nome artístico de David. — Há uma ligação urgente para a senhora na recepção. Pode me acompanhar, por favor?

O saguão do hotel está frio e calmo após o clamor da festa. A recepcionista — uma mulher discreta e de aparência eficiente, com os cabelos arrumados num coque loiro — entrega o telefone a Eva com uma expressão de preocupação distante e profissional.

Rachel, a avó de David, está na linha, com a voz alta e tensa: Sarah está com febre e não para de chorar. Detesta ter de incomodar Eva, mas acha que ela devia ir ver a filha.

Eva sai imediatamente, com a pulsação acelerada. Pede à recepcionista que diga a David para onde foi, e que vá para lá — algo que ele faz após um intervalo de várias horas, que ela terá dificuldade para perdoar depois.

Já é tarde da noite quando isso ocorre — duas da manhã, e as janelas estéreis do pronto-socorro deixam passar o brilho débil do néon da cidade. Estão sentados lado a lado em cadeiras de metal. Eva e David ainda estão com os trajes de gala, Rachel e Simeon envoltos em casacos: os avós de David insistiram em ir, embora já estejam bastante desgastados pela preocupação e pelo cansaço. Eva não consegue ver nada além de um vazio que gira sem parar. Ela não fala, exceto para recusar o terceiro copo plástico de café aguado da gentil voluntária que passa com seu carrinho. Segura na mão de David e nem pensa que, uma hora antes, quis segurar na mão de Jim. Todos os pensamentos sobre a conversa que teve com o rapaz, ou sobre qualquer outra coisa, desapareceram da sua mente — só consegue ver Sarah, avermelhada e chorando, espernando e agitando os braços, desaparecendo pelas portas do pronto-socorro nos braços de um estranho.

Pouco depois das três horas da manhã, as portas se abrem outra vez e uma enfermeira se aproxima. Sarah está bem, diz ela — foi apenas uma infecção de ouvido, bem persistente, mas nada com que seja necessário se preocupar. O médico deu algo para ajudá-la a dormir. Eles podem levá-la para casa.

Num acordo que não precisou ser colocado em palavras, eles dividem um táxi que os leva de volta ao apartamento de Rachel e Simeon. Na cama, Eva acomoda Sarah em seu braço. A filha está respirando lentamente, os cabelos úmidos cobrindo-lhe a frágil cabeça.

David adormece rapidamente e Eva escuta o som da sua respiração entremeado com o da filha. É somente naquele momento, na parte mais escura da noite, que ela se permite pensar em Jim Taylor: naquela sensação estonteante de conexão, tão estranha, tão inesperada. É o rosto dele que Eva vê quando cai finalmente num sono profundo, escuro o bastante para apagar até mesmo a luz das estrelas.

Versão 3

Algonquin
Nova York, novembro de 1963

Jim não estava querendo ir ao teatro. Já tinha planos para a noite — uma apresentação dos dançarinos do Judson na igreja em Washington Square. Richard e Hannah iriam com um grupo do MoMA; depois haveria uma festa no apartamento de um pintor no Village. Artistas, escritores, garotas de olhos amendoados dançando na sala e alguém na cozinha entregando as anfetaminas que trouxe em um saco de papel pardo.

Mas os pôsteres pareciam estar acompanhando os passos de Jim pela cidade desde que chegaram; no metrô, nas bancas de revistas, colados em muros e nos postes de iluminação. "David Curtis" e "Harry Janus" impressos em letras negras garrafais chamavam atenção. "O novo sucesso dos palcos, diretamente de Londres." Decidiu, então, ignorar aqueles pôsteres, fingir que nenhum daqueles nomes lhe era familiar. E então, naquele dia, após sair da galeria — ele está supervisionando a instalação da exposição de Richard —, ele se pega passando pelo teatro, perguntando se ainda há ingressos para aquela noite para a apresentação de *Os boêmios*.

— Apenas um — diz o homem da bilheteria. — Quer que eu o reserve para o senhor?

Jim está sentado na última fileira do mezanino. Do seu lugar não consegue ver os assentos do andar de baixo e fica decepcionado; tem certeza de que ela deve estar ali e esperava poder observar as fileiras para conseguir um vislumbre. De onde está, o palco, com seu cenário claro e realista — um vaso sanitário, um catre e uma pia —, parece uma miniatura, um teatro de brinquedo.

Ele leu a respeito da peça, uma adaptação bem livre de *La bohème*, ambientada em meio aos traficantes e às prostitutas do Soho no pós-guerra; as críticas sobre a peça em Londres foram bastante elogiosas e a temporada no Royal Court foi prorrogada duas vezes. Mas Jim não estava esperando o impacto: fica cativado, até mesmo àquela distância. Katz — ou Curtis, como Jim imagina que ele se chama agora —, como o poeta Rodolfo (aqui chamado de Ralph), está transformado: trêmulo, magro a ponto de parecer esquálido, agarrando sua Mimì (Mary, interpretada por uma atriz de beleza incomum e sensual — Juliet Franks), enquanto ela solta seu último suspiro. Jim não consegue negar que Katz é bom no que faz — tão bom que quase esquece que o odeia.

Depois que as cortinas se fecham, a plateia começa a se espalhar pela Broadway. Jim fica para trás, procurando por Harry (e, é claro, por ela). Já faz alguns anos desde a última vez que viu Harry. Os dois não se falam desde que se formaram; nunca foram particularmente próximos, nem mesmo no tempo do colégio, e Jim não tem o número do telefone dele em Nova York, nenhum meio de dizer a ele que viria ver a apresentação. Espera até que o saguão esteja vazio e poucos sons ecoem pelo lugar, e um faxineiro usando um uniforme listrado e engomado arranca um enorme aspirador de pó de um armário.

— Está procurando alguém, senhor? — Um funcionário vem da plateia para falar com ele, os botões dourados do seu uniforme lustrados até reluzirem.

— Estou, sim. Sou amigo de Harry Janus, o diretor. Você sabe se ele...?

A expressão no rosto do funcionário fica mais suave.

— Um amigo de Londres? O senhor fez uma viagem bem longa. O elenco está em uma festa no Algonquin. Quer que eu lhe chame um táxi?

— Não se incomode, eu mesmo faço isso. Obrigado.

Na Broadway, o ar está frio e cortante — o vento ganhou força, fazendo com que os toldos chicoteiem, soprando uma folha de jornal solitária pela calçada. Jim enrola o cachecol com firmeza ao redor do pescoço. Com certa timidez — aquele ato ainda lhe parece estranhamente irreal, como algo que uma personagem em um filme faria —, ele vai até a rua para fazer sinal para um táxi. Ele tem sorte, um táxi amarelo diminui a velocidade e para. Ele embarca.

— Para o Algonquin — solicita ao motorista.

Na recepção, dá o nome de Harry. Um carregador vem pegar seu casaco e o conduz pelos corredores acarpetados, silenciosos como igrejas, abre uma porta e faz sinal para que ele passe. Ele dá uma moeda de vinte e cinco centavos ao garoto e entra. Subitamente, tudo é luz e ruído: paredes com painéis escuros iluminadas por candelabros feios de ferro, um trio de jazz interpretando uma canção de Stan Getz. Pessoas — cheias de brilho, elegantes, risonhas — estão reunidas em grupos impenetráveis, segurando taças de champanhe. Ele pega uma taça da bandeja de um garçom e esquadrinha o grupo, buscando por Harry. E por ela.

É ela quem Jim vê primeiro. Está sozinha em um vestido verde que vai até o chão. Seu cabelo está armado e preso, expondo a pele nua e escura do pescoço; seus braços também estão nus, e ela leva a taça aos lábios. Confrontado por aquela presença real e inegável, Jim percebe o quanto estava enganado quando viu seu rosto naquela garota em Bristol: o rosto de Eva é único, singular. O contorno anguloso do queixo; os arcos das sobrancelhas; os olhos castanhos inquisitivos. Jim quer que ela olhe para ele, que perceba sua presença, mas também está tomado pelo desejo de dar meia-volta e correr.

— Jim Taylor! Mas que diabos está fazendo aqui? — diz Harry de maneira jovial em seu fraque de pinguim, sorridente, todo-poderoso. Ele engordou desde a época da universidade: seu rosto está macilento e a faixa que usa ao redor da cintura, justa demais, parece querer arrebentar. Ele dá alguns tapinhas nas costas de Jim em vez de abraçá-lo, e Jim retribui o gesto.

— Vim a trabalho. Como a cidade inteira só falava da sua peça, comprei um ingresso e fui vê-la.

— Você é um cara muito, muito esperto. — Os olhos azuis e ligeiros de Harry observam Jim atentamente. — O que está fazendo hoje em dia? Ainda está pintando?

Jim assente.

— Estou, sim. Quando posso. E trabalho para um escultor, Richard Salles. Já ouviu falar dele? A inauguração da exposição das obras dele no MoMA será na semana que vem.

— É mesmo? Que maravilha, Jim. — Mas Harry não está realmente prestando atenção; já está olhando por cima do ombro dele, sorrindo para cumprimentar outro rosto. — Perdoe-me, por favor. Há muitas pessoas com quem preciso conversar. Mas precisamos bater um papo enquanto você ainda está na cidade. Ligue para o teatro e peça que lhe deem o meu telefone aqui de Nova York. E obrigado por vir.

Harry se afasta, e, então — embora não esteja mais de frente para Eva —, Jim sente que os olhos dela o estão fitando. O pânico cresce dentro dele — ele não se esqueceu da intensidade daquele olhar —, mas Eva não está sozinha; há uma garota bonita com um vestido branco ao lado dela. Eva não está sorrindo, mas acena com um meneio de cabeça, como se o convidasse a se aproximar. E em seguida ele atravessa o espaço que os separa até que os dois ficam a poucos centímetros um do outro, e ele está se inclinando para beijar-lhe o rosto.

Eva apresenta a outra garota: Rose Archer. Namorada de Harry, acrescenta ela, e Jim a beija no rosto também, registrando automaticamente a sua beleza, como se estivesse olhando para uma foto da garota em uma revista. Ela não está realmente presente para ele — não do jeito que Eva está.

Jim observa Eva com muita atenção, mas sem parecer grosseiro. Ela ganhou um pouco de peso, mas isso não é ruim; serviu para suavizar alguns dos seus ângulos mais agudos. Parece estar cansada, como aconteceria com qualquer mãe de família — quantos anos a criança deve ter agora? Cinco? A pele sob os olhos está borrada pelo delineador. Ele se lembra daquela primeira manhã, depois que se conheceram em Cambridge, acordando antes dela no seu dormitório; nenhum dos dois havia dormido muito, mas ela estava adormecida na ocasião, o rosto fechado e cinzento sob a luz da alvorada. Ele ficou tomado pela necessidade de pintá-la, de capturá-la exatamente como ela estava, e como jamais voltaria a estar. Em vez disso, porém, voltou a dormir, e aquele momento acabou sendo jogado irremediavelmente junto com todos os outros, no passado.

Estão conversando — Jim, Eva e Rose. Ele percebe que seus lábios se movem, embora mal consiga absorver o que estão dizendo: coisas sem graça, inconsequentes — o quanto ele gostou do espetáculo, há quanto tempo está em Nova York. Rose olha de Jim para Eva. Se estranha o fato de que eles se conhecem tão bem — Eva disse que ele era apenas "um velho amigo de Harry dos tempos do colégio", uma descrição tão inadequada que Jim teve de se esforçar para resistir à tentação de corrigi-la —, ela não diz nada a respeito. Após algum tempo, Rose pede licença: precisa ir procurar Harry; foi ótimo conhecê-lo. Jim devolve os mesmos cumprimentos, ouvindo a própria voz como se estivesse muito, muito longe. E em seguida eles ficam a sós.

— É bom ver você — diz Eva.

Jim olha fixamente para ela. *Tenho certeza de que ela poderia usar uma palavra melhor do que "bom"*, pensa ele. Ele herdou do pai um ódio mortal pela imprecisão, tanto na linguagem quanto na arte. Lembra-se claramente de uma tarde de domingo — Jim não tinha mais do que sete anos —, quando seu pai deixou que ele entrasse no sótão e mostrou-lhe uma pintura que retratava uma paisagem com uma floresta, envolta em branco.

— Olhe, você acha que a neve é branca, mas não é — começou a falar seu pai. — A neve é prateada, roxa, cinza. Olhe mais de perto. Cada floco é diferente. Você deve sempre tentar mostrar as coisas como são, filho. Todo o resto é somente ilusão. — Demorou vários anos até que Jim realmente entendesse o que seu pai quis dizer, mas ele compreende tudo perfeitamente agora.

— Desculpe — diz Eva. Ela deve saber o que ele está pensando: sempre foi capaz de ler a expressão em seu rosto. — Não quis dizer "bom". É uma palavra tão ruim quanto "legal". Não há nenhuma outra que sirva, não é mesmo?

Escrever aquela carta, deixá-la no escaninho da portaria. Jim pensa que talvez ele a tenha odiado por algum tempo, mesmo enquanto desejava poder encontrar as palavras que pudessem trazê-la de volta. Mas seria inútil, agora, fingir que ainda resta qualquer traço de ódio.

— Não — diz ele. — É verdade. Não há nenhuma outra palavra que sirva.

— Jim Taylor. — Katz (ele não consegue se acostumar a chamá-lo de Curtis), elegante como um toureiro em seu fraque preto, o cabelo alisado com gel. — Bem, isso é uma surpresa. O que está fazendo aqui na cidade?

Jim estende a mão.

— Sou assistente de um escultor. Richard Salles. O MoMA vai fazer uma retrospectiva da sua obra.

Katz ergue uma sobrancelha.

— É mesmo? Oh, eu conheço o trabalho dele. É muito interessante. Eva e eu vamos tentar comparecer. — Por trás da expressão cuidadosamente composta, Jim sente o cérebro do homem funcionando a todo vapor. Ele nunca gostou de Katz, por motivos que nunca, antes de Eva, conseguiu realmente articular. Depois, houve bastante tempo para encontrar esses motivos: Jim tentou fazê-lo da única maneira que conhecia, com lápis, papel e pinceladas de tinta a óleo. Ele nunca pintou Katz realmente, e sim homens que se pareciam com ele, homens com rostos bonitos e cruéis e olhos que ignoravam tudo à sua volta. Homens que sempre venciam o jogo, sem sequer se preocuparem em aprender as regras.

Jim imagina, com certa intensidade, que é claro que Eva deve acreditar que ele nunca tentou fazer com que ela mudasse de ideia. Não é verdade; depois de encontrar a carta, Jim escreveu folha após folha em resposta. Queria que ela soubesse que não precisava agir daquela forma; que aquilo não importava; que ele a amaria — e amaria o bebê — da mesma forma. Mas não enviou nenhuma daquelas cartas; simplesmente não teve coragem. O Natal veio e passou; sua mãe praticamente não agia mais por conta própria. Jim encarregou a si mesmo de auxiliá-la com as minúcias diárias, ajudando-a a se levantar, se vestir, comer. Quando o semestre seguinte começou, ele se sentiu vazio, esvaído, nas garras de uma sensação de calma entorpecedora, sem qualquer emoção. Eva havia feito sua escolha. O maior ato de amor, certamente, seria deixá-la ir, não é?

Agora que ela está na sua frente, Jim sente o enorme peso do seu erro. Devia ter ido atrás dela. Devia ter abraçado Eva contra si até que ela compreendesse.

Contudo, não há mais nada a fazer agora a não ser pedir licença, dizer que ele realmente precisa voltar para casa. Na porta, Jim se vira outra vez na direção do lugar onde ela estava, mas vê apenas um espaço vazio. Começa a andar sozinho pelo corredor. E em seguida, subitamente, uma mão agarra o seu braço, puxando-o para trás. Eva. Ela enfia um pedaço de papel em seu bolso. Em seguida, tão rápido quanto surgiu, ela desaparece. Jim continua a caminhar, espera até chegar ao saguão e pedir ao carregador de malas que traga seu casaco antes de abrir o bilhete. As letras são grossas, borradas, negras como carvão.

Amanhã. Na biblioteca pública. Quatro da tarde.

Parte 2

Versão 1

Exposição
Londres, junho de 1966

— Gilbert trouxe aquele maldito papagaio de novo — diz Frank.

Eva, perdida no meio de um parágrafo — seria melhor usar "talvez" ou "possivelmente"? —, não tira os olhos da sua máquina de escrever. — É mesmo?

Frank levanta-se e vai até a porta aberta.

— Não está ouvindo? — Ele coloca o corpo para fora da porta. — Gilbert! Faça esse maldito bicho fechar a matraca, sim?

No escritório que fica do outro lado do corredor, Gilbert Jones, o editor dos obituários — um homem magro e dessecado que, recentemente, começou a trazer sua arara de estimação para o trabalho —, responde com um "tudo bem, tudo bem, não precisa gritar" abafado. Em seguida, vem o baque surdo de uma porta se fechando.

— Assim é melhor. — Ainda em pé, Frank leva a mão ao bolso da calça para pegar um cigarro. — Quer um?

Ela escolheu "possivelmente".

— Oh, quero, sim.

Eles se reúnem desconfortavelmente diante do beiral da janela, como de costume: Bob Masters, o editor literário com quem eles compartilham o escritório, tem um ódio gigantesco de fumaça de cigarro. É fim de tarde; o ar está úmido, pesado, trazendo os aromas familiares de cebolas fritas e lixeiras cheias. O escritório, nos fundos do prédio do *Courier*, não é motivo de inveja por causa da paisagem de escadas de emergência e dutos de ventilação; por outro lado, fica localizado convenientemente ao lado da principal escadaria do prédio — útil para Frank, pelo menos, que adora uma boa fofoca e geralmente prefere deixar a porta aberta. Sempre que uma dupla de secretárias passa por ali, tagarelando em voz alta, ele corre até a porta e volta uma das orelhas para o fluxo da conversa. Desse jeito, conseguiu confirmar que Sheila Dewhirst, a secretária-chefe, está dormindo com o editor, e que a esposa dele sabe o que está acontecendo e efetivamente lhes deu carta branca.

— Nenhum sinal de Bob, então? — pergunta Eva, olhando para a escrivaninha vazia do colega, a máquina de escrever solitária soterrada em meio a pilhas enormes de livros e uma miríade de papéis, envelopes e barbante.

Frank estica as pernas e solta uma cadeia de anéis de fumaça perfeitos: um, dois, três. Está sem o paletó, como geralmente trabalha após o almoço, sua cabeleira grossa e rebelde — que já foi de um preto reluzente — agora tem alguns traços grisalhos encantadores. É um homem bonito — Eva já ouviu as secretárias trocando comentários em meio a risadinhas sobre ele na cantina —, mas ainda completamente dedicado a Sophia; Eva não acha que ele seja o tipo que gosta desse tipo de aventura.

— Até agora, não — responde ele. — Almoçando no Clube das Artes, com um ou outro escritor. Geralmente, essas ocasiões acabam se transformando em jantares, não é? Você sabe como são esses *escritores*. — Ele a provoca com uma cotovelada gentil nas costelas. — Como está indo o seu texto?

— O artigo especial? — Eva está escrevendo sobre uma comuna de mulheres em East Sussex; ela foi visitar o lugar no início da semana e passou a noite por lá. A líder *de fato* do grupo — em teoria, não havia nenhuma hierarquia — era uma mulher robusta com voz aveludada chamada Theodora Hart. Herdou o casarão de uma tia e decidiu, com um idealismo que podia ser considerado emocionante ou incrivelmente ingênuo, fundar uma "nova comunidade cooperativa matriarcal". Eva estava cética: como, perguntou ela às participantes, uma comunidade cooperativa podia excluir metade da população? As mulheres foram pacientes com ela, responderam a todas as suas perguntas enquanto comiam um delicioso cozido de legumes colhidos diretamente da horta da comuna. Depois, sentaram-se em um círculo mais relaxado, colocando discos para tocar e passando baseados de mão em mão.

— Não sei como você aguenta ser casada — comentou uma das mulheres. — Um homem lhe dizendo o que fazer o tempo todo.

E Eva, entorpecida pelo baseado, riu e respondeu:

— Oh, não se preocupe. Eu também mando meu marido fazer coisas.

— Não — diz Frank agora. — Como está indo o seu romance? O texto que realmente importa.

— Oh! — Ela dá uma longa tragada, desfrutando da sensação suave de aspirar a fumaça. — Não está nada mal, obrigada. Quase pronto.

— Quando vou poder ler?

— Logo. Depois de Jim, é claro.

— É claro. — Os cigarros já foram consumidos até sobrarem só as bitucas. Frank aperta o seu no cinzeiro. — Certo. Mais uma hora martelando o maldito texto de Yvette até deixá-lo aceitável, e depois vou para o Cheese para relaxar por meia hora. Quer vir?

— Não. Esta noite é a inauguração da exposição de Jim.

— É verdade! Eu havia esquecido. — Frank a olha com uma expressão constrangida, como se quisesse pedir desculpas. — Gostaria que eu e Sophia estivéssemos lá?

— Não. Ele não convidou ninguém. É apenas para a escola. Mas acho que estará aberta ao público aos sábados.

Eva detesta a maneira como fala: como se estivesse se desculpando pela escala modesta da exposição; e, consequentemente, pela escala modesta da ambição de Jim. Ela volta para a sua mesa, mantendo os olhos na máquina de escrever.

— Tudo bem. — Frank se senta também, cruzando as pernas por baixo da mesa. — Veremos então se eles nos deixam entrar num sábado desses.

Cerca de uma hora mais tarde, com o artigo concluído, o texto colocado cuidadosamente sobre a mesa de Frank para que ele seja o primeiro a lê-lo na manhã seguinte, Eva sai rumo à noite. A Fleet Street está movimentada — mulheres como ela, elegantes em seus vestidos estampados, caminhando rumo ao ponto de ônibus ou ao metrô; homens vestidos com estilo em seus ternos, levando consigo exemplares enrolados do *Evening Standard*; outros (jornalistas, redatores, executivos de marketing: os funcionários-padrão dessa nova era da mídia) mais jovens, mais relaxados, os cabelos caindo por cima da gola da jaqueta.

O trem que vem de Victoria está atrasado; já são quase sete e meia quando ela chega à escola. A exposição fica em um corredor adjacente ao salão principal — Jim lhe falou sobre a dificuldade que teve em organizar a exposição enquanto os garotos corriam de um lado para outro, estupidamente curiosos. Ela sentiu pena dele, imaginou um passadiço estreito e mal iluminado. Entretanto, na verdade, é um espaço amplo e cheio de luz, e os quadros são *flashes* impressionantes de cor sobre as paredes brancas; e ela se pergunta mais uma vez por que ele sente essa necessidade de desmerecer cada conquista, cada pequeno passo capaz de levá-lo para mais perto do sucesso. Ainda assim, ela não tem mais certeza do que essa palavra significa para ele hoje: o homem que ela conheceu em Cambridge — o homem por quem ela se apaixonou —, com suas ambições grandiosas, seu desejo enorme de pintar, de encaixar o mundo na moldura da sua visão, parece estar desaparecendo diante dos seus olhos, como uma fotografia que foi deixada sob o sol por tempo demais.

— Talvez isso seja o que está reservado para mim, Eva: ensinar e pintar uma coisa ou outra de vez em quando — disse ele há alguns meses, depois de irem ao teatro. Os dois ficaram acordados até tarde, dividindo uma garrafa de vinho. — Talvez eu tenha chegado ao fim da linha.

— Não. — Ela estendeu a mão para tocá-lo. Tentou convencer, com a pressão da sua mão, que acreditava muito no que ele podia conquistar. — Não diga uma coisa dessas. É muito difícil, e você sabe disso, criar algo que tenha um valor verdadeiro. Você tem que persistir, Jim. Não pode desistir.

Ele a observou naquele momento — realmente olhou para ela, e a expressão em seu rosto fez com que a pele de Eva se arrepiasse. Ali, naqueles olhos azul-escuros, havia vestígios de algo que ela nunca havia visto antes: distância; descrença; a aceitação fria da disparidade cada vez maior entre as conquistas dele e as de Eva. Ela sentiu vontade de gritar com ele naquele momento: *Não, Jim! Não faça isso. Não use o meu sucesso como uma arma contra mim. Somos uma equipe, não somos?* Mas não disse nada, e ele também não; após mais alguns momentos em silêncio, ela falou que iria para a cama e ele não fez menção de segui-la.

Agora, encontra Jim junto a um pequeno grupo: outros professores, alguns dos quais ela conhece; pais, coordenadores, o diretor.

— Desculpe, querido — diz ela com a voz baixa. — Os trens estão um pesadelo hoje.

Ele franze a testa e sussurra em resposta:

— Queria que tivesse chegado antes. — Mas ela aperta a mão dele, e o rosto de Jim, quando voltam a se juntar ao grupo, encontra o seu charme característico. O diretor, Alan Dunn — um homem alto e magro, com um bigode cuidadosamente aparado e o ar relaxado de um coronel licenciado do exército —, diz a Jim, de maneira bem pouco convincente, que a exposição é um "triunfo". Em seguida, ele se volta para Eva, informando-a de que sua coluna mais recente (ao voltarem de Nova York, ela recebeu uma promoção — articulista — e um espaço maior na página feminina) causou uma forte comoção em sua casa.

— Não creio que a senhora devia dizer às esposas da nação para pendurar seus aventais. Eleanor está ameaçando entrar em greve.

Eva abre a boca para formular uma resposta adequada — não consegue imaginar Eleanor Dunn, uma aristocrata cujos assuntos preferidos para conversar são corridas de cavalos e as preparações para os casamentos de membros da realeza europeia, levantando um dedo para realizar qualquer tarefa doméstica. Mas Alan prossegue:

— Claro, estou só brincando, minha querida. Achamos que você é maravilhosa. Não é o jornal que costumamos ler, entende? Mas ainda assim... maravilhosa. — Ele sorri e Eva retribui o sorriso, quase esperando que ele a condecore com uma estrela dourada.

Após tomarem os aperitivos de vinho licoroso (uma dupla relutante de alunos do último ano passa obedientemente entre os convidados, oferecendo as bebidas em copinhos de plástico), o corredor ecoando o silêncio esmagador e ansioso de uma escola vazia, alguns dos professores seguem para o pub. Eva já foi apresentada a quase todos antes — ali estão Gavin, do departamento de inglês; Gerry, o colega de Jim na cadeira de artes; Ada, a professora de francês, que se veste de preto e fuma Gauloises, sem qualquer medo de se transformar em uma caricatura. Jim — grato pelo fato de que todos ficaram até o fim — paga uma rodada de cerveja e algumas porções de batatas.

Eva está um pouco tonta por beber muito rápido de estômago vazio e pela tensão de saber o quanto a noite de hoje importa para Jim, embora ele não demonstre. Quando lhe disse, em maio passado, que a escola faria uma exposição dos seus trabalhos, a mensagem veio acompanhada por um dar de ombros.

— É só um prêmio de consolação, não é? — disse ele.

Ela discordou e insistiu em que saíssem para jantar em comemoração ao fato — e eles foram, comendo filé com fritas no restaurante francês favorito do casal no Soho. Ele ficou mais animado — pediu uma garrafa de Chianti e estava mais parecido com o seu antigo eu. Durante a sobremesa, porém o lado sentimental de Jim começou a transparecer, e ele voltou à ideia de que isso não podia ser tudo o que a vida havia reservado para ele.

— Estive pensando, Eva — disse ele, subitamente empolgado, segurando sua mão. — Eu realmente gostaria de ter um filho com você. Não gostaria disso também? Já não é tempo? Já não esperamos o bastante?

Eva esvaziou o copo; esperou alguns segundos antes de responder.

— Você sabe que eu quero um filho, Jim. Claro que quero. Mas não agora. Ainda, não. Estou ocupada demais com o trabalho, e ainda assim gostaria de...

A reação dele foi rápida e desdenhosa.

— Terminar o seu *magnum opus*. Sim, eu sei. Como poderia esquecer?

Ele ficou muito animado com o fato de lecionar, no início. Teve a ideia enquanto ainda estavam em Nova York. Cerca de uma semana depois do assassinato de Kennedy. Eva ficou bastante ocupada com as entrevistas, redigindo os artigos, mas ainda assim percebeu que ele estava mais distante. Durante várias semanas, ele evitou o cavalete, os pincéis, as tintas; à noite, quando ela voltava do *Times*, ele frequentemente estava fora de casa, e saía sem deixar nenhum bilhete. A preocupação começou a roer Eva por dentro, preocupação não apenas pela sua perda de criatividade — ela sentia aquilo profundamente; não conseguia suportar a ideia de que o seu desejo de pintar, sempre natural e instintivo, pudesse ter se extinguido tão rapidamente —, mas talvez que o impensável já estivesse acontecendo em seu casamento, que talvez ele estivesse tendo um caso. Mas Eva não deu voz às suas ansiedades, receosa de que, se o fizesse, elas ganhassem vida. Assim, certa noite, ela voltou e o encontrou em casa, com caixas de comida chinesa espalhadas sobre a mesa e uma garrafa de vinho recém-aberta.

— Tomei uma decisão, Eva — anunciou Jim. — Quando voltarmos a Londres, vou começar a dar aulas.

Ela sabia o quanto aquilo lhe custava — seus sonhos de ganhar a vida apenas com sua arte, pelo menos por enquanto. Ewan já estava conquistando renome: foi contratado por uma das principais galerias de Cork Street. *Ele* certamente não precisaria ser professor. Em contrapartida, Jim estava empolgado com um entusiasmo recém-encontrado; lecionar seria, de acordo com ele, uma opção muito melhor do que, digamos, voltar para a advocacia; ele ainda ficaria rodeado por arte e teria as férias para pintar. E, assim, Eva permitiu-se mergulhar nos planos dele. *Ainda bem que é só isso*, pensou ela. *Ainda bem que não há outra mulher e estamos bem.*

Agora, no jardim do pub, o dia ainda está quente, a noite aveludada, cheirando a cerveja e grama aparada. Os professores estão um pouco bêbados, e gargalhadas explodem, pontuando suas histórias de horror que envolvem alunos que conheceram e desprezavam. Ada, a mais velha do grupo, relembra uma época em que um notório aluno do segundo ano do ensino médio mandou uma série de bilhetes obscenos à secretária de Alan, passando-se pelo próprio. A pobre mulher, diz ela, era frequentemente vista chorando em sua mesa até que a malandragem finalmente foi descoberta.

— Nunca vi Alan tão furioso — conclui Ada com um meneio de cabeça que mostra sua aprovação. — Foi uma cena digna de... qual é mesmo o nome daquele filme com o gorila furioso? *King Kong*.

Jim está em silêncio, segurando a mão de Eva embaixo da mesa. Ela pensa em seus quadros, dispostos ordenadamente nas paredes brancas: o corte e as pinceladas neles, seus floreios e riscos vívidos, capturados dentro de molduras negras esguias. Quando voltaram de Nova York, Jim parecia estar bastante empolgado, novamente animado pelas possibilidades de pintar. Em seu estúdio nos fundos do quintal, ele começou a trabalhar furiosamente — durante as noites e nos fins de semana, após começar a trabalhar na escola; o colégio particular para garotos em Dulwich, cujo diretor, Alan, pareceu ficar muito contente por poder contar com Jim em sua equipe. Agora, depois de dois anos, Jim está pintando com uma intensidade menor — aos domingos, e uma ou outra noite, quando não está cansado demais — e o trabalho que produz está indo cada vez mais rumo à abstração. Contudo, enquanto na obra de outros pintores a abstração se transforma em sua própria linguagem, nos quadros de Jim o significado continua enodoado, indistinto. Eva crê que ele deveria retornar ao seu estilo anterior, figurativo. Ele tem um talento maravilhoso para pintar retratos e paisagens; muitos dos seus primeiros quadros, incluindo dois retratos dela, decoram as paredes da casa em que moram.

Ela tentou dizer isso uma vez, com todo o cuidado que conseguiu, mas ele se virou para ela e retrucou:

— Ninguém mais quer ver *técnica*, Eva. Pelo amor de Deus... não consegue perceber que essas coisas já saíram de moda? O mundo mudou.

Eva sabia perfeitamente a que ele se referia ao dizer "essas coisas": os quadros do pai dele. Era muito raro ver Jim tão irritado, e, assim, ela não voltou a tocar no assunto.

Quando o pub fecha as portas, eles caminham de volta para casa; o carro está estacionado na escola, mas os dois estão bêbados demais para dirigir; e a caminhada não é longa, embora tenham de subir ladeiras na maior parte do caminho. Na metade do percurso, param para recobrar o fôlego. A rua do subúrbio está escura, silenciosa, e as luzes da cidade se estendem mais abaixo.

— Deu tudo certo, eu acho — comenta Jim. — Talvez eu chame Adam Browning para dar uma olhada.

Adam Browning é o galerista de Ewan; este fez a gentileza de falar a respeito de Jim, e Browning lhe mandou um bilhete, oferecendo-se para visitar a próxima exposição dele.

— Boa ideia — diz Eva. Ela se aproxima para beijá-lo. Jim passa o braço ao redor dos ombros dela, e eles continuam andando, subindo a ladeira, voltando para casa.

Versão 2

Armazém
Bristol, setembro de 1966

A exposição acontece num velho armazém perto da região das docas. O prédio nem tem nome, e Jim se pergunta como conseguirá encontrá-lo: o folheto — tosco, desenhado à mão, as letras se curvando ao redor da imagem de uma mulher de cabelos grossos e esvoaçantes como uma musa pré-rafaelita — diz apenas "Armazém 59".

Todavia, quando se aproxima do rio — calmo, vítreo, refletindo as silhuetas altas e volumosas dos navios e dos depósitos de grãos abandonados —, ele percebe que não precisava ter se preocupado: há uma fila de pessoas que mostra o caminho pela via. Têm mais ou menos a idade dele, as mulheres com saias longas, cabelos soltos, muito parecidas com a imagem do panfleto; os homens vestindo jeans, barbudos, as camisas desabotoadas de maneira bem desleixada. "Hippies", é como os chamam em São Francisco — e até mesmo em Bristol agora. Estão gritando uns com os outros e rindo ruidosamente, coloridos como pavões. Jim acompanha seus passos, desejando que pudesse ter encontrado tempo para se livrar do terno.

— Ei, cara — diz alguém. — Está indo para a exposição? — O homem está fazendo um sinal afirmativo para ele com a cabeça, os olhos semi-cerrados, a boca com um sorriso vagaroso. *Drogado, é claro, ou algo do tipo*, Jim pensa e confirma com um meneio de cabeça, e o homem diz:
— Legal. Vai ser chocante.

Conforme circundam a região das docas, passando por pilhas de caixotes, contêineres e cascos enferrujados de barcos de passageiros, Jim percebe que seu humor está melhorando. Afinal, está se desvencilhando da semana de trabalho, da poeira e da sujeira que vem com ela, das horas que passa examinando estatutos, lendo escrituras de imóveis, sentado em escritórios abafados com empresários de todo tipo. Ele continua não gostando de praticar a advocacia e, mesmo assim, a profissão parece gostar dele: Jim é bom no que faz, mais do que tenta ser; e, quanto menos se incomoda com o trabalho, mais sucesso consegue.

Talvez viesse a gostar mais do seu trabalho se não estivesse passando seus dias na Arndale & Thompson, imerso na névoa onírica dos trabalhadores que dormem poucas horas de sono a cada noite. Faz vários meses que suas noites vêm sendo interrompidas pelos passeios imprevisíveis da sua mãe. Certo dia, há algumas semanas, ele acordou às quatro da manhã. O apartamento estava estranhamente silencioso. Ao se levantar, percebeu que o quarto de Vivian estava vazio, vestiu-se, correu pelas ruas escuras da região de Clifton e encontrou-a subindo e descendo a Whiteladies Road de camisola, chorando e tremendo de frio. Ele a envolveu em seu casaco, levou-a de volta para casa e colocou-a na cama como se fosse uma criança cansada.

Naquele momento, Jim sentiu algo se transformar dentro de si; decidiu se importar um pouco menos. Se sua mãe chegou a perceber a mudança, ele não sabe dizer — e mesmo assim as coisas começaram a melhorar. O médico prescreveu um novo medicamento; a dosagem mais alta faz com que Vivian fique com os olhos inchados e mais letárgica, mas parece também diminuir a intensidade dos seus picos mais extremos, e ela começou a dormir durante a noite inteira. E qualquer coisa é melhor, com certeza, do que o hospital ou a terapia de eletrochoques. (Jim ainda se lembra claramente de quando foi visitá-la pela primeira vez, após a morte do pai. Os corredores brancos e frios. A enfermeira gentil que serviu o suco de laranja em um copo plástico. A expressão vazia, terrível, inescrutável, no rosto da mãe.)

Suas noites insones não diminuíram pelo fato de haver começado a pintar outra vez: tarde da noite, geralmente. Com Bob Dylan ou Duke Ellington tocando em volume baixo. O tempo que passou em Nova York aparentemente serviu para revigorá-lo. Os outros advogados com quem trabalhou lá falavam rápido e eram obcecados por dinheiro, carros e bebidas. Jim não tinha nada em comum com eles; passava a maior parte do seu tempo no MoMA — o escultor britânico Richard Salles, cujo trabalho Jim já havia visto em Bristol, estava em retrospectiva por lá.

Ele visitou a exposição, intrigado, e voltou outras duas vezes, absorvendo os volteios e a força do bronze, do granito e do concreto. Ou então perambulava pelas ruas do Village, espiando pelas janelas das galerias, entrando pelas portas abertas e apanhando-se em meio a algum evento espontâneo. Certa vez, em uma galeria subterrânea em Christopher Street, ele se juntou a um grupo pequeno e solene enquanto uma jovem mulher removia as roupas e começava, de maneira lenta e reverente, a se cobrir com argila líquida.

No início, pintando em seu quarto no apartamento de Bristol (como ele odeia aquele lugar, quer muito poder sair dali; mas, enquanto as escapadas noturnas continuarem, Jim sabe que será muito perigoso deixar Vivian sozinha), ele temeu a reação da mãe; lembrava-se muito bem das vezes que, ao voltar para casa, encontrava suas telas estragadas, os tubos de tintas esmagados. Mas ela não reagiu com o ódio que ele esperava. No fim de semana passado, ela chegou até mesmo a entrar em seu quarto, sentar-se em sua cama e observá-lo enquanto ele trabalhava, com as pernas cruzadas como se fosse uma garotinha. Jim permitiu que ela ficasse, embora deteste pintar com gente observando. Depois de algum tempo, ela disse:

— Você é muito bom, querido. Nunca será tão bom quanto o seu pai. Mas, realmente, você pinta bem.

O Armazém 59 é fácil de identificar: alguém pintou flores sobre os tijolos ásperos, como se estivessem saindo dos batentes das janelas e caindo sobre os frontões lascados. No interior, há um espaço amplo e aberto, dividido por uma escadaria de ferro. As paredes estão cobertas por quadros, o piso de pedra abarrotado de esculturas e instalações; à direita de Jim, há um velho carrinho de supermercado, retorcido e soldado de modo a lembrar o esqueleto de algum animal; à esquerda, uma montanha de entulho sobre um pedestal.

Jim percebe imediatamente que a maioria da arte naquele lugar é de segunda categoria — entretanto, assim que esse pensamento se forma, sua autoconfiança o abandona; quem é ele para julgar? Um advogado, um pintor domingueiro. O filho de um grande artista, mas um homem temeroso demais, preso demais aos altos e baixos da doença da mãe, para ter qualquer direito a usar o título de "artista".

Ele pega uma cerveja de uma mesa montada sobre dois cavaletes no fundo do salão em troca de algumas moedas e começa um lento circuito que passa pela sala, ciente de que não reconhece ninguém. Viu o panfleto no White Lion e deixou Peter e os outros terminando de beber a primeira rodada. Pediu a Peter que o acompanhasse, mas Sheila o estava esperando para o jantar e ele não era muito chegado naquele tipo de evento.

Jim não consegue negar que às vezes sente um pouco de inveja do casamento do amigo: daquela cumplicidade tranquila, do senso instintivo de proteção, do amor que ele sente em Peter toda vez que o nome da esposa é mencionado. Houve algumas mulheres, é claro — em Nova York, uma secretária chamada Chiara, ítalo-americana, com um corpo amplo e generoso; Diane, uma estudante de artes cênicas, de cabelos claros e magra; várias outras em Bristol, incluindo, mais recentemente, uma professora primária chamada Annie. Os dois passaram vários meses às voltas um com o outro, nenhum deles realmente preparado para mostrar suas cartas, embora Jim tenha percebido que Annie está se apaixonando por ele, mas ele nunca, jamais conseguirá sentir o mesmo por ela. Às vezes, quando a olha, é como se estivesse enxergando outra pessoa: uma mulher com um rosto pequeno e inteligente, olhos escuros, a pele levemente bronzeada, como se ela surgisse por trás de um vidro.

Eva. Eva Katz. Ou será que seu sobrenome agora era Curtis? Casada com o homem que estão dizendo ser o próximo grande ator britânico, o herdeiro de Laurence Olivier. Jim conversou com ela no Algonquin durante... quanto tempo? Meia hora, antes que ela saísse correndo? Ele perguntou a alguém — aquela garota bonita de vestido branco — para onde Eva estava indo; olhando para ele com uma expressão de curiosidade, ela lhe disse que a filha de Eva não estava passando bem. Ao saber do estado da criança, Jim sentiu uma onda de vergonha tomar conta de si — que tipo de homem era para se sentar e trocar intimidades com a esposa de outro homem, a mãe de uma criança que estava doente? E ainda assim isso foi exatamente o que fez, e o rosto da mulher permaneceu em sua memória, assim como suas palavras.

Ainda está pintando?... Não... Bem, Jim Taylor, filho de Lewis Taylor, eu diria que é melhor você voltar a cuidar da sua arte também.

Um dos quadros atrai sua atenção mais do que o restante. É a coisa mais fora de moda entre todas que estão ali, uma paisagem litorânea — a tela coberta por camadas de azul e cinza; a mescla de céu e mar. Ele fica diante dela, tentando descobrir qual foi o lugar que serviu de inspiração ao artista. Há um afloramento de rocha no primeiro plano, salpicado com uma grama esparsa e esbranquiçada. *Cornualha*, pensa ele, e uma voz às suas costas diz, como se estivesse respondendo:

— St. Ives.

Ele se vira. A mulher é alta, com olhos quase na mesma altura que os dele, e a pele clara e pálida. Seus longos cabelos castanhos estão repartidos cuidadosamente no meio. Veste uma camiseta branca folgada que o faz se lembrar dos velhos aventais de pintura do seu pai. Um jeans azul e botas de camurça marrom, com franjas, como as de algum caubói.

— Helena — diz ela, como se Jim houvesse perguntado seu nome. — Esse aí é meu.

— Mesmo? É muito bom. — Ele diz o próprio nome e estende a mão. Ela não a aperta; simplesmente sorri. — O que você faz? É banqueiro?

Jim sente as bochechas corarem.

— Advogado. Mas não se preocupe. A chatice não é contagiosa. Pelo menos, não creio que seja.

— Não. Talvez, não. — Ela o encara por um momento. Tem olhos azuis, uma boca larga e sensual; um tipo de frescor parece emanar dela: o aroma de roupas limpas, da brisa marinha. — Está com fome? Tem comida lá em cima.

Eles comem sentados no chão, com as pernas cruzadas, em uma sala no andar superior decorada com tapetes indianos baratos e lençóis de algodão tingido. Um dos cantos da sala está equipado com aparelhos e eletrodomésticos de cozinha; no outro há um toca-discos que se equilibra sobre uma pilha de tijolos. Alguém colocou música para tocar e aumentou o volume. Jim mal consegue ouvir o que Helena está falando, mas gosta de ver seus lábios se moverem e o jeito como ela come, firme e eficiente, sem desperdiçar nem uma migalha.

Mais tarde, eles saem do armazém, onde a música esmorece e o ancoradouro está às escuras, os barcos vazios projetando longas sombras sobre a água. Helena tem um baseado em sua bolsa, já enrolado. Ela o acende, oferece-o a Jim e eles se sentam na calçada, as costas apoiadas contra a parede de tijolos do armazém, fumando. Ela diz que mora na Cornualha;

não exatamente em St. Ives, mas perto — eles têm uma comunidade lá, uma colônia de artistas. A comunidade antiga de St. Ives está morrendo, carcomida por intrigas e pela velhice. Eles têm uma filosofia nova, livre do egocentrismo, apenas artistas vivendo juntos, compartilhando pensamentos, ideias, técnicas. Nada de baluartes do mundo das artes lhes dizendo o que pintar, como pensar, como vender seus trabalhos, apenas uma casa velha e caindo aos pedaços, uma horta para cuidar e a liberdade sem limites do mar e do céu.

Jim diz que aquilo parece maravilhoso, idílico — um mundo bem distante daquele em que vive, pintando em um cavalete no quarto de hóspedes do apartamento da mãe. E Helena olha para ele e diz que é maravilhoso — que ele devia ir até lá e passar algum tempo, visitantes são sempre bem-vindos.

Ele diz que talvez faça exatamente isso, embora não tenha certeza de que vá cumprir a promessa. Ainda não.

Quando ele a beija, Helena tem gosto de alho, tabaco e da pujança adocicada e subjacente da maconha — e, sim, ele tem certeza, embora admita para si mesmo, mais tarde, que talvez estivesse imaginando coisas, também o gosto suave e salgado do mar.

Versão 3
❦ ❦ ❦

Vermes da areia
Suffolk, outubro de 1966

No aniversário de Miriam, Eva a leva para passar um fim de semana em Suffolk. Penélope e Gerald recentemente celebraram o aniversário de casamento em Southwold, num pequeno e elegante hotel com vista para o mar. Voltaram com o telefone de uma mulher das redondezas que tinha um velho chalé de pescadores para alugar bem no litoral — "o lugar mais agradável que já vi, Eva, de verdade. Rebecca vai adorar". Eva se dá conta de que já faz muito tempo que ela e Rebecca saíram de férias, e um tempo mais longo ainda que sua mãe teve férias. Como Jakob está constantemente viajando com as turnês da orquestra, seus pais raramente viajam; preferem passar os raros fins de semana que podem juntos fazendo cerâmica, cuidando do jardim e agitando a cabeça silenciosamente nas poltronas diante da sua estimada coleção de ópera.

Neste aniversário, serão somente as três — Eva, Miriam e Rebecca. Jakob está em Hamburgo com a orquestra. Anton foi a Glasgow a trabalho. (Para o espanto geral da família, ele conseguiu se estabelecer na carreira de despachante aduaneiro.) E David... bem, David também está fora, é claro, em alguma filmagem. Afinal, quando é que David está por perto?

Elas vão para o litoral na sexta-feira, depois das aulas, no novo Citroën de Eva — um presente que ganhou de David, pago com o cheque que recebeu por seu último filme; por mais que ela seja grata pelo carro, não consegue deixar de pensar que isso é o sintoma de uma consciência pesada. Rebecca está ofegante, animada — insiste para que a avó viaje com ela no banco traseiro, que veja o desenho que ela fez naquela tarde. Rebecca explica exaustivamente que a professora pediu a cada criança que imaginasse o fim de semana perfeito. Ela desenhou a si mesma, a mãe e a avó como figuras formadas por traços e círculos em uma praia, com uma faixa de céu ao fundo; cada onda era um arabesco; o sol, uma bola laranja, e os raios se projetavam como os raios de uma roda.

— Está vendo, vovó? É isso que eu vou fazer *de verdade* no fim de semana. A sra. Ellis disse que tenho muita sorte.

Miriam, rindo, fala à neta que concorda com a professora. Ela pergunta sobre uma quarta figura: mais alta, colocada a certa distância das outras.

— Esse é o papai, sua boba — rebate a criança, em tom zombeteiro. — Na minha imaginação, ele também está lá.

— Não chame a sua avó de boba, Rebecca — Eva fala com firmeza no assento do motorista. — Isso é feio.

Rebecca morde o lábio, um gesto que sempre traz consigo a ameaça de lágrimas. Pelo retrovisor, o olhar de Eva cruza com o da mãe.

— Conheço uma música sobre uma viagem cheia de aventuras — diz Miriam. — Quer ouvir?

Já está escuro quando elas chegam ao chalé. Eva dirige lentamente pelo caminho estreito entre os terraços até chegar ao pequeno jardim da casa, pouco maior do que a largura do carro.

— Duvido que eu queira fazer isso outra vez — diz Eva quando finalmente desliga o motor do carro.

Miriam concorda.

— Não precisávamos ter vindo tão longe. E agora? Vamos acordar Rebecca ou levá-la para dentro?

Eva olha para a filha, encolhida no assento, o rosto perfeitamente composto. É pequena para uma menina de sete anos; puxou a Eva e Miriam nesse aspecto, embora suas feições sejam mais parecidas com as de David: tem os seus olhos negros e persuasivos e lábios grandes e expressivos. Sentem pena de acordá-la.

— Deixe que eu a levo. Consegue trazer as malas?

O chalé tem um frontão plano e sem varanda, quadrado, com um jardim malcuidado na parte da frente que se estende até o quebra-mar. Por dentro, é gelado, tomado pelo cheiro forte e terroso da umidade. Por um momento, exausta sob o vão da porta, com Rebecca nos braços — ela teve de terminar dois manuscritos para a Penguin antes do almoço e preparar as malas depois —, a ideia de tornar o lugar mais habitável parece ser um esforço grande demais para Eva. Felizmente, Miriam está por perto, entrando com as malas e dando instruções.

— Arrume a cama para Rebecca, *Schatzi*. Abra todas as janelas por dez minutos; basta não tirar o casaco. E depois eu vou acender a lareira. O lugar vai ficar *gemütlich* em pouco tempo.

Rapidamente, com bastante habilidade, Miriam tira a grade da lareira e a forra com folhas de jornal amassado e gravetos, enquanto as janelas abertas inundam os quartos com a brisa fresca e gelada do mar. No segundo andar, no pequeno quarto dos fundos — ela insistiu para que Miriam ficasse com o quarto maior na parte da frente —, Eva alisa os lençóis e cobertores sobre o colchão de casal e deita a filha na cama.

Em seguida, ela se senta com a mãe diante do fogo, dividindo uma garrafa de Riesling. O cheiro de mofo foi substituído pelo aroma profundo e turfoso da lenha, e a sala está escura, exceto pelo brilho alaranjado da lareira e a luz esverdeada da luminária sobre a mesa. Elas conversam sobre assuntos de família — o concerto mais recente de Jakob; a namorada mais recente de Anton, uma secretária loira e mal-humorada chamada Susan, de quem tanto Eva quanto Miriam estão se esforçando para tentar gostar; a saúde de Miriam — ela sofreu durante anos, sem reclamar, com as sequelas de uma infecção no peito que contraiu aos trinta e poucos anos, durante uma longa turnê de recitais.

Não falam sobre David, embora ele esteja presente, à espreita, nas bordas daquela conversa. Eva o viu pela última vez na noite anterior à sua viagem para as filmagens. Já era tarde. Rebecca estava dormindo e David havia acabado de voltar de uma festa para a qual Eva não foi convidada. Ela ficou sentada no canto da cama, fumando, observando-o fazer as malas.

David a amou antigamente — e lhe disse isso, naquela noite no Eagle pub. Eva tinha a impressão de que isso havia acontecido há muito tempo; o pânico e o cansaço, os planos que tiveram de fazer às pressas. Ele nunca hesitou, nunca se aproveitou do equilíbrio de poder que agora pendia decisivamente a seu favor, com o qual poderia ter se recusado a reconhecê-la, ou à sua filha.

E naquela época Eva acreditou que poderia amá-lo também — aquele homem bonito, inteligente, encantador, com sua crença absoluta no próprio talento. Aprendeu a amar David, à sua própria maneira, assim como ele aprendeu a amá-la. E, mesmo assim, sente agora — já considerou a situação em sua mente, examinou-a de todos os ângulos possíveis, como se fosse um objeto sob uma lupa — que ele nunca chegou realmente a permitir que ela o conhecesse, a deslizar por baixo das várias máscaras que ele apresenta ao mundo.

Naquela noite, seis semanas atrás, enquanto David andava silenciosamente pelo quarto, ela se apanhou pensando se tudo aquilo era simplesmente um papel que ele estava interpretando: uma personagem da qual ele chegou a gostar durante um tempo — pai e marido dedicados — e da qual acabou se cansando. Ou, talvez, mais provavelmente, a culpa de tudo isso fosse dela; como podia ser uma esposa adequada para ele, formar uma família adequada, quando David sabia — ele devia saber — que o coração de Eva pertencia a outro? E ainda assim ela se esforçou — esforçou-se demais; e não podia perdoar David facilmente por se afastar, ausentando-se com a desculpa fácil do trabalho. Não era somente por causa do trabalho que ele estava ausente; disso ela sabia muito bem.

Na manhã seguinte, no aniversário de Miriam, Eva acorda com a luz do sol do inverno, o cheiro da fumaça da lenha e vozes baixas que vêm do andar de baixo. Há um espaço vazio na cama, no lugar onde Rebecca devia estar. Eva escova os cabelos e se veste. Encontra a mãe e a filha na cozinha preparando o café da manhã, e a lareira já crepita com um fogo que acabou de ser aceso.

— Feliz aniversário, mãe! Que horas são? Eu é que devia estar preparando o café para você.

Miriam, no fogão, afasta Eva com um aceno.

— Não se preocupe, meu bem. Não preciso que cuidem de mim. São dez horas. Achei que você gostaria de dormir um pouco. De qualquer maneira, Rebecca e eu estamos nos divertindo bastante.

Rebecca puxa a manga da blusa da mãe.

— Venha sentar aqui, mamãe. Separei um lugar para você.

Elas tomam o café da manhã à base de ovos fritos e café expresso com leite, que foram atenciosamente deixados para elas na despensa. Eva tira da mala os presentes para a mãe. Ela e David escolheram um cachecol de seda da Liberty. Um par de luvas de lã, comprado com as moedas cuidadosamente guardadas por Rebecca em seu cofrinho. Um frasco de perfume Fleurs de Rocaille, comprado por Jakob. O disco com a versão de 1964 de *Norma*, de Bellini, interpretada por Joan Sutherland, comprado por Anton, após ouvir os conselhos do pai.

— Que presentes maravilhosos! — exclama Miriam, colocando o cachecol ao redor do pescoço, borrifando o perfume e calçando as luvas.

Rebecca grita, escandalizada com aquela quebra de protocolo:

— Vovó, você não pode usar luvas dentro de casa!

Mais tarde, elas vão até a praia. A maré está baixa, o mar é um brilho distante; a areia grossa está úmida, abarrotada com as conchas abandonadas pelos moluscos. Rebecca sai correndo rumo à água, com os braços abertos. Eva a chama de volta, temendo a possibilidade de areia movediça, mas Miriam a inibe tocando-lhe o braço.

— Não se preocupe tanto, *Schatzi*. Deixe que ela se divirta.

Eva toma a mão da mãe e entrelaça o braço com o dela. Uma imagem surge em sua mente: sua mãe e Jakob, andando de braços dados por outra região litorânea, outra praia. A história da sua chegada à Inglaterra — e da chegada da própria Eva, alguns meses depois — é tão antiga e familiar para ela quanto uma velha fotografia guardada em uma carteira. Aportando em Dover; tomando um trem para Margate, o endereço da pensão do primo de Jakob anotado em um pedaço de papel. O primo havia encontrado empregos para os dois — uma vaga de faxineira para Miriam e uma de lavador de pratos para Jakob. Dois jovens músicos com um bebê recém-nascido, limpando a sujeira deixada por um bando de gente esquisita em um albergue caindo aos pedaços em algum fim de mundo.

E ainda assim eles eram felizes, como Miriam sempre disse. Até mesmo mais tarde, no assentamento da Ilha de Man, onde organizaram concertos noturnos e Miriam ensinou um inglês rudimentar a pessoas que só falavam alemão, polonês, húngaro, tcheco. Naquela época, ainda acreditavam, apesar do peso cada vez maior das notícias que vinham do outro lado do canal da Mancha, que suas famílias conseguiriam se juntar a eles na Inglaterra — o irmão de Miriam, Anton, e sua mãe idosa, Josefa, cuja saúde precária os impediu de partir com Miriam; os pais de Jakob, Anna e Franz; suas irmãs, Fanny e Marianne; e todos os seus primos, tios e tias.

Houve dor mais tarde, é claro, uma dor que nunca os abandonou, apenas perdeu as arestas com o passar do tempo. Mas Eva sempre invejou o talento que sua mãe tinha de ser feliz — uma facilidade para encarar as dificuldades da vida, para melhorar as coisas, que certamente surgiu por ter sido obrigada a deixar tudo para trás.

— Isso faz você se lembrar de Margate? — pergunta Eva em voz alta. — A primeira vez que você viu a Inglaterra?

— Um pouco. — Miriam fica em silêncio por um momento. — O céu, talvez. O quanto ele é imenso e pálido, como uma aquarela. Uma pintura de Turner. Seu pai iria gostar deste lugar.

— Iria sim — diz Eva, sabendo que ela se refere a Jakob, e não ao outro pai, o homem com a face encoberta pelas sombras, desconhecida. Apenas a ideia de um pai, realmente.

Elas caminham em silêncio, os calçados batendo mansamente contra a areia. Eva pensa em David, onde quer que ele esteja; na Espanha, em algum lugar ao sul de Madri. Voltará para casa em duas semanas. É uma filmagem longa e complexa — uma versão de *Dom Quixote*, dirigida por David Lean, com Oliver Reed no papel principal. David telefonou duas vezes e passou a maior parte de cada ligação curta conversando com Rebecca; disse a Eva somente que Lean está colocando todo mundo para trabalhar muito, mas que está se divertindo — ele e Reed ficaram acordados até o amanhecer daquele dia tomando a bebida forte do lugar. David não mencionou Juliet Franks, embora seu nome paire silenciosamente entre os dois — ela interpreta um pequeno papel no filme e deveria chegar na metade das filmagens. Os dois sabem quem a indicou para o papel e por quê.

Sete anos depois de se casar, uma certeza desconfortável se enraizou na mente de Eva — esse casamento nunca devia ter acontecido. Após todo esse tempo, ela dificilmente consegue acreditar na sua própria convicção ardente, compartilhada por David, Abraham e Judith (e ela se lembra muito bem do ar de resignação e martírio da sogra), de que a sua gravidez significava que os dois deveriam se casar imediatamente. Os pais de Eva nunca a pressionaram. ("Apenas tenha certeza, *Schatzi*", disse Miriam. "Por favor, tenha certeza absoluta disso.") Como poderiam, quando Jakob se casou com Miriam sabendo que seria o pai da filha de outro homem? Acreditando que, como a amava, aquilo seria a coisa certa, ou a única coisa, a fazer? Eva sabia que Jim tomaria a mesma decisão se ela tivesse lhe oferecido a oportunidade. Ela acreditava que não lhe dar essa oportunidade — não permitir que os planos grandiosos dele sofressem ou se perdessem sob o peso da paternidade — seria um ato de amor. E, mesmo assim, em Nova York, ela viu o rosto de Jim e soube imediatamente que a separação o machucou de maneira muito mais profunda do que ela jamais havia imaginado.

Quando pensa em Jim, Eva sente uma leve vertigem, como se estivesse na beira de um penhasco. A mesma vertigem está presente à noite, também, quando acorda no meio da madrugada. (A noite passada, no chalé, ela dormiu melhor do que em praticamente todos os últimos meses.) Correr atrás dele no Algonquin, entregar-lhe aquele bilhete, e depois não comparecer — a crueldade do que fez a deixa chocada; nunca pensou que seria capaz de fazer tal coisa. E, ainda assim, foi exatamente o que fez. Aquela manhã nova-iorquina começou iluminada e relaxada, e o medo de Eva foi tamanho que não conseguiu ir até lá. Não conseguiu conceber uma versão daquele dia no qual deixaria Rebecca com seus bisavós e caminharia, sob o sol do outono, até a biblioteca pública, e entraria em... quem sabe no quê? Um caso, um novo começo. A destruição de tudo em troca de um futuro incerto.

Aquele medo ainda a deixa envergonhada — embora se pergunte também se Jim chegou a ir à biblioteca. Não teve notícias dele. Ele não sabe qual é o endereço dela em Londres, mas não teria dificuldades para descobri-lo; precisaria apenas perguntar a Harry ou ao seu primo Toby, que ainda é parte do círculo mais amplo de amigos de Anton. Assim, talvez — e Eva não sabe se essa ideia faz com que ela se sinta melhor ou pior — Jim não tenha ido. Talvez sua presunção tenha lhe causado repulsa. Talvez ele tenha rasgado o bilhete em pedacinhos e jogado fora.

— Você está infeliz, *Schatzi* — declara Miriam subitamente, como se Eva houvesse falado em voz alta. — Está infeliz em seu casamento.

Eva abre a boca para protestar. Nunca discutiu o que verdadeiramente sente em relação a David com a mãe — mas é claro que Miriam deve saber alguma coisa a respeito. Ela e Jakob sempre disseram que gostavam de David — que o acham um rapaz dinâmico e encantador.

Mas Eva sabe que eles estão ficando cada vez mais frustrados com as longas ausências que deixam Eva cuidando sozinha da filha, com todas as dificuldades e frustrações que isso causa — esquivando-se constantemente das perguntas de Rebecca sobre quando o seu pai vai voltar; acalmando suas lágrimas, tarde da noite, quando ela vem correndo até o quarto dos pais, procurando David, e encontra a mãe sozinha.

Ela se esforça muito para proteger a filha, fala sobre o quanto David trabalha, sobre o quanto ele é requisitado. Cada cartão-postal que ele envia é estimado; cada telefonema é motivo de celebração. E, nesse meio-tempo, ela, Eva, é apenas a mãe que passa o dia inteiro por perto, a presença constante — amada, sim, mas tão familiar que não chega a despertar muito interesse; certamente não é a figura remota e glamourosa que retorna para a vida de Rebecca com beijos e presentes. E, em relação à carreira da própria Eva — escrever, algo muito mais importante do que o trabalho de análise e revisão para a Penguin —, simplesmente não há tempo. Ela poderia, é claro, largar o emprego — David está ganhando um bom dinheiro agora —, mas se recusa, de acordo com seus princípios, a ser inteiramente dependente da generosidade do marido, assim como sua mãe nunca se subordinou a Jakob, por mais que dependesse dele de outras maneiras.

Agora, nesta praia, contra este céu amplo e vazio, Eva não vê mais nenhum motivo para negar a realidade.

— É verdade, mãe. Estou muito infeliz. Acho que estou me sentindo assim há algum tempo.

Miriam aperta o seu braço, pressionando firmemente a mão enluvada de Eva contra a lã grossa do seu casaco.

— Você criou uma jaula para si mesma, meu bem. E acha que é impossível sair dela. Mas não é. Só precisa abrir a porta.

— Como você fez?

Miriam não vira a cabeça; continua olhando para o mar, na direção de onde Rebecca está traçando um grande círculo na areia com o calcanhar. O perfil da sua mãe é formoso, elegante, exibindo somente os traços mais sutis de rugas ao redor dos olhos e da boca.

— Sim, como eu fiz — diz ela. — E como qualquer pessoa pode fazer, se for suficientemente sortuda para ter a oportunidade de escolher.

Versão 1

Milagre
Londres, maio de 1968

Jennifer Miriam Taylor nasce às nove em ponto da manhã, numa manhã fresca de primavera, as nuvens atravessando um céu aquarelado, e as flores pesando no alto das árvores ao redor da ala neonatal do hospital.

Anos mais tarde, Jim vai ter a impressão de que o horário do nascimento da filha se encaixará perfeitamente com o seu caráter: ela será uma criança legal e decidida, e depois uma mulher legal e decidida — uma advogada, na verdade, e uma profissional melhor do que ele jamais seria nessa área. Mas agora, segurando-a nos braços, sentindo o subir e baixar ínfimos do seu peito quando ela respira, ele mal consegue perceber qualquer coisa. Os minutos, as horas, parecem ter se soltado das suas amarras habituais e perdido o significado.

Ele quis ficar com Eva, compartilhar a sua dor de algum modo, fazer com que fosse suportável, mas a parteira o olhou com desdém e o mandou de volta para casa. Acabou passando a noite na cozinha com o gato, bebendo café, olhando ansiosamente para o relógio, esperando pela ligação que lhe diria que era hora de voltar. Passava um pouco das nove quando o telefone finalmente tocou; a manhã estava se acomodando sobre a rua quando Jim foi até o carro e voltou ao hospital. Encontrou a esposa dormindo.

— Não a acorde — avisou a enfermeira, com o dedo em riste. Sentiu-se impotente diante das profissionais de saúde, que pareciam ser todas variações da mesma mulher, cada uma bastante vigorosa e profissional com seu gorro branco engomado.

Mesmo assim, a enfermeira permitiu que ele visse a filha. Observando pela janela da unidade neonatal, Jim levou um segundo ou dois para encontrá-la e entrou em pânico, temendo o significado desse momento, temendo que já poderia estar fracassando. E foi então que viu Jennifer e percebeu que a reconheceria em qualquer lugar: o crânio pequeno coberto por uma pele quase transparente; aquele tufo de cabelos escuros, inesperadamente espessos; aqueles olhos inteligentes, lúcidos — azuis como os seus, ele viu, e a descoberta o deixou muito feliz, embora a enfermeira lhe dissesse que eles provavelmente ficariam escuros conforme ela crescesse.

Agora Eva está acordada, o rosto estranhamente pálido, marcado pelo cansaço. Mas está sorrindo, e, para Jim, parece haver se transformado, de algum modo — ele sente certa admiração por ela, uma admiração pela mágica que ela pode proporcionar. Este pequeno milagre. Senta-se ao lado dela na cama, na cadeira desconfortável de plástico, e Jennifer olha para ele com os seus inacreditáveis olhos azuis, abrindo e fechando as mãozinhas. Ele ouviu falar sobre a esquisitice dos recém-nascidos, como eles se pareciam com homens e mulheres velhos e enrugados, trazendo consigo o conhecimento rudimentar do que vem antes; Ewan falou sobre isso quando seu filho, George, nasceu no ano passado. Mas Jim não sabia disso até agora, não havia passado pela experiência inenarrável de olhar para um rosto recém-formado e entender que a criança sabe tudo que é preciso saber sobre os grandes mistérios da vida, mas se esquecerá deles rapidamente e terá de aprender tudo de novo.

Durante a longa noite em claro na mesa da cozinha, a empolgação de Jim foi temperada por uma forte sensação de vergonha; apanhou-se pensando naquela mulher de Nova York, a dançarina. Pamela. Não voltou a vê-la; a culpa cresceu dentro dele com a mesma velocidade com que a ressaca desapareceu, e Jim percebeu que havia traído a esposa e tudo o que ela significava de maneira muito fácil, muito casual. *Um erro*, disse a si mesmo, tentando se reconfortar. *Não vai acontecer outra vez*. E ainda assim aconteceu outra vez, mais ou menos um ano depois, quando Eva estava viajando para escrever uma reportagem, e na cama deles, com Greta, a jovem assistente alemã da escola. Ela tinha dezenove anos, o corpo macio e flexível, os seios grandes; havia se agarrado a ele depois do ato e chorou um pouco; e Jim percebeu a profundidade do seu erro. Por sorte, para ele — para todos eles —, ela retornou para Munique uma semana depois, dizendo que havia alguém doente na família; escreveu-lhe duas cartas apaixonadas, que ele conseguiu interceptar antes que alguém percebesse o carimbo do correio alemão, e, misericordiosamente, ficou em silêncio depois. Durante várias semanas, Jim sentiu nojo de si mesmo; mal conseguia encarar os próprios olhos no espelho. Não conseguia entender como Eva continuava a agir como se nada houvesse acontecido. Mesmo assim, após algum tempo, a culpa se dissipou, transformando-se em uma espécie de zumbido — um ruído baixo, sempre presente, mas suportável. Nada que colocasse a sua vida em risco.

Jim começou a se perguntar se o seu pai sempre viveu com aquela sensação também. Lewis Taylor, a estrela brilhante do cenário artístico inglês do período pós-guerra, já estava fora de moda, embora sempre estivesse presente na mente dos professores de Jim em Slade. Alguns haviam até mesmo estudado com ele; lembravam-se dele como um rapaz magricela de sorriso torto, com um cigarro pendurado no canto da boca. Jim sempre teve a impressão de que seus professores eram especialmente mais exigentes com ele por ser o filho de Lewis Taylor; um deles, em particular, parecia sentir prazer em acusar Jim de se inspirar demais na obra do pai; a provocação fez com que Jim agisse de maneira teimosa e ao mesmo tempo irritadiça, relutando em agradá-los. Queria se distanciar do pai — e, ao mesmo tempo, ele sabia que o único sentimento de aprovação que desejava era o do próprio pai, a única coisa que jamais teria.

Jim já tem idade para saber que Lewis nunca foi fiel a Vivian; havia dormido com a maioria das suas modelos e se apaixonado por várias delas. Ele se lembra de que, quando garoto, viu o pai fazer as malas enquanto Sonia, a garota das pinturas com a nuvem de cabelos alaranjados, airosa como um dente-de-leão, o esperava no carro e a sua mãe gritava de raiva, subindo e descendo as escadas, seus gritos tirando de casa o sr. e a sra. Dawes, vizinhos dos Taylor. A voz tímida do sr. Dawes do outro lado da cerca do jardim.

— Acalme-se, sra. Taylor, tenho certeza de que não há razão para isso.

Sua mãe, porém, estava inconsolável; passou vários dias chorando depois que o seu pai guardou as malas no carro, puxou gentilmente a mão para que ela lhe soltasse o braço. Jim teve de preparar as refeições e levá-las até o quarto da mãe numa bandeja. Tinha apenas nove anos; não lhe ocorreu a possibilidade de culpar o pai, que retornou algumas semanas depois, sem qualquer explicação. Vivian levantou-se quando isso ocorreu e pintou o rosto. Jim podia ouvi-la cantarolando desafinadamente enquanto cozinhava, além de outros ruídos que vinham, tarde da noite, do quarto deles, sons que ele não compreendia. Tudo estava normal outra vez, aparentemente; e, um ano mais tarde, seu pai estava morto; alguns dias depois, a perua do hospital veio levar sua mãe pela primeira vez.

Por algum tempo, Jim se consolou com o fato de que ele nunca havia submetido Eva a tais indignidades. Não chegou a amar Pamela, afinal de contas; e certamente não amou Greta. O desejo que sentiu por elas foi puramente físico — uma ação reflexa; isso, pelo menos, era o que ele dizia a si mesmo no início. Entretanto, mais recentemente, apanhou-se considerando o fato de que havia algo mais por trás das suas infidelidades: a necessidade, talvez, de conhecer novamente um corpo de mulher, livre dos estratos sedimentados que caracterizam um casamento — as memórias, as discordâncias, os altos e baixos; e, sim, o amor. É claro que ele ama Eva — depois de traí-la, sentiu-se inundado pelo amor, transbordando de amor. E mesmo assim percebe a distância cada vez maior entre eles, e se odeia por isso. Odeia a si mesmo pelo ressentimento que não consegue engolir, por mais que se esforce. Ressentimento pelo fato de que a carreira dela está em trajetória ascendente, sólida e verdadeira, enquanto a sua fica presa às tarefas entediantes do emprego de professor.

A recusa de Eva em ter um filho ficou entre os dois durante anos: uma granada lançada, de tempos em tempos, para causar o maior estrago possível. Pensou que aquilo se devia ao egoísmo e chegou até mesmo a jogar isso na cara dela, e, em seguida, percebendo o quanto a havia magoado, arrependeu-se das palavras que era incapaz de apagar da existência. E então, num belo dia do verão passado, ela lhe disse que estava grávida — eles haviam se precavido, mas aparentemente não se precaveram o suficiente —, e pareceu tão contente pela notícia quanto ele. E agora Jennifer está chegando ao mundo: a filha do casal, o amor do casal — a esperança e a promessa do casamento — manifesto em carne e osso.

Pouco antes das quatro horas, o gato havia se esticado na mesa diante dele, tremendo ocasionalmente em meio a algum sonho animal profundo, e Jim havia caído num sono agitado, ainda sentado com as costas eretas na cadeira, a cabeça apoiada sobre a mão. Havia visto a si mesmo em seu estúdio no jardim — "o depósito", como ele o chama agora; "estúdio" parece ser uma palavra grandiosa demais para o trabalho inconsequente que ele faz por lá nas tardes de domingo. No sonho, terminava um autorretrato. A tela estava borrada, impossível de se discernir, mas ele sabia que a pintura era boa, talvez a melhor que já fizera, a obra que finalmente faria a sua carreira decolar. Chamou Eva, querendo lhe mostrar o quadro, e ela saiu da casa correndo; mas, quando ele olhou para trás, era a sua mãe quem estava ali, não a esposa. A pintura havia se transformado: no lugar dos olhos havia dois buracos rasgados e abertos. "Não está boa o bastante", ele ouviu a mãe sussurrar rispidamente atrás de si. "Definitivamente, não está boa o bastante."

No hospital, ele toma outro café aguado no refeitório, deixando que Eva durma, dizendo a qualquer pessoa disposta a escutar — um médico de aparência assustada, usando terno e gravata-borboleta; uma mulher idosa com o rosto entristecido e preocupado — que ele agora é pai. Em algum ponto durante a tarde, Jakob e Miriam chegam; estão sorridentes, encantados, alternando-se enquanto seguram Jennifer nos braços. Quando o horário de visitas termina — tudo está bem, diz a enfermeira, mas eles vão manter mãe e filha no hospital por mais alguns dias para garantir que elas "fiquem cem por cento" —, os três ficam juntos, sem um rumo certo, diante das portas do hospital.

Jakob limpa a garganta.

— Seria estranho simplesmente voltarmos para casa agora, não é mesmo, Jim? Que tal sairmos para jantar?

Eles encontram um restaurante francês a algumas ruas dali, onde os homens pedem *steak frites* com vinho tinto e Miriam escolhe uma sopa *bouillabaisse*. Erguem as taças, brindam ao futuro de Jennifer, e os olhos de Jim vão de Miriam, elegante com uma blusa amarelo-clara, uma echarpe de seda ao redor do pescoço, para Jakob, tranquilo, com as feições grandes e os vestígios de uma barba já cobrindo o queixo recém-escanhoado. Ele foi um bom pai para Eva, pensa Jim, e os dois não são da mesma carne e sangue. Talvez a paternidade não se resuma somente à biologia; talvez seja uma decisão.

— E a sua mãe? — pergunta Miriam. — Ela vem visitá-las?

De maneira bastante rápida, Jim vê a mãe como ela surgiu no sonho da noite anterior — jovem, mais ou menos com a mesma idade que tinha quando o pai morreu, a pele lisa e sem rugas, os braços nus. Houve melhoras nos últimos tempos — uma nova medicação, a diminuição dos episódios mais extremos. Jim telefonou para ela assim que Eva entrou em trabalho de parto e a achou um pouco estranha; a voz parecia amortecida, como se estivesse ouvindo seu eco. Mas amortecida, ecoante, ainda era melhor do que a alternativa. Talvez a convidasse para passar alguns dias em sua casa.

— Vou ligar para ela amanhã — diz ele. — Não quis fazer muitos planos. Vocês sabem, caso Eva não esteja muito disposta.

Miriam assente com um aceno de cabeça. Jakob, ao seu lado, sorri para ele e toma alguns goles de vinho.

— Você tem uma filha agora, Jim — diz ele. — As coisas nunca mais voltarão a ser como antes.

— Eu sei — diz Jim, e retribui o sorriso de Jakob, tomado pela novidade da filha que acabou de nascer, pela sensação de uma vida que se estende diante dela como uma página em branco esperando para ser preenchida.

Versão 2

Partida
Londres, julho de 1968

Eva volta para casa após encerrar o expediente no *Daily Courier* e encontra David no quarto, com a mala aberta sobre a cama.

— Você voltou cedo — diz ela.

Ele a encara. Está vestindo uma camisa de mangas curtas que ela não reconhece. O algodão branco contrasta com a sua pele bronzeada — após um mês na Itália, ele poderia se passar por um italiano sem nenhum problema. Olhando-o nos olhos, ela se sente estranhamente tímida; já faz semanas desde a última vez que ele esteve em casa — David viajou diretamente para a Itália após sair de Nova York — e eles mal chegaram a conversar pelo telefone. Toda vez que liga, ele passa quase o tempo todo falando com Sarah. Quando chegam a conversar, Eva percebe que tem dificuldades em encontrar algo para dizer; o mundo que David habita — cheio de planilhas com as locações, *scripts*, dias em *trailers*, madrugadas de bebedeiras — é muito distante daquele em que ela vive. A sensação de que nenhum deles fala a mesma língua cresce cada vez mais, e ambos não demonstram nenhum ímpeto de aprender um com o outro.

— A filmagem terminou dois dias antes do prazo. Troquei as passagens.

— Oh! — A irritação começa a crescer dentro dela. Penélope virá para o jantar, e Eva estava ansiosa pela noite que as duas passariam no terraço, colocando a conversa em dia, uma contando à outra as fofocas do escritório onde trabalham. Já fazia dois anos que Eva começou a trabalhar no *Courier*; não com Frank Jarvis, o editor que a havia entrevistado durante seu último semestre em Cambridge, mas como editora-assistente da página de literatura. (Penélope cobrou um favor para conseguir a entrevista para Eva.) Havia contratado uma garota para cuidar de Sarah, que já estava com cinco anos, enquanto estivesse na faculdade ou no trabalho, uma garota francesa um pouco indolente chamada Aurélie; bastante doce, embora propensa a colocar Sarah diante da televisão enquanto telefona para o namorado em Reims ou pinta as unhas. Mas Aurélie voltou à França para passar alguns dias, e Eva gostaria de ter algum tempo para se preparar para o retorno de David — limpar e arrumar a casa, explicar a Sarah que o seu amado papai estava a caminho.

— Você podia ter me avisado.

Ele fica em silêncio por um momento, observando-a. Alguma coisa é transmitida entre eles — um código, sem palavras — e a realidade atinge Eva com uma força que a deixa sem ar. David não está desfazendo as malas.

— Vamos nos sentar um pouco — diz ele, sem alterar a voz. — Acho que nós dois precisamos beber algo.

Ela vai até a sacada. O sol ainda está quente e ela ergue o rosto em sua direção, fecha os olhos, escuta os gritos distantes das crianças em Regent's Park, o ronco e o zumbido dos carros que passam. Está estranhamente calma. Quando David surge trazendo o gim e as tônicas (fortes demais, sem dúvida, já que Eva terá de sair para buscar Sarah na casa de Dora dali a uma hora — mas que se dane, a mãe de Dora pode pensar o que quiser), ela imagina que isso esteja acontecendo com outras pessoas, e ela está apenas observando. Um jovem casal sentado sob a luz do sol — o homem de cabelos escuros, elegante, cada um de seus movimentos preciso e calculado como os de um dançarino; a mulher, de compleição pequena e delicada. O homem entrega um copo à mulher e eles bebem, olhando para qualquer lugar, exceto um para o outro.

— Para onde você vai? — indaga ela. E, para mostrar que entende totalmente a situação, para ser a primeira a dizer o nome da outra mulher e, assim, dissipar a sua força, acrescenta: — Você e Juliet.

David a observa então, mas ela não o olha nos olhos. Eva gostaria de pensar que, mesmo agora, mesmo aqui, ainda é capaz de surpreendê-lo.

— Sabe, você não é como eu pensava que era quando nos conhecemos — disse David alguns anos depois de se casarem. Eva imaginou que aquilo era um elogio, mas recentemente começou a se perguntar se a versão dela que surgiu no lugar da Eva que David conhecia se transformou em uma decepção, uma cópia envelhecida e sem graça da mulher que capturou tão intensamente a atenção dele.

Contudo, se está surpreso agora, David não demonstra.

— Ela tem um apartamento em Bayswater. Mas estamos pensando em ir para Los Angeles.

— E Sarah?

— Ela pode me visitar nas férias. — Há uma hesitação muito breve, na qual Eva se permite perceber arrependimento e ansiedade, embora conheça muito bem o marido para saber que ele não conhece essas sensações. *Se elas estão aqui agora*, pensa Eva sem qualquer piedade, *é porque ele aprendeu a senti-las antes do tempo; porque já decorou o roteiro.* — Se estiver tudo bem para você.

Eva não diz nada e David prossegue, de maneira mais urgente.

— Tenho de fazer isso, Eva. Você entende, não é? Acho que entende. Acho que você sabe que o nosso casamento está morto há muito tempo.

Uma imagem surge na mente de Eva — os dois deitados sobre blocos de concreto, dormindo tranquilamente, como as efígies de pedra em túmulos cristãos. O que foi que Jakob disse, quando a chamou para a sala de música na véspera do casamento, enquanto o carrilhão marcava os segundos no corredor? *Receio que ele nunca vai amá-la tanto quanto ama a si mesmo.* Ela já sabia naquela época; sempre soube, e, mesmo assim, o que estava acontecendo ali era demais. Mudar-se para Los Angeles com *aquela mulher*; deixar que Eva conte à filha que David se foi e não vai mais voltar. A raiva vai surgir, Eva sabe — já está começando a percebê-la, mas ainda está longe. Por enquanto, só existe essa sensação entorpecente de tranquilidade.

— Eva. — Ela olha para ele e instantaneamente reconhece a sua expressão, a mesma com a qual David Lean focou a câmera por um longo momento em seu último filme. No cinema, o rosto do marido tinha quase dois metros de altura, e o rosto estava úmido pelas lágrimas. Ela nunca o viu chorar. — Eu realmente amei você. Você sabe disso. Lamento pela maneira como as coisas aconteceram. Vou fazer o máximo que puder para que tudo seja fácil para você. — Ele pousa a mão sobre o ombro dela.

— Por favor, não faça isso. Apenas vá embora.

Ele se levanta. Engolindo em seco, ela acrescenta com toda a dignidade que consegue reunir.

— Vamos resolver isso mais tarde.

Eva espera no terraço enquanto ele faz as malas, terminando de beber o seu drinque, os olhos fechados contra o sol. David termina de arrumar suas coisas em pouco tempo.

— Ligo para você amanhã — avisa ele, da sala. — Por favor, tente explicar as coisas para Sarah.

Isso é obrigação sua, ela pensa. Mesmo assim, é claro que as explicações ficarão por conta dela. Quem mais está por ali?

David espera, hesitante, por um momento. Ela imagina se ele virá até o terraço, se virá se despedir com um beijo, como fez todas as vezes que saiu para ensaios, espetáculos, testes e filmagens; como se a sua partida fosse apenas temporária. Mas ele não vem.

— Adeus, Eva. Cuide-se bem.

Ela não responde. Apenas espera pelo clique da porta se fechando. Depois de um momento, ele surge novamente na rua, lá embaixo. Ela observa o alto da cabeça do marido que vai embora enquanto ele arrasta a mala pela calçada.

Na metade do quarteirão, David para ao lado de um carro estacionado, abre o porta-malas e guarda a bagagem ali. Há uma mulher no volante; Eva consegue perceber uma cabeleira de cachos escuros, um par de óculos de sol com aro de casco de tartaruga, um toque de batom rosa. Juliet. Devia estar esperando ali esse tempo todo, observando os dois. Ao pensar em seu casamento terminando de maneira tão tranquila, com tamanha falta de cerimônia, enquanto aquela mulher estava sentada ali fora, observando-os em um espetáculo de baboseiras, as lágrimas ameaçam rolar, e Eva volta rapidamente para dentro do apartamento.

Na cozinha, ela se permite chorar, apoiando-se com força na pia, até que chega a hora de buscar Sarah. Joga água fria no rosto, retoca a maquiagem com cuidado e vai até o carro — o *seu* carro, agora, imagina ela, supondo que o divórcio ocorra de maneira justa. Não imagina que as coisas aconteçam de maneira diferente — David sempre foi, por baixo da sua arrogância e eloquência, razoável; até mesmo gentil, de uma maneira distraída, típica de um homem dedicado principalmente à própria felicidade.

Eva percebe, com um choque dolorido, que sentirá saudades dele, apesar de tudo — apesar da distância entre eles; apesar da infidelidade;

apesar de saber que o seu romance nunca deveria ter sido forçado a durar mais do que alguns meses; que a deficiência que ela percebe em seu amor por David era, na verdade, mais do que o fruto da sua inexperiência. Sentirá saudades do seu riso, de como ele tamborila na perna em ritmo de código Morse quando está agitado. Sentirá saudades das mãos de David em seu corpo (embora já tenham se passado alguns meses desde a última vez que fizeram amor), as sensações que causava nela — sentia-se bonita, toda-poderosa — quando dizia que a amava. Sentirá saudades de observá-lo enquanto ele prepara o café da manhã para a filha — uma ocorrência rara, e mesmo assim a impressiona que provavelmente nunca mais verá isso acontecer outra vez. Sentirá saudades de ouvir a variação de tons em sua voz grave e melodiosa quando ele canta para Sarah dormir. Tudo isso e muito mais eles compartilharam; agora, tudo isso vai se apagar lentamente até desaparecer.

Eva espera um momento, sentada ao volante, imóvel, inalando enormes golfadas de ar. Em seguida, dá a partida e conduz o carro lentamente para a rua, passando pela vaga de onde o carro de Juliet acabou de sair.

Versão 3

Geada
Cornualha, outubro de 1969

Houve geada na noite passada. *A primeira do ano*, pensa Jim, diante da janela da cozinha, com uma xícara de café aquecendo as mãos.

São sete e quinze. Ele é o primeiro a acordar. Começou a levantar cedo novamente, como costumava fazer, como seu pai fazia, para aproveitar ao máximo a luz da manhã — bastante pálida aqui, sem qualquer filtro; mais brilhante do que em qualquer outro lugar que ele conhece. Hoje, ele acordou mais tarde do que o habitual, se enrolou mais profundamente nas cobertas, trouxe o corpo quente de Helena para si, como se pressentisse que a geada estava cobrindo a terra do lado de fora, o capim alto do gramado dos fundos da casa se enrijecendo como agulhas, as alfaces se amontoando em fileiras sob a cobertura de plástico. Alguém — Howard, ele imagina — teve o cuidado de cobri-las; deve ter visto a previsão do tempo, ou, mais provavelmente, percebeu o vento, a cor precisa do céu que escurecia, à sua própria maneira de homem do interior.

Antes de se mudar para a Casa Trelawney, Jim também poderia ter se considerado um homem do campo. Quando criança, estava acostumado aos ritmos do interior de Sussex, às suas cores e cheiros, seus ruídos súbitos e silêncios profundos. Mas hoje ele sabe que Sussex não é exatamente uma área rural, não como a Cornualha, não do jeito como ela se apresenta, de qualquer maneira, neste lugar castigado pelo vento a alguns quilômetros de St. Ives — o mar à frente, campos atrás, e os penhascos da sua própria paisagem lunar de pedra negra, capinzais, flores cujos nomes Howard tentou lhe ensinar, embora ele só vá se lembrar de alguns deles: erva-leiteira, eufrásia, rubiácea.

Esta última é uma flor de quatro pétalas de um amarelo vívido e brilhoso. Em uma caminhada naquele primeiro verão, logo depois que ele chegou, Helena se deitou sobre um arbusto delas, e as flores contrastaram lindamente com os seus cabelos ruivos. (Era aquela cor — o mesmo tom, pensou ele, de Lizzie Siddal, pelo menos como Rossetti a retratou — que atraiu Jim a Helena pela primeira vez; ele ficou decepcionado ao descobrir, mais tarde, que era uma tintura.) Ali, no alto do penhasco, colheu um ramalhete das flores, trouxe-as de volta para a casa e colocou-as em uma jarra ao lado do seu cavalete. Helena havia separado um canto do estúdio para ele — um velho celeiro; congelante no inverno, embora houvessem estendido lençóis com estampas indianas diante das portas e ligassem um aquecedor a óleo nos dias mais frios. Aquela foi a primeira pintura que Jim produziu na Cornualha — um ramalhete de rubiáceas, uma jarra branca e azul, e uma mesa. Não era muito, mas ele percebeu instantaneamente que era melhor do que qualquer coisa que havia pintado em muito tempo.

Ele se serve de mais uma xícara de café, encontra o pão — um dos pães duros feitos por Cath, com sementes — e corta uma fatia, passando manteiga e geleia nela. Ouve alguém andando no andar de cima — provavelmente Howard. Em geral, é a segunda pessoa que acorda, e eles passaram vários inícios de manhã no estúdio, apenas os dois, Jim misturando as tintas, secando pincéis, e Howard trazendo madeira do quintal — pedaços de madeira que encontrava na praia, com as bordas arredondadas e esbranquiçadas pelo mar; enormes toras de carvalho polido da serraria em Zennor; pilhas de gravetos que havia juntado e amarrado em feixes grossos e cônicos como a vassoura de uma bruxa. Howard é escultor de madeira, e sua parte do estúdio lembra a oficina de um carpinteiro, com suas bancadas e tornos, e também o cheiro limpo e medicinal de resina e cavacos de madeira.

No começo, Jim ficava distraído pelos sons do trabalho de Howard — o puxar e empurrar das serras, o martelar dos pregos. Chegou a tocar discretamente no assunto com Helena; perguntou se poderia ocupar um dos quartos vazios no sótão. Mas ela balançou negativamente a cabeça. A ideia era que todos deveriam compartilhar o espaço de trabalho, deixar as ideias fluírem. Ela havia dito isso na noite em que se conheceram — na festa em que celebraram o quinquagésimo aniversário de Richard, em sua casa em Long Ashton. Jim percebeu Helena ao lado da lareira, usando um vestido verde, os cabelos ruivos da cor do fogo soltos sobre os ombros. Ele se aproximou e perguntou seu nome, sem fazer qualquer rodeio, algo que surpreendeu os dois. Tinham de conversar aos gritos para que pudessem se ouvir — alguém havia colocado um disco do Led Zeppelin para tocar — mas, quando descreveu o lugar onde morava, a "colônia" em St. Ives, Jim teve a impressão de que aquele lugar era o paraíso.

Na semana seguinte, com seu velho e surrado Renault, ele viajou até a Cornualha para vê-la; algumas semanas depois — tomado pelo amor, pelo desejo, pelas conversas de madrugada que teve com todas as pessoas da colônia, passando baseados de mão em mão, falando sobre arte, sexo e tudo o mais —, ele disse a Richard Salles e à mãe que estava de partida.

— Vá, produza boas obras — disse Richard. — E espero que você encontre a felicidade que merece.

Até mesmo Vivian lhe disse algo que, aos ouvidos de Jim, pareceu uma espécie de bênção antes de partir.

— Você é filho de Lewis Taylor, Jim, e tem a mesma teimosia do seu pai. Apenas trate de guardar uma pequena parte de si mesmo para a mulher que o ama, entendeu?

Ela deu um passo adiante, envolveu o queixo de Jim com a mão, e por um momento ele foi transportado de volta à casa de Sussex; às tardes nas quais, ao voltar da escola, encontrava a mãe sentada, imóvel, em sua poltrona, fumando um cigarro após o outro, enquanto seu pai trabalhava incansavelmente, sem se dar conta do que havia ao redor, no andar de cima.

Quando estava definitivamente residindo na Casa Trelawney, Jim não se convenceu de que era muito prático ter todas aquelas pessoas trabalhando no mesmo ambiente, mas acabou se acostumando. Era a casa de Howard, de qualquer maneira; pertenceu à sua falecida mãe, uma dama da sociedade e financiadora da colônia original de St. Ives. Agora, depois de mais de um ano, Jim consegue enxergar a lógica daquela regra, seus próprios trabalhos mudaram, ganharam mais força e músculos, como se houvesse extraído autoconfiança das formas sólidas e invioláveis de Howard.

Ele ouve o som de um jogo de futebol no andar de cima. A porta da cozinha se abre: aqui está Howard, parecido com um urso em seu camisolão de lã, os olhos ainda inchados pelo sono. Ele é um homem extraordinário, pouco menos de um metro e noventa quando está descalço, calvo, as feições enormes, carnudas e com uma compleição estranha, como se tecidas a partir de três rostos diferentes. E ainda assim há algo atraente nele — o carisma, imagina Jim, embora a palavra pareça inadequada para descrever o poder primal e silencioso que Howard emana, especialmente em relação às mulheres. Jim suspeita que Howard e Helena já foram amantes, embora ele nunca tenha se atrevido a perguntar, sabendo que pode não gostar da resposta. Se foram, tudo aconteceu de maneira muito discreta; Howard e Cath estão juntos há vários anos. E, de qualquer maneira, a colônia não é um lugar *daqueles*. Howard deixou isso bem claro na primeira vez que discutiram a vinda de Jim para a colônia.

— Este lugar não é como aquelas arapucas que aparecem nos jornais — disse ele a Jim, fuzilando-o com os olhos. — Não compartilhamos o nosso dinheiro e *não compartilhamos* os nossos parceiros — continuou, batendo enfaticamente com o punho no tampo da mesa. — Aqui, somos todos artistas. Trabalhamos, plantamos e cozinhamos juntos. Se a ideia de viver em um lugar assim lhe agrada, então você será bem-vindo aqui.

— Me dê uma xícara, sim? — diz Howard agora, sentando-se pesadamente em uma das cadeiras da cozinha. Jim faz o que ele pede.

— Você é um bom homem.

— Geou na noite passada — comenta Jim. — A primeira do ano.

Howard bebe lentamente o café e fecha os olhos.

— Sim. Eu cobri as alfaces. Mas vai ser preciso secar a lenha. É você que está escalado para cuidar da lenha hoje?

— Acho que sim. — Há uma escala de tarefas pregada no quadro de avisos ao lado da porta, escrita com a caligrafia pequena e bonita de Cath. — Helena vai cozinhar hoje. Disse alguma coisa sobre fazer um *cassoulet*.

Howard concorda lentamente com um aceno de cabeça, os olhos ainda fechados. Com a cabeça calva e o capuz do roupão, ele parece um monge em oração.

— E Stephen chega ao meio-dia, eu acho.

— Foi o que ele disse. — Jim passou aquela semana inteira se preparando para terminar a última das telas, organizar as outras, embora Stephen dissesse que ele mesmo cuidaria da seleção e que Jim não precisava se preocupar em embalá-las; ele traria alguém consigo para fazer isso. Na verdade, Jim quase não crê que isso esteja realmente acontecendo, que Stephen Hargreaves esteja chegando para levar um lote das suas pinturas de volta a Bristol, de volta à sua galeria. Mas ele conhece o significado desses medos: são pesadelos. Irracionais. Tudo está organizado para a exposição, os pôsteres impressos, e um deles orgulhosamente afixado no quadro de avisos por Helena: *Jim Taylor — Pinturas, 1966-69*. A exposição será aberta ao público em três dias, e todos vão viajar, todos os oito, Josie, Simon, Finn e Delia também, no velho e trepidante furgão de Howard. Os tios de Jim, Patsy e John, também irão à exposição, e até mesmo a sua mãe, com Sinclair. Jim ainda não conseguiu assimilar o fato de que Sinclair é o "namorado" dela; ficou bastante surpreso quando Patsy lhe deu a notícia, pelo telefone, alguns meses depois que ele partiu para a Cornualha.

— Sua mãe conheceu uma pessoa. Nunca a vi tão feliz, nem tão *calma*, Jim, desde que ela conheceu seu pai.

— Você e Helena conseguiram resolver aquele assunto? — diz Howard, ainda tomando o café. — Sobre aquela pintura.

A xícara de Jim está vazia. Ele ergue o bule, esperando servir-se mais uma vez, mas ele está vazio também.

— Sim. Pelo menos, acho que sim. Diz que não tem mais problemas com aquilo.

Foi a primeira discussão séria que eles tiveram, um bate-boca doloroso e extenso que teve início seis meses atrás, quando ele começou a trabalhar em uma nova pintura, a maior que já havia feito. Um retrato, pintado de memória, embora houvesse pedido a Helena para posar para que ele usasse suas mãos e pés como referência (e talvez esse tenha sido o seu erro): uma mulher, encolhida em sua poltrona, lendo, a luz lhe caindo em feixes pálidos sobre o rosto. A mulher era pequena, seus cabelos escuros e brilhantes, e havia um meio sorriso em seus lábios conforme ela lia; Eva, é claro! Ele sabia disso antes de começar a pintar.

Não lhe ocorreu que Helena sentiria ciúmes — ela é uma artista, também; com certeza entenderia que algumas ideias surgem já totalmente formadas, além de qualquer possibilidade de controle consciente. Mas ela *sentiu* ciúmes. Durante vários dias, Helena mal falou com ele, não permitiu que ele a reconfortasse — mas que tipo de conforto Jim poderia dar a ela? Havia sido honesto desde o início; ela sabia o quanto ele amou Eva, e o quanto aquela mulher o havia machucado.

De qualquer forma, nunca devia ter começado a trabalhar naquela pintura — embora fosse o melhor retrato que já havia feito. Ele sabia, e Helena também. Quando organizaram a exposição em St. Ives, o retrato dominou a sala, atraiu a maioria dos visitantes como se houvesse alguma força magnética imperceptível. Um homem ficou diante do quadro mais de quinze minutos — Stephen Hargreaves, um velho amigo de Howard do tempo em que estudavam no Royal College. Sua galeria em Clifton, por coincidência, ficava a poucos quarteirões de distância do apartamento de Vivian; Jim já havia passado diante dela várias vezes.

— Temos obras muito boas lá, Jim — disse Stephen, apertando-lhe a mão. — Precisamos pensar na possibilidade de fazer uma exposição com seus quadros.

É claro que o retrato de Eva — como ele chamava a obra intimamente; seu título oficial era *Mulher lendo* — seria a peça central da exposição, mas Helena não se permitia pensar no assunto. No dia anterior, enquanto o ajudava a organizar as telas, ela viu o retrato outra vez, encostado na parede do estúdio, e ficou subitamente irritada. Mais tarde, na cama, quando havia se acalmado, ela disse:

— Desculpe, Jim. Sei que estou sendo ridícula. Mas não consigo afastar a sensação de que ela nos assombra de algum modo. Sei que você ainda pensa nela. Dá para perceber.

Ele negou, é claro, puxou-a para si e sussurrou-lhe palavras carinhosas no ouvido. E mesmo assim ele sabia que Helena tinha razão e estava irritado consigo mesmo, e com Eva, acima de tudo.

Durante duas horas, ele havia ficado lá, esperando, diante da Biblioteca Pública de Nova York; cento e vinte minutos passando com uma lentidão exorbitante enquanto o trânsito da cidade se agrupava e fluía, e a decepção o tomou como se fosse um peso. No caminho de volta ao apartamento, prometeu a si mesmo que finalmente deixaria Eva, e tudo o que poderia ter acontecido, para trás. E, novamente, aceitaria a decisão que ela havia tomado.

Jim conseguiu cumprir a promessa — e ainda assim ela está aqui agora, naquele quadro, prestes a ser embalada, guardada e levada ao longo dos trezentos quilômetros que separam St. Ives de Bristol. Ele coloca a xícara vazia na pia e olha para Howard, que está encostado na parede, os olhos semicerrados.

— Ainda estou meio chapado, Jim, meu querido. Aquela erva de ontem era forte.

— Era mesmo. — Jim não fumou muito; deixou que os outros se divertissem e subiu para ficar com Helena, que não havia se juntado à festa. — Vou lá para fora.

Howard faz que sim com a cabeça.

— Não vou demorar. Ligue o aquecedor, sim? Vai estar frio pra diabo.

Está mesmo — o frio o atinge enquanto atravessa o quintal, e ele inala o seu frescor, os cheiros matinais do mar e da terra úmida. Nunca vai se cansar da vista para o mar — as rochas suaves, o mosaico dos pedriscos, e a água, incansável, mutável, que nesta manhã está tingida de um azul bastante escuro e opaco, o céu clareando no horizonte. Ele fica ali por um momento antes de abrir a porta do estúdio, olhando para a praia, inundado por uma alegria estonteante; e a saboreia, a ingere, porque já tem idade suficiente para saber exatamente o que é a felicidade — breve e efêmera, não um estado constante a se buscar, para tentar viver constantemente; mas sim para agarrá-la quando ela surge, e segurar-se a ela o máximo de tempo que puder.

Versão 1

Na casa dos trinta
Londres, julho de 1971

Já estão quase duas horas atrasados para a festa de Anton.

Primeiro, a babá — Anna, a filha adolescente e um pouco petulante do vizinho — chegou meia hora depois do horário combinado, sem dar nenhuma explicação. Em seguida, Jim, já um pouco embriagado (preparou um gim-tônica para cada um enquanto se vestiam e tomou mais dois enquanto esperava por Anna), repentinamente anunciou que não gostava do que Eva estava vestindo.

— Você está parecendo um bebê gigante de pijama — disse Jim, enquanto ela, ofendida, olhou para o macacão preto de mangas longas, que pareceu tão elegante na loja na semana passada, combinado com seus novos sapatos de plataforma com solas de sisal. Como ele podia ser tão cruel e não perceber isso? Ele sorria enquanto falava; pareceu ficar surpreso, até mesmo magoado, quando ela voltou para o quarto pisando duro para se trocar.

— Eu estava só brincando, Eva. Onde está o seu senso de humor? — E mesmo assim, enquanto se trocava (pegou o vestido longo que usou para o churrasco de despedida dos alunos do último ano, no fim de semana anterior, pois ele não havia reclamado desse vestido), percebeu que estava chorando um pouco.

— Deixe disso — disse ela para si mesma no espelho do banheiro enquanto retocava a maquiagem. Ainda assim, não dava para negar a mudança recente de Jim; antigamente, ele não parava de elogiá-la (quantas vezes, em seus primeiros dias, dizia que Eva era bonita?); agora, estava ficando bastante crítico, mordaz. E não parecia perceber isso.

Eva tentou confrontá-lo há algumas semanas, perguntou por que parecia deixá-lo tão irritado. Jim a olhou fixamente, os olhos inocentemente arregalados (ela havia escolhido um mau momento — os dois haviam acabado de voltar de uma recepção no *Courier* e não estavam sóbrios), e disse que não fazia ideia do que ela estava falando.

— Tenho certeza de que sou eu que a irrito — respondeu ele. — O seu marido, o artista que nunca foi. Afinal, não deve se orgulhar disso, não é?

Enquanto voltava a pintar o rosto no banheiro, Jennifer chegou, equilibrando-se sobre as perninhas.

— Mamãe vai pra festa — disse ela, com Anna em seus calcanhares, emburrada. Assim, Eva se curvou para beijar a filha e desceu novamente as escadas para dizer a Jim que já era hora de irem; se demorassem mais, não faria sentido comparecerem à festa.

— Você se trocou. — Ele parecia ressentido. — Eu não disse que você precisava se trocar.

Ela respirou fundo.

— Vamos logo.

Pegaram um táxi até a casa de Anton; um sobrado estreito em estilo georgiano diante de uma praça arborizada em Kennington. Ele e a esposa, Thea — uma advogada norueguesa de traços angulares e muito bonita —, compraram a casa assim que voltaram da cerimônia de casamento em Oslo. Thea imediatamente começou a derrubar as paredes, arrancar o piso de linóleo desgastado e aplainar as imperfeições, de modo que cada canto da casa não demorasse a ficar moderno, luxuoso e discreto — de maneira bem parecida, na opinião de Eva, com a própria Thea.

Eva encontra a cunhada no jardim, onde luzes coloridas estão penduradas entre as árvores, e uma mesa cujo tampo se apoia em dois cavaletes repousa com os restos do banquete: tábuas de queijos e frios; arenque ao molho de endro; salada de batatas e fricassê de frango; e um Sachertorte gigantesco preparado por Miriam.

— Perdemos o jantar? — pergunta Eva, beijando levemente Thea em cada face. — Sinto muito pelo atraso.

Thea mostra que não se importa com o atraso, acenando com a mão bem cuidada.

— Por favor, não se preocupe com isso. Estamos só começando.

Anton está na cozinha, servindo o ponche de rum de uma terrina de metal.

— *Meine Schwester!* Tome um pouco de ponche. Seu marido já começou. — Ele indica o corredor, onde Jim está conversando animadamente com Gerald. Onde estaria Penélope?

Eva aceita um copo de Anton e se aproxima para beijá-lo.

— Feliz aniversário. Trinta anos? Como se sente?

Ele dá de ombros, enche um copo com ponche e o entrega a um convidado que passa por ali. Ela observa o rosto do irmão: seus olhos escuros, muito parecidos com os dela em cor e formato, emoldurados por sobrancelhas grossas e pesadas (herança de Jakob), os cabelos espetados e indomáveis — e vê o irmão como um garoto, dois anos mais novo e sempre querendo o que *ela* tinha, ser exatamente como ela. Certa vez, aos três anos de idade, Anton pegou a boneca favorita de Eva e passou o dia inteiro carregando-a de um lado para outro, insistindo que o brinquedo era dele, até que Miriam interveio. Ele ri quando ela o lembra do fato hoje.

— Ainda não sei, irmã. Acho que do mesmo jeito. Como pareço quando você me olha daí, do outro lado?

Eva não consegue responder devido à chegada súbita de novos convidados: os colegas de trabalho de Anton, homens com vozes altas e rostos avermelhados por causa da cerveja. O mundo profissional de Anton — um mundo de regatas, direitos de atracagem, os cascos reluzentes de iates recém-lançados ao mar — é tão pouco familiar para Eva quanto o dela deve ser para ele. Sorrindo educadamente aos homens, sussurrando um "olá", ela se afasta, e a pergunta de Anton ainda reverbera em seus ouvidos: *Como pareço quando você me olha daí, do outro lado?*

Ela tem trinta e dois anos agora; está casada com o homem que ama e é mãe de uma filha; ganha a vida escrevendo. Está escrevendo um romance; já completou metade dele e espera — acredita — que a história seja boa. Pedem, com uma regularidade cada vez maior, que apareça em programas de entrevistas na TV para discutir qualquer coisa, do desarmamento nuclear aos direitos das mães trabalhadoras. Conforme suas aparições na TV ficavam mais regulares, Eva começou a se acostumar a ser notada, a perceber que os olhares de pessoas estranhas a acompanhavam, visivelmente confusos, imaginando onde podiam tê-la visto antes. Na primeira vez que isso aconteceu — estava levando Jennifer ao parque em seu triciclo —, achou a situação um pouco desconcertante, e ainda diz que tem essa sensação; mas, no seu íntimo, Eva acha tudo bem gratificante.

Mas o que dizer, então, da coisa mais vital, da fundação sobre a qual todo o restante repousa — o seu casamento? Os fatos estão ficando mais visíveis; Jim está infeliz, isso é algo que ela teme desesperadamente, e não consegue estender a mão para ele. Tentou — é claro que tentou —, mas ele rejeita toda e qualquer tentativa. No domingo passado, por exemplo, quando o deixou trabalhando no estúdio e levou Jennifer para almoçar na casa de Penélope, ela voltou e o encontrou largado numa poltrona, com uma garrafa de uísque vazia aos pés.

— Papai dormiu — disse Jennifer. Rapidamente, Eva pegou a filha nos braços, levou-a para dentro e buscou seus brinquedos para que pudesse brincar no chão da sala, onde Eva ainda podia ficar de olho nela pelas portas que levavam ao quintal. Voltando ao estúdio, agitou o corpo do marido para acordá-lo. Ao despertar, ele a encarou com as feições tão explicitamente contrariadas que Eva sentiu um medo súbito.

— O que foi, querido? O que posso fazer?

Ele fechou os olhos.

— Nada. Nada mesmo.

Ela se aproximou, colocou a mão na parte de trás do pescoço dele e acariciou os cabelos macios.

— Meu amor. Não faça isso. Por que está se castigando? Você tem o seu trabalho, tem tempo para pintar. Nós temos Jennifer. Temos um ao outro. Isso não é o bastante?

— É fácil para você dizer isso tudo, Eva. — Ele falou com a voz baixa, sem veneno, mas ainda assim ela sentiu o peso de cada palavra. — Você tem tudo o que sempre quis. Por que acha que sabe o que eu sinto?

— Eva! — Aqui está Penélope, usando um vestido estampado; ela ganhou mais peso desde que Adam e Charlotte nasceram, e isso lhe dá um ar mais atraente, até mesmo nobre. — Onde diabos você estava?

Eva sorri, grata pela interrupção em seus pensamentos. Ela saiu de casa e foi até o jardim novamente; a noite caiu e Thea acendeu velas, colocou-as ao redor dos canteiros de flores em potes de vidro, e um segundo cordão de luzes embaixo das lâmpadas coloridas.

— A babá atrasou.

— Não é aquela menina emburrada que mora na sua rua, ou é?

Eva confirma com um gesto de cabeça.

— Ela não é tão ruim.

— É o que você pensa. Sabia que, quando Gerald estava em casa, doente, na semana passada... deve ter comido alguma coisa estragada, pois ficou dois dias sem conseguir se mexer. Bem, Luísa entrou no nosso quarto usando somente a parte de cima do biquíni e um short. E perguntou se havia algo que ela podia fazer por ele.

— Talvez ela estivesse preocupada.

— Duvido. — Luísa, a *au pair* espanhola de Penélope, é um tópico já familiar: Penélope suspeita que ela seja ninfomaníaca. Eva não consegue imaginar o fiel Gerald — que também está começando a engordar, ao mesmo tempo que tem cada vez menos cabelo — sucumbindo à tentação, ou, realmente, que uma beldade de vinte anos de idade e olhos da cor de chocolate decida seduzi-lo. Mas nunca se sabe ao certo. Eva não pensaria que algo assim seria possível com Jim.

— Aquela mulher é uma ameaça — emenda Penélope.

— Acalme-se, Pen. Isso não é muito delicado.

— Ela não faz com que eu me *sinta* muito delicada.

Penélope bebe o seu drinque; recusou o ponche, preferindo vinho branco. Eva, que já está começando a se sentir um pouco bêbada, desejou ter feito o mesmo.

— Mas, não, você está certa. Eu não devia ficar falando essas coisas sobre ela. É um presente dos deuses, na verdade. Chegou a pensar em contratar uma?

— Uma *au pair*? — Eva pensou naquilo várias vezes. Como ela e Jim trabalhavam fora, encontrar alguém para cuidar de Jennifer é uma tarefa árdua e tumultuada, e ela sabe que às vezes abusa da boa vontade de Miriam. Jakob chegou a falar a respeito, cuidadosamente, no domingo passado; mencionou Juliane, a neta de alguns velhos amigos de Viena, que estava planejando vir a Londres para estudar.

— Ela já trabalhou com crianças antes. Pode ser uma solução, *Liebling*.

Eva concordou acenando com a cabeça, disse que poderia realmente ser uma solução, embora ainda sinta a mesma relutância a trazer uma jovem estranha para morar em sua casa. É uma coisa sua e particular sobre a qual não consegue falar. Eva encontrou uma carta, certa vez, com um selo alemão, quando estava limpando o estúdio de Jim: era de Greta, a assistente do departamento de línguas da escola onde ele trabalhava, que havia retornado ao seu país. Ela escrevia em um inglês trôpego, com influências do alemão: *Estou perguntando quando o meu corpo você vai tocar outra vez. Meu coração chama você.* Eva sentiu náuseas; voltou para casa correndo, foi até o banheiro e se ajoelhou diante da privada. Mas não vomitou; em vez disso, sentou-se à mesa da cozinha, fumando quase sem parar. Tempos depois, decidiu colocar a carta de volta onde a havia encontrado e não falar nada sobre isso com o marido. Não conseguiu pensar em nada que pudesse falar que não resultasse em uma resposta impossível de suportar. Imaginar que Jim houvesse amado aquela garota — que a sua decisão de ficar com Eva e Jennifer, em vez de partir com Greta, houvesse se originado de um senso de obrigação em vez de desejo — já era horrível; mas Eva acreditava que enfrentar a confirmação desse fato, de qualquer maneira, seria insuportável.

— Meu pai disse que uma garota virá de Viena em setembro — ela comenta agora. — Juliane. Neta de alguns amigos dele. Lembra-se dos Dührer? Acho que vou conversar com ela. Para saber como ela é.

— Boa ideia. Vamos buscar mais um drinque agora.

Elas vão, e Eva decide, contra o seu bom senso, continuar tomando o ponche. Ao esvaziar o segundo copo, sente-se preenchida por um calor alegre e contagioso. Anton lhe serve mais um copo e depois a leva de volta ao jardim para dançar. Todos estão lá: os velhos colegas de escola de Anton (dançando de rosto colado, estão Ian Liebnitz e sua nova esposa, Angela); seus colegas do ramo dos despachos náuticos; Thea e seus amigos advogados; Penélope e Gerald; Toby, o primo de Jim, e seus amigos da BBC — e Jim, que chega por trás dela e a toma nos braços para dançarem juntos ao som dos Rolling Stones — "Wild Horses" —, as costas dela contra o peito do marido. Ela se vira para ficar de frente. Ele está bêbado, é claro, mas ela também está, e os dois estão sorrindo, movendo-se no ritmo da música.

Ele puxa seu rosto para perto, de modo que suas feições fiquem enormes, maximizadas; aqueles olhos azuis, tão assustadores quando ela os viu pela primeira vez, são pedaços do céu, e ela consegue sentir a textura áspera da barba de Jim contra o seu rosto.

— Desculpe — diz ele ao seu ouvido. — Amo você. Sempre amei, sempre vou amar.

— Acredito em você — diz Eva, porque realmente acredita, apesar das suas dúvidas e dos medos que a atormentam. E porque, convenhamos, se não conseguir acreditar nisso, o que é que resta para se acreditar?

Versão 2
❀ ❀

Na casa dos trinta
Londres, julho de 1971

Ele se encontra com o seu primo Toby, conforme o combinado, em um pub nos arredores de Regent Street.

Toby está com amigos a uma mesa no pequeno jardim dos fundos, relaxado, sem o paletó, rindo por sobre uma caneca de cerveja. Ele se levanta quando Jim se aproxima e os homens apertam as mãos, de maneira carinhosa, mas um pouco incerta; já faz alguns anos que se viram pela última vez, e a ideia de entrar em contato com o primo, de combinar um encontro, só ocorreu a Jim bem tarde, no dia anterior.

Sua tia Frances lhe telefonou algumas semanas antes para parabenizá-lo por sua primeira exposição em Londres; havia lido o artigo no *Daily Courier*.

— Todos nós iremos até lá — disse ela. — Ligue para Toby quando estiver por aqui, pode ser? Eu sei que ele vai adorar conversar com você.

E assim, na noite passada, pouco antes de Helena levá-lo até St. Ives para pegar o último trem, foi isso que Jim fez. Não estava procurando um lugar para dormir — Stephen havia se oferecido para lhe reservar um quarto em um hotel —, mas Toby insistiu. Jim poderia sair com seus amigos; eles iriam se encontrar em um pub e depois iriam à festa de aniversário de trinta anos de alguém.

— Vai ser ótimo ver pessoas diferentes de todas aquelas ovelhas — disse Toby, secamente.

Jim resistiu ao impulso de corrigi-lo, de explicar que não havia ovelhas na Casa Trelawney; apenas campos, penhascos e um indolente gato preto e branco chamado Marcel, que apareceu na porta da cozinha certo dia, magro e estropiado, e se recusou a ir embora. Mas Toby tinha razão a respeito de Londres representar uma mudança — Jim só não podia imaginar qual seria o verdadeiro tamanho dessa mudança. O trem chegou a Paddington às seis da manhã. Esfregando os olhos ainda sonolento, Jim abriu a cortina da janela da cabine e viu a cidade, com todo o seu tumulto e sujeira, as multidões já crescendo e se separando sob o teto alto e abobadado. Na Cornualha, em sua casa, todos ainda estariam dormindo; Dylan estaria curvado como uma vírgula contra o parêntese do corpo quente da sua mãe.

Já fazia alguns anos que esteve em Londres, e se deu conta de que não estava preparado. Depois de descer do trem, ele ficou parado na plataforma, absorvendo tudo o que estava à sua volta. Saindo para a Bishop's Bridge Road, encontrou uma cafeteria e sentou-se para tomar um café e comer um sanduíche com bacon enquanto o trânsito fluía de um lado para outro e estranhos passavam resolutamente pela calçada, vestindo seus ternos e sapatos de salto alto. *Por que*, pensou ele, *essas pessoas estão tão apressadas?*

Os amigos de Toby, ele vem a saber agora, são, em sua maioria, colegas de trabalho na BBC: um produtor de TV, um editor de roteiros, um locutor de notícias chamado Martin Saunders. Ficam incrédulos ao saber que Jim não tem uma televisão em casa, que não a assiste há vários anos, mas ouvem com um interesse cada vez maior a sua descrição da Casa Trelawney: o estúdio compartilhado, a horta, a divisão bem definida das tarefas domésticas.

— Uma *comuna* — diz um deles; Jim não consegue se lembrar do seu nome.

Jim fica um pouco agitado em sua cadeira. Ele sabe o que "comuna" significa para a maioria das pessoas.

— Preferimos "colônia". Uma colônia de artistas.

O homem balança afirmativamente a cabeça.

— Uma colônia. Certo. Como você foi parar lá?

Aquele armazém em Bristol — as sombras imóveis dos navios, a água negra, o frescor maravilhoso dos lábios de Helena nos de Jim. Mais tarde, ela o levou para a cama — estava hospedada na casa de um amigo em Redland; uma multidão de pessoas acenava para eles da sala, por entre uma nuvem de fumaça de maconha. A pele de Helena era pálida e morna ao toque; a sensação do seu corpo, movendo-se com ele, era algo inteiramente novo, maravilhoso. Depois, ficaram deitados, acordados, e ela disse:

— Por que não vem comigo para a Cornualha, Jim? Hoje?

Ele abriu a boca para dizer não, é claro que não poderia, e em vez disso ouviu-se dizendo:

— Sim, é claro. Por que não? Só para passar o fim de semana.

Na segunda-feira, ele ligou de St. Ives para a Arndale & Thompson para comunicar que estava doente e que retornaria no dia seguinte. E realmente o fez; mas, uma semana depois, entregou a sua carta de demissão e, após cumprir um mês de aviso prévio, guardou suas coisas no carro e deixou Bristol definitivamente. Não teve de aguentar os ataques histéricos da mãe — a tia Patsy se certificou de que isso não acontecesse indo passar alguns dias em sua casa — e até mesmo o médico de Vivian lhe desejou boa sorte.

— Você fez muito mais por ela do que muitos filhos teriam feito — disse ele a Jim.

Agora, para este homem cujo nome não se lembra, ele diz simplesmente:

— Oh, eu conheci uma mulher, é claro. E a segui até lá. De que outro modo poderia ser?

O homem sorri e levanta o copo.

— Bem, ofereço um brinde a isso. E vai haver uma exposição dos seus trabalhos em Cork Street em breve?

— Sim. A inauguração para convidados será na segunda-feira.

— Ótimo. Sabe de uma coisa, Jim, eu gostaria muito de conversar com o meu editor sobre você. Talvez levar uma equipe de filmagem até lá. Seria uma ótima história para a nossa seção de cultura.

— Não sei... — Jim consegue visualizar perfeitamente a reação de Howard e Cath: o rosto carnudo de Howard corando, seu punho batendo com força no tampo da mesa, com a sua topografia de cicatrizes muito antigas. *De jeito nenhum! Como você é capaz de pensar em uma coisa dessas?* — Olhe, não acho que isso seja algo que combine com o nosso estilo.

— Bem, veremos, não é mesmo? Que tal se eu for até a sua exposição na segunda-feira para dar uma olhada?

Jim levanta a caneca de cerveja e diz, sem nenhuma sinceridade:

— Você será muito bem-vindo.

Depois de tomarem as cervejas, Toby diz que é hora de irem.

— De quem é mesmo o aniversário hoje? — pergunta Martin.

— Anton Edelstein — diz Toby. — Meu amigo do tempo do colégio. Você deve se lembrar. Conversou com ele na minha festa de Natal. O despachante náutico.

— Oh, sim. — Martin assente vigorosamente. — O irmão de Eva Katz. Ou seria Eva Edelstein agora?

O coração de Jim dispara e parece querer sair pela boca. Lentamente, cuidadosamente, ele tenta dizer o nome dela em voz alta.

— Eva Katz?

Martin olha para ele.

— Sim. Eva Katz, a escritora. A esposa de David Katz. Ou melhor, a *ex-esposa* dele. — Ele observa Jim com os olhos cinzentos e perscrutadores. — Por quê? Você a conhece?

Ele dá de ombros.

— Na verdade, não. Conversamos uma vez em Nova York. Fui assistir à apresentação de *Os boêmios* na Broadway.

Martin assente vagarosamente.

— Uma bela mulher. Achei que pudesse ter uma chance com ela, há algum tempo. Mas ouvi dizer que ela está saindo com Ted Simpson do *Daily Courier*. Ótimo para ele, eu acho. Já deve estar com seus cinquenta anos, no mínimo.

Em Regent Street, eles chamam dois táxis, em rápida sucessão. Conforme o seu carro ziguezagueia pelo trânsito de Trafalgar Square, Whitehall e Millbank, Jim fica em silêncio, pensando em Eva Katz. Quanto tempo faz desde a última vez que se encontraram? Oito anos. E foi somente por... quanto tempo? Uma hora? E mesmo assim, se ele repassar todas as pessoas que conheceu nesse ínterim, todas as conversas curtas que teve em festas — houve menos eventos como esses na Cornualha, mas, ainda assim, esses encontros breves e inconsequentes já devem estar na casa das centenas —, é o rosto *dela*, as conversas com *ela* que permaneceram em sua mente com uma tenacidade maior do que qualquer outra.

Jim chegou até mesmo a pintar Eva certa vez, de memória. Bem, não inteiramente; havia visto uma fotografia dela em um jornal, usando um belo vestido, em alguma estreia de filme, ao lado de Katz. Helena ficou intrigada, talvez até um pouco enciumada. Mas a pintura não ficou boa: ele não conseguiu capturar a expressão — inteligente, um pouco severa —

que tanto o intrigou. Assim, envolvido com a paternidade e com as demandas diárias do seu trabalho, ela acabou saindo da sua mente. No entanto, agora que o táxi está parando diante de uma casa em estilo georgiano, com as janelas iluminadas e os sons indistintos da festa, das vozes e da música, ele sente uma empolgação súbita com a possibilidade de vê-la outra vez.

Por dentro, a casa é agressivamente elegante, a mobília esparsa é branca e de bom gosto. Jim é apresentado a Anton Edelstein — bastante amigável e com as sobrancelhas grossas; Jim consegue ver Eva naqueles olhos castanho-escuros — e à sua esposa, Thea, magra e friamente loira. Toby e seus amigos se reúnem perto da comida, colocada em uma mesa cujo tampo está apoiado em dois cavaletes no jardim murado. Jim fica com eles, enchendo um prato com queijos e frios, fricassê de frango, mas está distraído, olhando ao redor, procurando entre os rostos desconhecidos o dela. Até que, ao se virar, ele a vê: está na cozinha, conversando com Anton e enchendo novamente o copo.

Está mais alta do que em sua lembrança, usando um macacão preto de mangas longas e sapatos de plataforma. Seus cabelos escuros estão presos num coque, expondo o pescoço; ele havia se esquecido do tom uniforme daquela pele. Talvez, sentindo que está sendo observada, ela olha ao redor. Seus olhos encontram os de Jim e ela o observa fixamente, mas não chega a sorrir. Jim desvia o olhar, enrubescendo. Claramente, ela não se lembra dele.

— Olá. — A voz de Eva vem de algum ponto próximo do seu ombro. Ele vira o rosto e ali está ela. Sorri agora, mas cuidadosamente, como se não tivesse certeza de qual seria a reação dele. — Você é Jim Taylor, não é? Nós conversamos uma vez em Nova York, no Algonquin. Você provavelmente não se lembra. Sou Eva Katz.

O prazer de ser reconhecido o inunda. Jim abre a boca para dizer que se lembra dela, é claro que lembra, mas é interrompido.

— Eva! — Martin está colocando o prato sobre a mesa para se aproximar e beijá-la no rosto. — Você está linda!

— Obrigada, Martin. É bom ver você.

Por alguns minutos, Eva se perde para Jim: o grupo se desloca e se forma ao redor dela, e Eva troca histórias com o pessoal da BBC sobre pessoas que eles conhecem, nomes com os quais ele não está familiarizado, difusos e sem qualquer importância. Mesmo assim, enquanto escuta, ele aprende várias coisas interessantes — que Eva recentemente publicou um romance (como ele não soube disso? Precisa conversar com Howard e pedir que comecem a entregar os jornais); que, antes disso, ela trabalhava para a página de literatura do *Daily Courier*; e que ela está aqui, na festa, com um homem chamado Ted Simpson, que é uma espécie de repórter famoso.

— Onde está Ted? — pergunta Martin, olhando ao redor. Eva sorri. Jim percebe que ela fez o mesmo cada vez que o nome de Ted foi mencionado. E diz, vagamente:

— Ah, está por aí. Lá dentro, eu acho.

Após alguns momentos, ela olha para Jim, percebendo seu silêncio. Pergunta o que ele está fazendo atualmente; é advogado, não é? Quando começa a explicar que deixou a advocacia e se mudou para a Casa Trelawney, Jim percebe que a atenção dos amigos de Toby está mudando de foco. Aos poucos, todos acabam se afastando, até que restam apenas ele e Eva, e ela assente afirmativamente conforme ele lhe fala sobre a exposição em Cork Street.

— Isso é maravilhoso — diz ela. — Morar num lugar como esse deve lhe fazer muito bem.

— Sim — diz ele, com os olhos fixos nos dela. Lembra-se, neste momento, daquele olhar fixo e direto que ela tem; nivelado, penetrante, como se fosse capaz de atravessar todas as máscaras e toda a insinceridade. Pergunta a si mesmo o que aquele idiota do Katz fez para perdê-la. *Se ela fosse minha, eu nunca a abandonaria*, pensa ele. Em seguida, Jim se apanha naquele pensamento e sua consciência o ataca. E diz: — Minha companheira mora lá também. Nosso filho, Dylan, adora o lugar.

Ela o presenteia com um sorriso iluminado de mãe.

— Você tem um filho! Que maravilha. Eu tenho uma filha, Sarah. Quantos anos tem Dylan?

Ele responde à pergunta e mostra a fotografia que traz na carteira. Foi feita por Josie com uma polaroide, amarelada pela luz do sol, com uma dobra na parte inferior. Dylan aos nove meses de idade, gorducho e com cabelos cacheados, caminhando na direção dos braços estendidos de Helena.

— Ele é lindo — diz Eva. — Os dois são.

— Obrigado. Qual é a idade da sua?

— Oito anos. Vou lhe mostrar. — Ela leva a mão até a pequena bolsa que está pendurada em seu pulso. Quando abre a bolsa, Jim admira a curva suave do seu pescoço; o pingente de prata simples — um coração — que repousa na pele desnuda que se estende sedutoramente do queixo ao decote do macacão. O pingente é discreto, provavelmente caro, e mesmo assim, Jim sente, instintivamente, que não foi ela que o escolheu — um presente, supõe ele, desse homem chamado Ted.

— Oh, está na minha outra bolsa. — Ela ergue os olhos, e ele concentra o olhar em seu rosto. — Que pena. Queria muito que você visse Sarah.

— Acho que posso imaginá-la. Se for como você, deve ser muito bonita. — Ele falou sem pensar. Jim acabou se acostumando, na Cornualha, a não se censurar, esse candor é uma das regras da casa; Howard não tem tempo para o que chama de "delicadezas dos pequenos burgueses". Agora, percebendo o incômodo dela, se arrepende do elogio. Eva está com os olhos fixos no seu copo vazio, e ele é tomado mais uma vez pelo medo de que ela lhe dê as costas e vá embora, afastando-se dele mais uma vez.

Contudo, em vez disso, ela diz, em voz baixa:

— Você me disse algo naquela vez que conversamos em Nova York. Algo que não saiu da minha cabeça. — Ela o encara novamente, com uma nova seriedade em sua expressão que o impede instintivamente de contar alguma piada: *Oh, foi tão ruim assim?* — Eu estava falando sobre as coisas que escrevia, sobre o quanto estava indo mal, e sobre não conseguir terminar um livro, e você disse: "Com certeza, o livro só precisa ser bom o bastante para você".

Ele se lembra agora. É claro que se lembra — chegou a gemer sozinho depois de falar aquilo, maldizendo a si mesmo por dar a impressão de ser insuportavelmente pomposo.

— Nunca cheguei a terminar aquele livro — continua ela. — Simplesmente não consegui fazer com que a história engrenasse, nem para mim, nem para qualquer outra pessoa. Mas quando comecei a escrever este, o mais recente, escrevi aquelas palavras em um cartão e o deixei grudado na parede que ficava na frente da minha mesa. Deixei a frase ali durante todo o processo.

— Tenho certeza de que você está me dando muito crédito. Mas eu me lembro do que você disse para mim também. De como me falou para continuar a pintar, para parar de inventar desculpas. Me lembrei disso por um bom tempo.

Por alguns segundos, eles se olham fixamente e, em seguida, Eva desvia o olhar, observando o terraço onde algumas pessoas estão se reunindo, dançando ao som dos Rolling Stones. Jim se esqueceu deles, se esqueceu de todo mundo, exceto dela; está tomado pelo desejo de colocar a mão naquela nuca macia, de trazê-la para bem perto. Mas ela viu alguém; um homem que acena para ela do terraço, chamando-a para perto. Ele é mais velho (Martin estava exagerando quando falou que o homem passava dos cinquenta anos; talvez tenha quarenta e tantos), e seus cabelos são salpicados de fios grisalhos, mas Jim percebe que o homem ainda é atraente, o rosto animado, expressivo, iluminado pela autoconfiança de alguém que conquistou seu lugar no mundo, mas ainda consegue se deixar surpreender por ele.

— Ted — diz Eva, embora Jim já saiba quem é ele. — Preciso ir e... conversamos depois, está bem? Foi ótimo encontrar você outra vez, Jim.

Ela aperta a mão dele rapidamente e desaparece. Jim fica sozinho no jardim, sob as luzes que piscam — durante o tempo em que conversaram, alguém acendeu velas, colocou-as em recipientes de vidro, espalhando-as pelo muro que contorna o jardim, sob as lâmpadas coloridas que já estão penduradas nas árvores. Jim pega o papel para cigarros que tem no bolso, o tabaco e uma pequena porção de maconha que trouxe consigo para fumar no fim de semana. Prepara um baseado, tenta não olhar para ela, ali no terraço, aproximando-se de Ted, os braços do homem ao redor da cintura, seus rostos a poucos centímetros de distância.

Ele se esforça bastante para não olhar, e mesmo assim Eva está lá cada vez que Jim levanta a cabeça, como se os outros convidados surgissem em tons de sépia, esbranquiçados. E, mesmo quando fecha os olhos, consegue vê-la, girando e rodopiando, dezenas de luzes de velas refletindo-se no brilho dos seus cabelos.

Versão 3
🍀 🍀 🍀

Na casa dos trinta
Londres, julho de 1971

Eva o vê antes que ele a veja.

Jim acabou de chegar e está no corredor, um pouco hesitante, com um grupo de homens e seu primo Toby. Seus cabelos estão mais compridos agora, chegando aos ombros, e ele usa jeans boca de sino. Ao tirar o casaco, revela uma camiseta marrom justa com gola baixa.

Jim nunca se vestiu como um hippie, mas, é claro, ele se mudou para a Cornualha há vários anos e se juntou a uma espécie de comuna. Eva ficou sabendo por meio de Harry: ele fez um comentário casual certa noite, durante o jantar no apartamento, antes que David partisse para Los Angeles. Não foi algo calculado, pensou ela, apenas a sua indiferença habitual pelos sentimentos das pessoas.

— Lembra-se de Jim Taylor? — perguntou Harry. — Aquele cara que estudava em Clare com quem você saiu por algum tempo? — Eva não disse nada. Apenas olhou para ele querendo dizer que era possível tirar Jim do pensamento. — Ele se juntou com uma dessas artistas modernas e foi morar numa comuna hippie. Amor livre e tudo o mais. Pra mim, é um tremendo de um sortudo.

Agora, antes que Jim possa olhar em sua direção e perceber que ela está ali, Eva se vira e sobe as escadas correndo. Fica diante do espelho do banheiro, agarrada à pia; o coração batendo rápido demais; a boca, seca. Ela encara os próprios olhos no reflexo no espelho; a cor desapareceu do seu rosto, e as pálpebras — ela imitou um efeito esfumaçado que viu em uma revista, aplicando sombra acinzentada sobre pinceladas de delineador e cajal — estão manchadas e exageradas.

Não lhe ocorreu que Jim poderia estar na festa, e ela percebe agora que deveria ter pensado nessa possibilidade. Uma exposição das obras dele vai ser inaugurada dentro de alguns dias, o *Daily Courier* publicou um artigo a respeito — e, é claro, ele poderia facilmente ter entrado em contato com seu primo Toby enquanto estava em Londres. Ainda assim, ele devia ter recusado o convite para a festa de aniversário do irmão de Eva. *A menos que...* Eva se agarra com mais força à beirada da pia. *A menos que ele queira me ver. A menos que tenha vindo até aqui por minha causa.*

Considerando essa ideia absurda e pretensiosa, ela procura afastá-la rapidamente. Jim tem uma namorada agora e provavelmente até filhos. Com certeza, ele nem pensa mais nela. E tem seus próprios problemas: não que se permita imaginar que Rebecca e Sam sejam isso, mesmo em seus piores dias.

Eva joga água fria no rosto, pega o pó compacto da bolsa e reaplica o blush nas bochechas. Pensa em como Sam estava quando ela saiu: vestindo o pijama, o cabelo ainda úmido após o banho, falando:

— Volte logo, mamãe — e agarrou-se a Eva quando ela se abaixou para beijá-lo. Eva disse que voltaria, é claro; disse que Emma, a babá, chegaria logo para ler uma história.

Rebecca estava em seu quarto, pintando as unhas dos pés com um esmalte roxo horroroso. Eva achou que a cor dava a impressão de que ela tinha gangrena nos pés, mas comentou:

— É uma cor maravilhosa, meu bem. Vou sair agora.

A filha olhou para ela, com a expressão mais suave — doze anos e já preocupada com a aparência. *Tal pai, tal filha*, Eva pensa, e passa horas ao telefone com as amigas da escola, sussurrando o nome dos garotos.

— Você está bonita, mãe. Adorei esse vestido.

Eva agradeceu-lhe pelo elogio e se aproximou para se despedir com um beijo, inspirar os aromas doces e mesclados de xampu Silvikrin e Chanel nº 5 (David comprou um frasco para ela no *free shop* durante sua última viagem. É um perfume adulto demais para uma menina de doze anos, mas Rebecca insiste em usá-lo todos os dias, mesmo para ir à escola.)

De volta ao alto da escada, Eva olha para o corredor: mais pessoas estão chegando, rindo e conversando, trazendo garrafas de vinho, mas Jim não está mais entre elas. Ela se prepara, ergue a barra da saia para não tropeçar conforme desce. Sorri para os recém-chegados, embora não os reconheça — são amigos de Thea, ela supõe; têm o mesmo ar relaxado e elegante da cunhada. Na cozinha, serve-se de mais um copo de ponche.

Seu irmão com trinta anos! Mal consegue acreditar. Às vezes, quando pensa em Anton, ainda vê a criança pequena e determinada que queria tudo o que era dela. Mas, é claro, aquele garoto desapareceu, assim como as versões mais antigas dela mesma. A garota de trancinhas e uma breve e feroz paixão por cavalos. A adolescente que escrevia longos textos em seus cadernos e poemas tão horríveis que ficava constrangida mais tarde. A jovem estudante que caiu da bicicleta, percebendo a sombra de um homem que passava por ali. Olhando para cima, sem saber quem ele seria.

— Olá — diz Jim, e por um momento Eva fica confusa: ela ainda está em Cambridge, olhando para um rapaz com um casaco de *tweed* e um cachecol listrado com as cores da faculdade, imaginando se deveria aceitar a ajuda que ele oferece. Mas aquele garoto desaparece, transforma-se no homem que está diante dela agora, na porta aberta que leva ao jardim, sob as luzes coloridas que Thea pendurou nas árvores.

— Olá — responde.

Um casal que Eva não conhece passa por Jim, de mãos dadas.

— Desculpe. — A garota está descalça, seus cabelos são uma cascata loira platinada. — Só viemos buscar mais um pouco de ponche.

Jim vai até o jardim.

— Vou sair do caminho. — Para Eva, ele emenda: — Vamos lá para fora?

Ela assente silenciosamente e o segue. Não é um jardim grande, mas a maioria dos convidados está reunida no terraço: alguém aumentou o volume da música e as pessoas estão dançando; Penélope e Gerald estão girando e rodopiando entre eles. Mas não é difícil encontrar um canto mais tranquilo e escuro ao lado de dois loureiros em vasos brancos. Eles quase conseguem imaginar que estão sozinhos ali, e ela se lembra da última vez que estiveram a sós, no Algonquin, naquela maldita festa. "Nada está dando certo", disse ele na ocasião, e ela sabia exatamente a que se referia, mas não conseguiu encontrar as palavras para concordar.

— Eu não queria ter vindo.

Eva olha para Jim diretamente pela primeira vez. A pele, pálida como sempre, salpicada com as sardas; as linhas suaves de expressão que começam a se formar na testa. Sua expressão não parece muito amistosa, e ela ouve a própria voz endurecendo.

— Por que você veio, então?

— Toby me trouxe. Disse que iríamos a uma festa de aniversário. Não disse que era de Anton. Quando eu soube, já estávamos a caminho.

Mas você podia ter dado meia-volta e ido embora, pensa ela. Em voz alta, diz:

— Você não chegou a conhecer Anton, não é?

— Não.

Eles ficam em silêncio por um tempo que parece muito longo. Eva consegue ouvir o sangue pulsar em seu corpo.

— Sinto muito por não ter ido até lá.

Jim toma o seu vinho tinto, com a expressão inescrutável.

— Como você sabe se eu fui?

Ela engole em seco. Quando visualizava o seu encontro — e não faz sentido dizer que nunca visualizou aquela situação —, nunca chegou a imaginar tanta frieza. Sabia que Jim estaria irritado, é claro, mas, em sua mente, ela via a raiva se transformar rapidamente em perdão, ou até mesmo em alegria.

— Eu não tinha certeza se devia ir.

Mais gentilmente, ele diz:

— É claro que fui, Eva. Esperei por você. Esperei lá fora, diante da biblioteca, durante horas.

Ela o encara por um momento muito longo, até não poder mais.

— Eu fiquei com medo, de repente... desculpe, Jim. Sei que foi horrível o que fiz.

Pelo canto do olho, ela percebe que ele faz um sinal afirmativo com a cabeça. E pensa: *Talvez não seja pior do que aquela primeira coisa horrível — mas fiz aquilo pelos motivos certos, Jim. Eu realmente acreditei que estava libertando você*. Ela considera a hipótese de falar isso de fato, mas tem certeza de que já é tarde demais, que qualquer coisa que diga será muito pouco. Então, pisca os olhos com força, toma um gole do ponche para se distrair da batida incessante do coração. Nunca imaginou que o veria desse jeito — não apenas os maneirismos dele, mas também aquela aparência. Na sua mente, ele sempre surge como estava em Nova York

— um visual casualmente boêmio, com jeans e uma camisa folgada, os cabelos embaraçados e um tanto despenteados — ou em Cambridge, sob várias camadas de camisas e blusas para afastar o frio de Fenland. Em algumas manhãs, quando acordava antes dele na cama estreita do alojamento em Clare, a pele de Jim parecia muito pálida e fria, quase azulada; e ela amava, também, o traçado azulado das veias em seus braços, que se estendiam do cotovelo ao punho.

— Li a respeito da sua exposição — comenta ela agora, com certo esforço. — Fico muito feliz por ter conseguido se estabelecer por conta própria.

— Obrigado. — Jim coloca o copo de vinho no chão. Do bolso, tira um papelote para cigarros, um pacote de tabaco e uma pequena porção de maconha. — Até que foi fácil. Mais fácil do que pensei que seria, de qualquer maneira.

Eva respira com um pouco mais de tranquilidade, percebendo que o gelo começa a se derreter.

— Você conheceu uma pessoa...

Ele deixa aquela frase no ar; ela observa o movimento ágil dos dedos de Jim conforme ele prepara o baseado.

— Conheci, sim. — Segurando o papelote aberto com uma mão enquanto fecha o pacote de tabaco e o guarda novamente no bolso. — Ela se chama Helena. Temos uma filha, Sophie.

— Sophie. — Eva pensa por um momento. — O mesmo nome da sua avó.

Ele olha para ela enquanto enrola o cigarro, apertando as pontas com os polegares experientes.

— Isso mesmo. Minha mãe ficou muito feliz.

Vivian. Eva a conheceu e as duas conversaram uma vez, em Cambridge. Tinha vindo de Bristol para passar o dia, e Jim levou todos para almoçar no University Arms. Vivian estava saltitante, eufórica, vestida em cores que não combinavam: terninho azul, cachecol rosa, flores artificiais presas na aba do chapéu. Depois do café, enquanto Jim foi ao banheiro, ela olhou para Eva e disse:

— Gosto *muito* de você, querida, é linda e muito inteligente também, posso perceber. Mas estou com uma forte impressão de que você vai partir o coração do meu filho.

Eva nunca chegou a comentar isso com Jim, temendo que seria considerado uma pequena traição. Mas ela se lembra disso agora, e a previsão da mãe dele a atinge com uma força inacreditável.

— E como está Vivian?

— Até que não está tão mal. — Ele acendeu o baseado e já deu duas boas tragadas. Estende o cigarro e Eva o pega, embora não costume lhe fazer bem. E o que Emma vai pensar se ela voltar para casa chapada? Mesmo assim, só um pouco não pode lhe fazer mal.

Ela dá uma tragada e Jim continua:

— Deram um remédio novo a ela. Parece que está ajudando. Ela conheceu uma pessoa também, e eles se casaram. É um cara legal. Um gerente de banco aposentado. Estável.

— Isso é muito bom. Fico feliz. — Por baixo do aroma da erva, aquele cigarro traz uma doçura bastante agradável. Eva dá mais uma tragada e o devolve a Jim.

— Não quer mais? — Ela faz que não com a cabeça, ele dá de ombros e continua fumando. — E você, o que me diz? Ouvi dizer que teve outro filho. Um menino, não é?

— Sim, Sam. Vai fazer quatro anos no mês que vem.

Sam — seu belo garoto, sua surpresa. Aconteceu logo depois do fim de semana de aniversário da sua mãe em Suffolk. Ela decidiu conversar com David quando ele voltasse da Espanha — e lhe dizer que iria embora. No entanto, na noite em que ele voltou, estava com um humor ótimo, expansivo; levou-a para jantar no Arts Club, pediu champanhe, contou-lhe histórias fantásticas sobre Oliver Reed. Naquela noite, Eva viu o seu marido como ele era na época em que se conheceram: seu brilho reluzente; o jeito como quase todas as mulheres do lugar se viraram para observar sua chegada; o quanto ela o machucou, há tantos anos, quando o deixou para ficar com Jim; e como ele agiu de maneira resoluta mais tarde. Lá, sob os grandes candelabros de cristal do clube, Eva podia se lembrar dos olhos de David brilhando quando ele concordou enfaticamente que a única opção aceitável era que os dois se casassem. *Deixe-me cuidar de vocês dois*, disse David na ocasião. E ele estava sendo sincero, à sua maneira; talvez ainda fosse. Na mesma noite, depois de voltarem para casa a passos trôpegos do Arts Club na madrugada, fizeram amor pela primeira vez em meses. Sam foi o resultado.

Eva soube, então, que não pediria o divórcio. Não queria que seu filho crescesse apenas com uma vaga noção do que era um pai e também não queria ter de explicar toda a história sórdida a Rebecca, que ainda idolatra David. E o próprio David parecia estar satisfeito com a situação; para ele, ser casado era bom, pois mantinha as multidões de admiradoras a distância (ou dava cobertura para uma admiradora em particular). Contudo, desde que ele comprou a casa em Los Angeles no ano passado — já havia assinado vários contratos para estrelar filmes e estava cansado de morar em hotéis —, David era um pai mais na teoria do que na prática. Supostamente, viajaria para Londres sempre que fosse possível, mas, nos últimos nove meses, passou apenas dois fins de semana na Inglaterra.

Eva poderia ter se mudado para a América com ele, é claro, mas a ideia nunca foi discutida, e ela não insistiu no assunto. Durante a lua de mel, ela detestou Los Angeles: os shopping centers, as grandes rodovias sem identidade, a sensação exaustiva de que as pessoas sempre agiam com segundas intenções, tentavam obter vantagens a qualquer custo e sempre queriam levar a melhor. E David, é claro, tinha um motivo em específico para ficar sozinho na casa de Los Angeles: Juliet Franks. Eva sabe há um bom tempo que eles são amantes.

— Um belo pacote — diz Jim, e Eva ergue os olhos bruscamente, imaginando se ele está zombando dela. Não o culparia se estivesse. — E você? O que anda fazendo de bom hoje em dia?

— Ainda faço avaliações de livros para editoras. E, de vez em quando, algumas resenhas.

Ele deve saber, melhor do que ninguém, que isso não é o bastante.

— Não está escrevendo?

— Na verdade, eu não... é difícil, você sabe, com as crianças...

— Não fique dando desculpas. Se você tem que fazer alguma coisa, vá lá e faça. É simples.

Ela sente o rosto corar.

— É sempre mais simples para um homem.

— Ah, entendi. É assim, então?

Eles estão se encarando agressivamente agora. O sangue de Eva está fervendo outra vez, mas de raiva agora, muito mais quente, muito mais pura do que a mistura de culpa, medo e perda.

— Não me lembrava de que você era tão chauvinista.

O baseado está quase no fim. Jim dá uma última tragada, solta a bituca no chão, esmaga-a com a sola do sapato.

— E eu não me lembrava de que você era tão covarde.

Eva lhe dá as costas e se afasta, voltando rapidamente para o jardim, abrindo caminho entre as pessoas no terraço; passando por Penélope, que pergunta em voz baixa:

— Você está bem? O que ele disse?

Pen deve ter visto os dois juntos — deviam estar loucos se pensaram que podiam agir como se estivessem a sós no meio de uma festa. Mas Eva não se importa; está subindo as escadas rapidamente, pensando somente em pegar seu casaco no quarto de hóspedes, chamar um táxi e dar uma olhada nos filhos que estão dormindo antes de finalmente se deitar, puxar as cobertas sobre si e deixar tudo isso para trás.

Vou me desculpar com Anton, ela pensa enquanto revira a pilha de casacos e cardigãs, *embora provavelmente esteja tão bêbado agora que nem vai perceber que eu fui embora.* E, em seguida, ela sente uma mão em seu ombro, puxando-a para trás. Um braço ao redor da cintura, lábios mornos tocando os dela, e há cigarro, tabaco e vinho tinto, e aquele outro sabor familiar que pertence a ele, e apenas a ele.

Versão 2

Convite
Londres, julho de 1971

— Tem certeza de que não se importa?

Ted, sentado na sacada com um gim-tônica e o jornal da noite, ergue os olhos e sorri.

— É claro que não, querida. Pode ir. Divirta-se. Sarah e eu ficaremos bem.

Eva se aproxima e dá um beijo em sua bochecha morna. É pouco depois das seis horas e ainda está quente, embora o sol esteja baixando por trás das árvores e a sacada logo fique tomada pelas sombras.

— Tem tomates recheados na geladeira. Tudo o que precisa fazer é colocá-los no forno por alguns minutos e preparar uma salada.

— Eva... — Ele coloca as mãos em seu rosto. — Vai ficar tudo *bem*. Pode ir.

— Obrigada, nos vemos mais tarde.

Sarah está em seu quarto, lendo; é uma criança estudiosa e reservada, e Eva se preocupa um pouco com ela, esquecendo-se de que agia da mesma forma, preferindo o mundo dos livros ao mundo complicado e desordenado das outras crianças. Queria poder ter um jardim no qual ela pudesse brincar. Pensa consigo mesma: *Em Paris, será que podemos ter um jardim?*

— Vou sair, meu bem. Não demoro. Ted vai cuidar do seu jantar.

— Tudo bem — responde Sarah, tirando os olhos da página (ela já está quase terminando *Little Women*, completamente envolvida com as desventuras de Beth), e a encara com uma expressão que parece, em sua resignação silenciosa, terrivelmente adulta. — Divirta-se, mãe.

No corredor, Eva calça as sandálias, verifica a bolsa para ver se está com o convite que Jim Taylor lhe entregou na festa de Anton, logo antes de ir embora. Decide ir a pé; Cork Street não fica longe, e ela passou a maior parte do dia dentro do apartamento, revisando uma parte complicada do seu segundo livro. Sua personagem principal, Fiona, é uma atriz que encontra a fama e é forçada a se afastar cada vez mais do marido, um advogado — bastante dedicado, mas, ao mesmo tempo, monótono; uma reversão alegórica da sua própria situação com David. Mas Eva, para sua frustração, tem de lutar para fazer o marido sair da página. Sua editora, Daphne, escreveu na última resma de observações: *Por que ele aguentou o egoísmo de Fiona por tanto tempo?*

Eva está tendo dificuldades para responder à pergunta de Daphne, e hoje ela permitiu que todas as distrações atraíssem sua atenção: um maço de cartas, deixadas pelo carteiro logo após o almoço; um telefonema de Daphne, perguntando sobre o seu progresso. Assim, não conseguiu concluir muita coisa, e o dia lhe trouxe uma sensação de inquietação, multiplicada agora por sua desconfiança de que não deveria deixar Ted em casa cuidando da sua filha enquanto ela sai sozinha para se encontrar com outro homem — por mais inocente que esse encontro possa ser. Na rua, olha para a sacada, esperando atrair o olhar de Ted. Mas ele está entretido com o jornal e não a vê.

Já faz quase um ano que Eva jantou pela primeira vez com Ted. Ele vinha repetindo o convite há semanas, deixando bilhetinhos no escaninho ou num livro que estava na mesa dela; mandando buquês que inundavam de perfume o escritório que ela compartilhava com Bob Masters, o editor da página de literatura, e Frank Jarvis, editor da página feminina. Os buquês a faziam se lembrar — algo que não era de todo mal — das rosas que David costumava lhe trazer nas noites de sexta-feira. Frank implorou a Eva que desse um fim no tormento do homem, pelo menos para impedir que o escritório se transformasse em uma floricultura (lírios lhe causavam crises de espirro). Bob era mais circunspecto, mas parecia respeitar Ted; foram colegas de trabalho durante mais de vinte anos. Não havia melhor repórter do que ele em Fleet Street, como se isso fosse razão suficiente para que ela aceitasse os convites de Ted.

Eva, entretanto, não tinha muita certeza se gostava daquilo. O divórcio levou mais de um ano para ser concluído; o trâmite todo mostrou ser mais difícil e irritante do que ela havia imaginado, e ela não tinha a menor intenção de entrar de cabeça em outro relacionamento. Além disso, nem mesmo sabia se gostava de Ted Simpson — parecia ser uma pessoa sem senso de humor, até um pouco arrogante. Era um homem que até mesmo o editor parava para ouvir, cujas opiniões, declaradas com a retórica persuasiva de um político, tinham importância. Além disso, Eva não sabia exatamente qual era a idade dele; suspeitava que fosse pelo menos quinze anos mais velho.

E, é claro, havia Sarah. Eva ainda se perguntava se a filha havia realmente compreendido a realidade do divórcio e receava confundi-la ainda mais. Ela ainda acordava durante a noite chamando por David; Eva ia até o quarto dela, acariciava seus cabelos até vê-la adormecer novamente — às vezes, lia para ela como não fazia desde que Sarah era uma garotinha. Como a filha reagiria à presença de um novo homem na casa, perturbando a frágil domesticidade que Eva se esforçou tanto para proteger?

E, mesmo assim, conforme as semanas passaram, ela percebeu que estava começando a reconsiderar sua primeira opinião a respeito de Ted; já até gostava de receber suas flores, seus bilhetes. Começou a perceber que ele era bonito; a procurar por ele nos corredores e a retribuir seus cumprimentos, seus sorrisos. Certo dia, descobriu um cartão particularmente divertido entre as páginas do exemplar para análise que ela recebeu de *Lives of Girls and Women*, de Alice Munro: *Uma leitura incrivelmente decepcionante*, escreveu Ted, *visto que nenhuma destas vidas é a de Eva Edelstein; e a dela é a única vida de uma mulher que este leitor está interessado em descobrir.* Pegou-se rindo e, em seguida, escreveu um bilhete curto e cuidadoso como resposta: *Lamento saber que você não gostou do livro, mas sua resenha me fez sorrir. Andei pensando que um jantar pode ser algo muito bom, afinal de contas.*

Durante vários dias, ela não recebeu nenhuma resposta. Procurou Ted no prédio do *Courier*, mas não o viu, e o tamanho da sua decepção a surpreendeu. Até que, certa manhã, ali estava ele, na porta do escritório (tanto Frank quanto Bob tinham saído). Havia reservado um restaurante para sexta à noite, se a data se encaixasse nos planos dela. Encaixava-se, disse Eva. Quando Ted se foi — partindo com a mesma velocidade com a qual chegou —, ela telefonou à mãe para saber se Sarah poderia passar a noite de sexta com eles. Miriam não fez nenhuma pergunta, mas deve ter suspeitado de alguma coisa — especialmente porque Eva pediu o mesmo favor de novo, várias vezes, durante as semanas seguintes. Tudo o que ela disse, certo dia, depois de alguns meses que o romance havia começado, foi:

— Você parece estar feliz, *Schatzi*. Esse homem está fazendo bem a você.

Era verdade, ela admitiu; sentia-se mais feliz do que nos últimos anos. Suas reservas em relação a Ted eram totalmente infundadas: ele levava o trabalho a sério e conhecia a fundo os assuntos globais, mas também era divertido, carinhoso e brincalhão. A única coisa que ela tinha dificuldades para entender era o motivo pelo qual ele nunca havia se casado.

— Quase cheguei a fazer isso algumas vezes — disse ele certa noite em seu apartamento em St. John's Wood: um lugar amplo, com o pé-direito alto, cheio de *souvenirs* das suas viagens (ele havia morado em Berlim Ocidental, Jerusalém e Beirute), mas também parecia vazio, e, de certa forma, carente de amor. — Mas viajar por todo o mundo não ajuda a fazer com que um relacionamento funcione.

Ela olhou para ele — estavam na cama de Ted, bebendo vinho tinto — e perguntou:

— Mas você está morando em Londres agora, não é? Em definitivo?

Ted se aproximou e a beijou.

— Estou, Eva. Estou, sim.

Ele falou rápido demais, pensa Eva agora, a caminho da galeria, enquanto vira a esquina para entrar em Marylebone High Street. Na semana passada, pediram a Ted que fosse a Paris. O correspondente titular do *Courier*, um francófilo idoso com um pendor notório por bons vinhos da região de Borgonha, vai se aposentar e viver em seu *chateau* em Dordonha.

— É uma oportunidade excelente, Evie — disse Ted quando conversaram; sua empolgação era palpável, embora logo houvesse emendado: — Mas não tenho certeza de que quero aceitar o emprego se você não vier comigo. Vocês duas.

Levou alguns momentos até que a insinuação assentasse.

— Está dizendo que quer que moremos juntos? Em Paris?

Ted segurou na mão dela.

— Ah, sua boba, não quero apenas morar com você. Quero me *casar* com você. E ser um bom padrasto para Sarah.

O primeiro instinto de Eva foi dizer sim — que estava se apaixonando por ele; que aquela seria uma aventura maravilhosa —, mas se conteve; a decisão, afinal de contas, não cabia unicamente a ela. Havia Sarah, é claro, e seus pais também; seus amigos; e todas as raízes emaranhadas da vida delas em Londres. E David, embora ele provavelmente não fosse se opor, poderia viajar já que ele ia a Paris com a mesma pouca frequência que ia a Londres.

E, assim, ela beijou Ted:

— Obrigada, de verdade. É uma oferta maravilhosa. Mas preciso pensar a respeito disso, querido. Preciso conversar com Sarah antes.

— É claro. Não quero que se sinta pressionada.

Na noite seguinte, após a escola, Eva levou Sarah ao cinema para assistir ao filme *A fantástica fábrica de chocolate,* no Curzon Mayfair, e depois foram comer hambúrguer.

— O que acha de Ted, Sarah? — perguntou Eva, no tom mais casual que conseguiu.

Sarah chupou com força o canudo do seu milk-shake. Em seguida, respondeu:

— Gosto dele. É engraçado. E também gosto do fato de que você é feliz com ele, mãe. Você sorri mais quando ele está por perto.

Do outro lado da mesa, Eva percebeu que estava com dificuldades para conter as lágrimas.

— Como você aprendeu a ser tão adulta?

— Observando você, eu acho. — Sarah pegou o hambúrguer, deu uma olhada nele e depois o mordeu. Enquanto ainda mastigava, perguntou: — Por que você quer saber, mãe?

— Bem... — Eva colocou o hambúrguer na mesa. — Ted e eu estamos conversando sobre nos casarmos. — Do outro lado da mesa, Sarah baixou os olhos e encarou o prato. — O que você acha disso, querida?

Sarah não disse nada. Continuou encarando o hambúrguer, que estava pela metade. Eva observou a filha — os cabelos escuros e sedosos, a curva suave da bochecha — e estendeu o braço, cobrindo a mão de Sarah com a sua.

— Querida — recomeçou Eva, com a voz mais baixa —, se nos casarmos, Ted vai querer que nos mudemos com ele para Paris.

— Paris? — Sarah ergueu os olhos e observou a mãe naquele momento. Sua antiga *au pair*, Aurélie, uma garota provinciana que admirava muito Paris, sempre falou sobre a cidade, e Sarah, durante algum tempo, desenvolveu uma obsessão por aquele lugar, perguntando várias e várias vezes por que não podia morar em Paris como Madeline do seu livro favorito. — Vou ter que aprender a falar francês?

Eva escolheu as palavras com cuidado.

— Não seria muito complicado. Podemos procurar uma escola onde falam inglês. Mas acho que talvez você queira aprender francês, não é mesmo?

Sarah pareceu considerar a proposta.

— Talvez. Assim eu poderia escrever para Aurélie em francês. — A garota ficou em silêncio por alguns momentos, terminando de comer o hambúrguer, e, em seguida, se concentrou novamente no milk-shake.

Eva deixou o silêncio se estender. *É demais para ela*, pensou Eva. *Vou dizer a Ted que ainda é muito cedo.* Mas, assim que ia falar, Sarah olhou para ela, o olhar firme e direto, e disse:

— Tudo bem, mãe. Acho que seria legal, desde que o meu pai ainda possa vir nos visitar.

— É claro que pode — Eva assentiu e, soltando a mão da filha, estendeu o braço para acariciar seu rosto.

E assim, quando Ted veio buscá-la antes da festa de Anton, Eva o recebeu com um longo beijo. *Hoje*, pensou ela, *vou dar a resposta a ele*. Mas veio a festa, veio Jim Taylor, e tudo acabou se desarranjando. Ao conversar com Jim, sentiu a mesma coisa que havia sentido em Nova York: a intensidade da conexão entre eles, algo que parecia estar além da razão, enraizada em algum instinto sem palavras. Não fazia sentido. Ela mal conhecia Jim Taylor e, ainda assim, sentia-se inexplicavelmente atraída por ele. Quando ele lhe deu o convite para a sua exposição, ela sentiu um lampejo de animação tão puro, tão físico, que seu rosto enrubesceu.

Mais tarde, após voltarem para o apartamento, Ted perguntou-lhe, casualmente, com quem ela havia se divertido tanto enquanto conversava na festa.

— Oh, apenas um velho amigo — disse ela, com o mesmo tom de voz casual. Ted pareceu não pensar nada de mais sobre aquilo, e Eva teve o cuidado de não lhe dar motivos para tal. E ainda assim, quando ela vira na esquina de Cork Street, onde as pessoas já estão se reunindo diante da galeria — uma mulher ruiva com uma calça larga branca, joias douradas reluzindo no pescoço; o homem ao lado dela sem paletó, arregaçando as mangas da camisa —, subitamente sente medo. Queria que Ted não houvesse insistido que ela fosse até lá sozinha, que não houvesse sugerido, com sua generosidade inocente e tranquila, que lhe daria tempo para conversar à vontade com o seu "velho amigo". Que diabos estava fazendo ali? Devia dar meia-volta e sair correndo, voltar para a sua filha, para o homem com quem está planejando se casar.

Mas não dá meia-volta; ela entra na galeria. Vê Jim quase imediatamente, cercado por uma multidão de convidados. Seu medo se transforma em timidez; aceita a taça oferecida por um garçom e concentra sua atenção nas pinturas. Fica diante do retrato de uma mulher com um rosto largo, simétrico, na frente de uma janela aberta; atrás dela, a sugestão de um penhasco, um mar verde-azulado; ao seu lado, flores do campo amarelas em um vaso. A companheira de Jim: Eva se lembra de vê-la na fotografia que Jim tirou da carteira. Não se lembra se ele chegou a mencionar o nome dela.

— Eva! — exclama ele ao vê-la. — Que bom que veio.

— Obrigada. — Ela se aproxima para beijá-lo nas faces, e ali está, novamente, aquele enrubescer detestável. — Parabéns. É uma grande conquista.

— Obrigado. — Ele a observa por um momento e depois olha para o quadro. — Helena, com as rubiáceas. São flores silvestres que nascem nos penhascos da Cornualha, em maços enormes. A cor é maravilhosa.

Eva faz um gesto afirmativo com a cabeça, fingindo interesse. Sente intensamente a presença física de Jim, da gola larga da sua camisa que se abre em vários centímetros de pele pálida e salpicada de sardas. Uma imagem invade a mente de Eva, sem qualquer pudor: seus dedos contornando o pescoço dele. Ela estremece e desvia o olhar.

— Não se incomode comigo. Você deve ter várias pessoas com quem precisa conversar.

— Venha conhecer algumas delas comigo. — Antes que Eva possa responder, Jim a segura pelo pulso e a leva em direção a rostos que não lhe são familiares: rostos para os quais ela vai sorrir, oferecer um olá, e depois cair nos limites confortáveis de conversas educadas.

Por volta das nove da noite, a galeria está quase vazia; os garçons estão recolhendo as taças de vinho, empilhando as travessas vazias de *vol-au-vents,* e Eva, inexplicavelmente, ainda está ao lado de Jim. Ele a observa. Diz que vão sair para uma ceia em um restaurante na esquina, ele e o seu galerista, Stephen Hargreaves, a esposa de Stephen, Prue, e alguns outros. Será que Eva gostaria de vir?

Ela hesita, pensando em Ted, em Sarah. Não chegou a dizer que horas voltaria para casa, mas Sarah vai ficar irritada se ela não chegar para lhe dar boa-noite. E, mais importante, sua filha demonstrou enorme progresso ao aceitar Ted e a mudança para Paris — o que aconteceria se ela voltasse atrás e desfizesse esses planos? E o que aconteceria com Ted, com o homem que a própria Eva, tão cuidadosamente, tão gradualmente, permitiu que a conhecesse, que a amasse?

Não existe uma escolha a ser feita, ela pensa.

— Obrigada, mas preciso voltar. Foi uma noite muito agradável, Jim. Cuide-se, está bem?

Em seguida, Eva toca levemente cada uma das faces de Jim com os lábios e sai rapidamente da galeria, procurando o táxi que vai levá-la de volta para casa.

Versão 3
✿✿✿

Convite
Londres, julho de 1971

— Venha jantar — diz Jim.

Eles estão em um canto tranquilo da galeria; o público está começando a ir embora. (Ele não consegue acreditar que tanta gente foi até ali; a noite até adquiriu um tom surreal, envolta por uma névoa como os sonhos dos quais só se lembra de algumas partes.) Discretamente, os garçons começam a recolher os copos sujos e a empilhar as travessas vazias.

Os nomes das pessoas com quem Jim conversou estão circulando na sua mente em alta velocidade — artistas, galeristas, colecionadores. Stephen já colou etiquetas vermelhas ao lado de vários dos maiores quadros. Jim absorveu os elogios, o interesse, as lembranças, em alguns casos do seu pai. Um senhor idoso — um pintor, com o nariz estreito e longo como um bico e uma cabeleira branca e espessa — disse que havia dado aulas a Lewis Taylor no Royal College. Apertou a mão de Jim por um tempo maior do que o que se considera cortês.

— Eu me lembro de você, meu garoto, quando mal passava da altura do joelho do seu pai. Lewis podia ser um merda, e você não precisa que eu lhe diga isso, mas ele era um verdadeiro artista. O que aconteceu foi realmente uma tragédia.

A tia Frances chegou assim que as portas se abriram e ficou ali por cerca de uma hora, com os três primos de Jim; Toby veio direto da estação de TV, ainda com o terno, afrouxando a gravata. Jim beijou a tia, agradeceu aos primos por comparecerem e concordou com o fato de ser uma pena que sua mãe e Sinclair não tenham podido viajar até ali. Mas, enquanto fazia isso, tudo que via era *ela*: uma pessoa pequena em um vestido azul, andando sozinha por entre a multidão, os braços nus adornados apenas por uma fileira de braceletes de prata, e os longos cabelos negros soltos sobre os ombros.

— Não posso — diz Eva em voz baixa. — As pessoas vão começar a imaginar por que eu fui lá.

— Eles sabem que você é uma amiga dos tempos da faculdade e que eu a convidei para ver o seu retrato. Não vão desconfiar de nada.

Ela olha para Stephen, que está orientando um garçom com uma pilha de bandejas que ameaça cair.

— Não sei se é certo.

— Por favor! — Jim pousa a mão no braço de Eva, levemente, mas o toque é o suficiente para que ela olhe em volta.

— Tudo bem. Mas não posso ficar até muito tarde. Minha mãe está com as crianças.

Stephen reservou uma mesa em um elegante restaurante francês em Shepherd's Market. Seis pessoas vão até lá: Stephen e a esposa, Prue; Jim e Eva; Max Feinstein, um colecionador americano, que veio de San Francisco para passar alguns dias na cidade com a namorada japonesa, Hiroko. Apesar de seus protestos, Jim está um pouco nervoso quando se sentam. Ele vê que os olhos de Stephen apontam para ele e depois para Eva. Em seguida, tornam a se concentrar nele, e Jim sabe que o galerista não se deu por convencido; mas espera poder confiar nele. Com certeza, não é nada que Stephen já não tenha visto antes. E, no decorrer do jantar, Feinstein é uma presença tão dominante que o surgimento de Eva, inicialmente, mal é notado. Ele é um homem imenso e imponente, com uma voz grave e monótona que faz os copos vibrarem. Ao seu lado, Hiroko se parece com um ratinho, silenciosa, com um sorriso que, estranhamente, não demonstra nenhum humor.

— Stephen estava me dizendo que você mora numa espécie de comuna, Jim — diz Feinstein enquanto os aperitivos são servidos. Seus olhos brilham como botões na almofada carnuda que é o seu rosto. — Amor livre, hein?

Jim coloca o garfo ao lado do prato. Não olha para Eva.

— Não, não é bem assim. Não é uma comuna, e sim uma colônia de artistas. Um lugar onde artistas podem viver e trabalhar juntos, compartilhando ideias e maneiras de trabalhar.

Feinstein não desiste do assunto.

— Aposto que não é só isso que vocês compartilham por lá, hein? — Ele espeta um cogumelo salteado no alho e o ergue até os lábios. Jim observa o molho amanteigado escorrer pelo queixo do homem. — Sei o que hippies como vocês aprontam. Já vimos tudo isso perto de casa, não é mesmo, Hiroko?

Hiroko não diz nada, apenas continua a sorrir. Do outro lado da mesa, Prue, uma diplomata nata, intervém.

— Você já ouviu falar da colônia de St. Ives, não é mesmo, Max? Hepworth et al.? Bem, a Casa Trelawney fica bem próxima, e não é tão diferente.

— Hepworth — diz Feinstein, como se estivesse tentando se lembrar do rosto de algum antigo colega da sua fraternidade. — Sim. — Ele começa a contar uma longa história sobre a ocasião em que viu um Hepworth em um leilão, e a obra lhe foi cruelmente roubada por um comprador panamenho que dava os lances por telefone. Jim deixa que a cadência rústica da voz de Feinstein o domine, mal assimilando as palavras. De vez em quando, permite-se olhar para Eva, que está com a cabeça educadamente inclinada na direção de Feinstein, os dedos segurando firmemente a haste da taça.

Jim percebeu que o retrato a deixou chocada: quando o viu, ela ficou imóvel, olhando fixamente para a obra. Devia tê-la avisado. Pensou em dizer alguma coisa na festa, quando se levantaram da cama (foi um milagre o fato de não terem sido surpreendidos por ninguém) e ele lhe entregou o convite. Mas não disse nada. Talvez ele *quisesse* chocá-la; fazer com que ela visse, naquele enorme retrato — *Mulher lendo* era de longe a maior obra naquela sala —, o que ela significou para ele no passado, e o que ainda significa. Assim que pôde, ele se afastou do grupo e se aproximou dela diante do quadro.

— Lembra-se de quando eu desenhei você assim, certa vez? — perguntou ele.

Eva ficou em silêncio por um momento.

— Lembro. É claro que lembro.

Agora, no restaurante, Max Feinstein está olhando para ela e um sorriso de reconhecimento se forma lentamente em seu rosto.

— Ei, você não é casada com aquele ator? David Curtis? Da última vez que li algo sobre ele, David estava morando em Los Angeles. O que ele tem na cabeça, deixando uma garota como você sozinha por aqui?

Um silêncio toma conta de todos, e até Prue parece ficar perdida. Mas Eva responde no mesmo tom:

— Oh, eu não estou realmente *sozinha*, sr. Feinstein. Nossos filhos estão aqui, e David volta para casa sempre que pode. Mas é muita gentileza sua se preocupar comigo. Muito obrigada.

Feinstein, que não compreende ironias muito bem, abre um sorriso amarelo, e Prue rapidamente muda o assunto; mesmo assim, Jim consegue sentir a inquietação de Eva e começa a se arrepender de ter pedido a ela que viesse. E há a sua própria consciência também: conseguiu sentir que ela o incomodava quando ligou para a Casa Trelawney (eles finalmente mandaram instalar um telefone) e escutou Helena falando sobre o seu dia, sobre a enorme bagunça que Sophie fez com o jantar, e como todos riram ao vê-la, lambuzada de comida e com um sorriso enorme no rosto.

— Volte logo para casa, Jim — disse ela. Pensando em Sophia agora, seu corpo pequeno e bastante ativo; o rosto claro e descomplicado da mãe, Jim sente um leve temor do que pode acontecer se Stephen mencionar que Eva compareceu à exposição e depois ao jantar. E, ainda assim, tudo isso não é o bastante para minar a sua gratidão pelo fato de que Eva está aqui, ou demovê-lo do rumo que decidiu tomar.

Após a sobremesa, Stephen pergunta se alguém gostaria de um digestivo, e Eva se levanta da cadeira, desculpando-se educadamente.

— Muito obrigada pela noite maravilhosa, mas eu realmente preciso voltar para casa.

Jim a acompanha até a rua. Eles caminham silenciosamente até White Horse Street. Chegando lá, ele para e a toma nos braços.

— Desculpe se foi difícil para você. Eu não podia deixar você ir embora.

Ela está pressionando o rosto contra o peito dele; a voz fica abafada quando ela diz:

— Eu sei. Também não queria ir embora. Mas é tão difícil, não? Fingir.

Ele ergue o rosto de Eva com a mão. Amou-a assim que a viu com a bicicleta, há tantos anos, em Cambridge. E ainda a ama.

— Fuja comigo. — Ele se curva para beijá-la. — Vou encontrar um chalé em algum lugar. Você pode deixar as crianças com os seus pais.

Eva vira o rosto, olhando na direção de Piccadilly, para o fluxo infindável de táxis, as formas imensas dos ônibus que cospem fumaça, e, mais adiante, a enorme área de Green Park, os contornos recortados das árvores se agitando na escuridão.

— Não sei, Jim. Realmente não sei.

Ele não diz nada, embora sinta o medo atravessá-lo: o medo de perdê-la pela segunda vez. Essa perda seria muito pior agora, ele sabe, já que a encontrou novamente. Não consegue imaginar como será capaz de suportar isso, mas teria de fazê-lo, é claro. As pessoas suportam a solidão todos os dias. Acham que é impossível conseguir, que não vão sobreviver, mas, de algum modo, um segundo é seguido por outro, torna-se uma hora, um dia, uma semana, e elas ainda vivem. Ainda estão sozinhas, mesmo no meio de uma multidão de pessoas. Mesmo com um companheiro ou com um filho.

Mas ele não está sozinho agora. Eva está olhando para ele de novo.

— *Sim,* tudo bem. Vou dar um jeito. Ligue para mim quando encontrar o que precisa. E diga onde devo estar.

Ele a beija outra vez.

— Vou ligar — diz ele. — Assim que puder. Você sabe que eu vou ligar.

Ela se vira para ir embora, e Jim a observa virar a esquina e desaparecer. Em seguida, ele volta ao restaurante, onde Stephen pediu uma garrafa de vinho de sobremesa e Feinstein está falando a todos sobre a sua casa de praia em Miami.

— Você *tem* de ver as mulheres de lá, cara. Não se parecem com nada que exista no mundo. — E, se Stephen olha para Jim com ar de curiosidade e Prue evita olhá-lo nos olhos, Jim não se importa, está pensando somente em quando vai ver Eva outra vez. Pois todos os anos que passou sem ela estão esmaecendo agora, perdendo a forma e a cor — como se ele estivesse andando como um sonâmbulo por todos eles e só tenha se lembrado agora de como é estar totalmente desperto.

Versão 1

À espera
Bristol, setembro de 1972

Eva acorda cedo no sábado de manhã.

Não dormiu bem, e, aparentemente, o bebê também não; ela sentiu os chutes, passou horas acordada, deitada com as mãos na barriga conforme a manhã se aproximava e a luz cinzenta começava a passar pela persiana. Quando as horas no despertador do criado-mudo se aproximam das sete, ela se levanta da cama sem qualquer elegância. Está grande demais, neste ponto, para fazer qualquer coisa com elegância. Jim nem se mexe. Na parte de trás da porta, ela encontra o roupão acolchoado de náilon deixado ali por Sinclair e o veste por cima da camisola. No quarto ao lado — o *home office* de Sinclair: totalmente organizado, com seus arquivos em ordem nas prateleiras que ele mesmo construiu —, Jennifer ainda está dormindo, deitada de costas sobre a cama desmontável, o rosto agitado por sonhos inescrutáveis.

No andar de baixo, na cozinha, Eva enche a chaleira, encontra o pote de café solúvel e coloca colheradas de grânulos escuros em uma caneca. Como o restante da casa, aquele cômodo tem o cheiro sutil e estéril de água sanitária e está equipado para praticamente todo tipo de ocorrência. Ficou surpresa, na primeira vez que visitou Vivian e Sinclair ali, ao encontrar esta casa em forma de caixa — recém-construída, um dos sete imóveis idênticos organizados ao redor de um balão no final de uma rua, e a escavação dos campos que havia mais adiante estava obscurecida apenas por uma fileira de mudas pequenas e malnutridas. Foi como se Vivian houvesse deliberadamente escolhido o mais convencional de todos os cenários, decidido se livrar completamente de todos os anos que passou morando naquele lindo chalé em Sussex, com seu piso de pedras, as roseiras e o estúdio no sótão, e depois também os anos que passou no apartamento escuro em Clifton, com os cantos cheios de bolor e teias de aranha e a nobreza georgiana que envelhecia a olhos vistos. Na realidade, porém, quem escolheu esta casa foi Sinclair.

— Gostamos do fato de que o lugar é novo — disse ele. — Dá a sensação de que estamos recomeçando.

Eva compreendeu o que Sinclair queria dizer — ele já havia sido casado também. Como a casa escolhida, ele era um homem de gostos convencionais e despojados: um ex-gerente de banco. Vivian tinha ido ao banco para falar de sua conta e Sinclair sugeriu, com uma ousadia pouco habitual, que o fizessem durante um almoço. Seus cabelos grisalhos são curtos, como o pelo de um coelho; suas feições pálidas e insípidas parecem nunca manter o formato original.

Depois da primeira vez que conversou com Jim, Sinclair lhe telefonou para declarar a seriedade das suas intenções em relação à mãe do rapaz. Explicou que havia pesquisado extensivamente a doença de que ela sofria e tinha planos de pressionar o médico para lhe prescrever um novo medicamento que havia acabado de passar com sucesso pelos primeiros testes.

— Tenho certeza de que você concorda que isso será muito melhor para ela, no longo prazo, do que a terapia de eletrochoques — disse Sinclair com o tom calculado e razoável que antigamente usava para discutir saques acima do limite das contas-correntes.

Eva percebeu que Jim não sabia exatamente o que pensar sobre Sinclair — ela suspeitava que ele sentia certo ressentimento filial pelo fato de que esse homem, esse estranho, tivesse entrado na vida de sua mãe e tomado conta de tudo. Mas sabia também que ele se sentia aliviado. Sinclair acabou se aposentando precocemente para poder cuidar melhor de Vivian, de modo que ela não precisaria mais depender exclusivamente de Jim e de suas tias. E, quando o médico de Vivian finalmente concordou em lhe prescrever o novo medicamento, a mudança nela foi quase imediata, milagrosa. Ninguém, especialmente Eva, foi capaz de se opor à estabilização daqueles altos e baixos, o ciclo impossível das suas flutuações de humor — embora Eva houvesse descoberto que nunca conseguia separar a nova docilidade da sogra da característica ordinária, limpa e bege desta casa.

Com a chaleira fervendo, Eva despeja a água na caneca, observa os grânulos do café se desfazendo e girando. Eles chegaram mais tarde do que pretendiam na noite passada, ela queria terminar o último lote de revisões do rascunho do seu livro e estar com tudo pronto para enviar de volta à sua editora na segunda-feira. Vivian, ao abrir a porta, começou imediatamente um monólogo quebrado e incessante: enquanto ajudava Jennifer a tirar o casaco, e Sinclair e Jim traziam as bagagens do carro, Eva mal conseguiu acompanhar a linha de raciocínio do que Vivian falava. E Vivian não foi capaz de ficar sentada por mais do que alguns momentos à mesa do jantar, onde Sinclair preparou uma ceia que foi servida tarde da noite. Até mesmo Jennifer percebeu; sentada com dificuldade no colo de Eva, que estava pequeno devido à gravidez — já passava do seu horário de dormir, mas Eva estava cansada demais para lidar com teimosias —, a menina perguntou num sussurro alto quando Vivian deixou a sala:

— Por que a vovó está tão esquisita?

Eva e Jim não conseguiram encontrar uma oportunidade para conversar com Sinclair sobre essa nova mudança no comportamento de Vivian — ela ainda estava acordada depois que eles se recolheram ao andar de cima. Mesmo enquanto Eva caía em um sono agitado e superficial, visualizava o pobre Sinclair, exausto e tenso após uma gripe recente, tentando convencer Vivian a se deitar.

— Já está acordada? — pergunta Sinclair agora. Eva se vira; ainda está diante do balcão da pia, mexendo o café distraidamente. Ele sorri para ela, parado no batente da porta, já vestido. — Achei que iria dormir até mais tarde.

— Receio que não esteja dormindo muito no momento.

Os olhos de Sinclair se fixam na barriga de Eva.

— Ah, claro. Bobagem minha. Já está quase lá, não é mesmo?

— Sim. Mais um mês, se tudo correr bem.

— É claro que vai correr tudo bem. — Ele se aproxima dela e gentilmente tira a colher do café da mão de Eva. — Não quer se sentar, Eva, minha querida, e deixar que eu leve tudo isso para a mesa? Quer alguma coisa para comer?

Ela permite que ele a mime e a acomode em uma das cadeiras da cozinha, oferecendo-lhe suco de laranja, ovos e torradas. Há uma personagem no livro que ela está escrevendo — ambientado na redação de um jornal que tem bem mais do que uma leve semelhança com o *Daily Courier*;

ela acabou de decidir o título da história: *Impresso* — que, em parte, foi inspirado por Sinclair. Trata-se de John, o editor da seção de cartas, um homem tranquilo e fácil de subestimar. Ele é uma das personagens favoritas de Jilly, sua editora, embora ela tenha sugerido a Eva que o reescrevesse um pouco, que lhe desse um pouco mais de fibra. Mas o assunto do livro realmente são mulheres: quatro delas, da secretária jovem e inteligente que sonha em ser repórter à crítica de teatro que fuma sem parar e traz consigo uma série de amantes mal-intencionados em seu passado.

— É maravilhoso, Eva — comentou Jim quando lhe mostrou a primeira versão. — Está tudo ali. É muito real.

E ela — estimulada pelos elogios do marido, nessa nova mudança que houve nele, aproximando-se novamente dela, encurtando a distância que Eva sentiu entre os dois — o beijou, sentindo-se mais feliz do que esteve em vários meses.

— Obrigada, querido — disse Eva. — Isso significa muito para mim.

Ele retribuiu o beijo e subitamente eles estavam novamente no velho e surrado pub em Grantchester Road, fazendo seus planos — todos os vestígios de David sumiam da mente de Eva quando Jim a beijava, e beijava, até que o dono do bar pediu a todos que fizessem o último pedido porque estava na hora de fechar.

— Fico imaginando com o que você fica mais empolgada, Eva — diz Sinclair agora, colocando um prato com torradas diante dela e sentando-se do outro lado da mesa com a sua própria caneca de café. — O bebê ou o livro?

— Oh, o livro, é claro. — Ela está passando manteiga na torrada; olha para ele, sorrindo, para ter certeza de que Sinclair saiba que ela está brincando. Ou quase, de qualquer maneira. O bebê, que será bem--vindo independentemente de ser menino ou menina, é uma surpresa e está sendo motivo de ansiedade para Jim, e a sua antiga monotonia — tão imensa, há pouco mais de um ano — parece ter se evaporado. Ele dedicou toda a energia para transformar o velho quarto no alto da casa em um novo quarto para o bebê e deixar que Jennifer ocupe seu próprio quarto. Não está mais fazendo qualquer menção de ir ao depósito — até mesmo Eva parou de chamar o lugar de "estúdio" —, mas parece não se importar; na verdade, diz que o fato de não se obrigar a passar tantas horas naquele lugar após a escola o deixa mais feliz. Eva, por sua vez — embora não tenha dito isso a ninguém além de Penélope —, teve um pouco de dificuldade com a gravidez; resistiu ao lento processo de entorpecimento do cérebro que frustrou o cronograma das revisões de *Impresso*. Todavia, pelo menos, ela espera que o livro esteja finalmente terminado. Pretende enviar a versão final na segunda-feira e, em seguida, concentrar totalmente a sua atenção na chegada desta criança.

Durante alguns minutos, a cozinha fica em silêncio. Eva come a torrada e Sinclair toma o café. No andar de cima, Eva imagina ter ouvido Jennifer se espreguiçar. Espera por um momento, forçando os ouvidos para escutar o choro da filha, mas nenhum outro som surge.

Em meio ao silêncio, Sinclair diz:

— Estou um pouco preocupado com Vivian. Você deve ter percebido como ela está... — Eva faz que sim com a cabeça, mas não diz nada; ele não é o tipo de pessoa dada a confidências inesperadas. — É essa maldita gripe, eu acho. É um fardo para ela também, você sabe.

— Sim. Imaginei que fosse.

— Estou pensando em conversar com o médico dela outra vez. Sem que Vivian saiba. Apenas para saber se ele pode nos dar alguma luz sobre esse assunto.

Sinclair está olhando para o tampo da mesa. Eva sente um desejo súbito de tocá-lo, e é o que faz, tomando-lhe a mão na sua. Ele ergue os olhos, surpreso.

— Tudo isso deve ser muito difícil para você.

Ele engole em seco, aperta a mão de Eva levemente, e em seguida a solta.

— Não é tão difícil assim, na realidade. É deste jeito que os casamentos funcionam, não é? Na saúde e na doença. Pelo menos, é assim que deveria ser.

O choro chega, então; um "mamãe" abafado que passa pelo carpete do segundo andar.

— Vou dar uma olhada nela — diz Eva.

Ela fica com as palavras de Sinclair na cabeça enquanto sobe as escadas. *Na saúde e na doença.* As coisas realmente não foram muito tranquilas nesses últimos anos; em alguns momentos, ela se forçou a considerar a hipótese de que tudo poderia estar acabado. Não que Eva duvidasse do amor entre os dois, mas começou a temer que simplesmente não fosse possível levá-lo adiante. E ainda assim seus medos acabaram sendo infundados. Aquela época tempestuosa e sem direção já ficou para trás, e agora ela é capaz de observá-la com alívio, navegando com segurança em águas mais calmas.

No escritório de Sinclair, ela descobre que Jennifer jogou as cobertas no chão e está em pé, com o rosto vermelho e úmido pelas lágrimas, atrás da porta. Ela tem quatro anos, mas está agindo como se fosse mais nova, e Eva suspeita que seu comportamento se deve à chegada iminente de uma irmãzinha ou um irmãozinho.

— Mamãe — chora Jennifer, e o seu jeito de falar choroso e desconsolado faz com que Eva subitamente se lembre de Vivian. — Você não veio.

— Estou aqui agora, querida. — Ela mantém a voz baixa e tranquila. — Eu estava lá embaixo.

Jennifer, ainda agitada, observa a mãe por entre os olhos apertados.

— Não gosto deste lugar. Quero ir para casa.

Eva vai até perto da filha e a beija no alto da cabeça.

— Não quer, não. O que você quer é tomar o café da manhã. Então, por que não desce até a cozinha e deixa o vovô Sinclair prepará-lo para você?

Ela ajuda a filha com o roupão e os chinelos — estes, bordados com uma imagem da Minnie em cada dedo do pé, são um lindo presente que ela ganhou de Penélope e Gerald e têm a capacidade de acabar com qualquer chororô.

— O vovô Sinclair tem sucrilhos? — pergunta Jennifer, cheia de esperança.

— Acho que sim — responde Eva.

Ela leva a filha até o alto da escada, onde Jim está saindo do quarto, com os cabelos embaraçados e bocejando.

— Bom dia — diz ele, oferecendo um sorriso sonolento às duas. — Cadê o meu beijo?

— Papai! — Jennifer se joga sobre o pai, colocando os braços ao redor das pernas; e, quando ele a levanta, aperta o nariz contra o dela — a forma privada e especial de saudação que os dois compartilham —, Eva os observa juntos, pai e filha, e agradece a quem quer que precise ser agradecido por ela e Jim terem aparado as arestas do seu casamento, deixando-as menos ásperas, melhores e mais fortes do que antes.

Versão 2

Montmartre
Paris, novembro de 1972

Eva desenvolveu o hábito de passar suas manhãs escrevendo em um bistrô na Place du Tertre.

No início, ficava um pouco constrangida, pois, de alguma forma, parecia certa ostentação sentar-se com o seu caderno e uma caneta em uma cafeteria onde tantos grandes escritores quase que certamente se sentaram e beberam *pastis* meio século antes. Era quase capaz de imaginar Ernest Hemingway tocando-a no ombro, balançando a cabeça negativamente e falando: "Quer dizer que você acha que é capaz de escrever uma sentença de verdade, *madame*? Sabe como seria uma dessas sentenças se ela lhe mordesse na perna?". Contudo, quando confessou seu receio a Ted, ele soltou uma sonora gargalhada.

— Eva, meu bem, por que você não consegue colocar na cabeça o fato de que tem todo o direito de chamar a si mesma de escritora também?

Eva riu com ele, sabendo que Ted tinha razão. Escrever é seu único trabalho agora, embora a renda do primeiro livro não seja exatamente o que ela esperava, e tenha abandonado o segundo. Alguns meses depois, começou a escrever um terceiro romance, sobre uma mulher na meia-idade que decide, subitamente, abandonar seu casamento seguro e convencional e mudar-se para Paris, de modo a poder começar uma nova vida sozinha.

— É muito autobiográfico? — perguntou ela a Ted certa noite, durante o jantar, enquanto descrevia o enredo.

Ele ficou levemente ofendido.

— Claro que não — respondeu. — Você não está se mudando sozinha para Paris, afinal de contas. A menos que exista algo que gostaria de me dizer.

Ela começou a escrever o novo livro em Londres, escrevendo de maneira fluida, com uma explosão de entusiasmo; mas seu trabalho rapidamente perdeu o ímpeto e parou completamente. As primeiras justificativas tinham razão de ser: o casamento com uma cerimônia pequena e elegante, apenas para a família e um grupo de amigos mais próximos, no Chelsea Town Hall, seguido por um excelente almoço no Reform Club; a mudança para Paris, com todas as tarefas de guardar e depois organizar suas coisas; encontrar uma nova escola para Sarah e fazer com que se sentisse confortável nela; permitir a si mesma e a Ted algum tempo para se ajustar à vida em uma cidade que não era familiar aos dois. Mas suas desculpas mais recentes — a redecoração do apartamento do *Daily Courier*; a dificuldade que Sarah encontrou para fazer amigos — parecem não ter muita importância, mesmo para a própria Eva. A verdade é que ela está sem inspiração, e o bistrô, com suas constantes distrações — o chiado e zunido da máquina de café, o retinir estridente da sineta sobre a porta, o zum-zum das conversas, compreendidas apenas pela metade —, é um bom lugar para se esconder.

Nesta manhã de sexta-feira, ela está sentada a sua mesa habitual, diante da janela. Toma duas xícaras de *café au lait* e come um croissant lentamente, inundando cada pedaço com manteiga e geleia. Na praça, os pintores habituais estão sentados diante dos seus cavaletes, com seus casacos e luvas sem dedos, pintando versões baratas de quadros de Picasso, Dalí e Matisse para os turistas que passam. Às onze horas, Eva observa uma senhora idosa passar vagarosamente diante da janela como faz todas as manhãs, encapotada em um casaco de pele. Ao meio-dia, ela se levanta, guarda o caderno na bolsa, veste o casaco, deixa as moedas no pires de metal ao lado da conta e sai rumo ao ar fresco de Paris.

Três horas se passaram desde que ela chegou e tinha escrito apenas dois parágrafos. *Estou transformando o ato de não fazer nada em uma obra de arte*, ela pensa enquanto vai na direção do pequeno supermercado na esquina da rua onde moram. Em seguida, concentra os pensamentos em outras coisas, mais alegres — nesta tarde, Penélope e Gerald vão desembarcar na Gare du Nord com as crianças. Todos terão um fim de semana esplêndido, e ela saberá com certeza que é uma mulher de sorte por ter Sarah e Ted, por ter Paris, por ter a companhia de bons amigos.

No supermercado, enche uma cesta com queijos, presunto, iogurte, um vidro de azeitonas, três garrafas de vinho tinto e aquelas baguetes longas e desajeitadas que ela ainda não aprendeu a amar mais do que um sólido pão inglês, ou o pão de centeio austríaco que seus pais adoravam. Ao lado da prateleira de legumes, ela quase colide com Josephine St. John, cujo marido, Mitch, é o correspondente do *Herald Tribune*; ele e Ted dividem um escritório na agência de notícias estrangeiras, e Josephine — uma mulher afável e inteligente que se casou com Mitch logo que se formou em Harvard, e que viaja com ele desde então — se tornou uma amiga. Elas ficam juntas, trocando novidades, até que seja quase uma da tarde, e Eva diz que tem de voltar para casa; Ted virá almoçar.

Josephine ergue a sobrancelha e em seguida lhe dá dois beijos, enquanto diz:

— Vocês devem mesmo ser recém-casados. Não consigo fazer Mitch vir almoçar em casa, nem por amor, nem por dinheiro.

Entretanto, o telefone está tocando quando Eva entra no apartamento. Ted não pode voltar para casa, pois tem um artigo para escrever para a edição do dia seguinte do jornal. Pergunta se ela se importaria de ir buscar Sarah sozinha, encontrar-se com Penélope e os outros e trazê-los para casa de táxi. É claro que ela não se importa. Mas Ted pede desculpas e promete levar todos para jantar no Maxim's.

Ao desligar o telefone, Eva novamente fica impressionada pelo contraste entre este casamento — toda essa tranquilidade; a consideração básica de Ted pelas necessidades dela, mesmo quando tem de colocar o trabalho em primeiro lugar — e o jeito como as coisas aconteciam com David — seu narcisismo, a presença sufocante da sogra, sempre por perto, com suas instruções sobre como as coisas deviam ser feitas. Mesmo assim, Judith Katz havia surpreendido Eva completamente ao aparecer na porta do apartamento de Regent's Park alguns dias depois que David a deixou, quando as coisas ainda estavam bem recentes e Sarah não parava de perguntar quando o papai voltaria para casa. Trazia uma pilha de potes: sopa de galinha, salada russa e tortas salgadas.

— Achei que você poderia precisar disso — disse Judith; e em seguida puxou Eva para si, e o abraço, totalmente inesperado, ameaçou uma nova torrente de lágrimas. — Quero que você saiba, Eva, querida, que estou muito envergonhada pelo que ele fez. E, em relação àquela *mulher*... bem, Abraham e eu não pretendemos ter nada a ver com ela.

Eva lembrou Judith de que, se David e Juliet decidissem se casar, como provavelmente aconteceria, nenhum deles teria direito de dizer muita coisa. Judith, invadindo a cozinha com seus potes, assentiu.

— Sim, creio que você tem razão — disse ela, e sua expressão foi tão explicitamente triste que Eva percebeu de pronto que Judith também estava precisando de alguém que a reconfortasse.

— Não se preocupe com a sua neta Sarah, Judith. Ela adora você, adora vocês dois. Você e Abraham podem vir vê-la sempre que quiserem.

Isso não é tão fácil agora, é claro, pensa Eva, andando pela cozinha de Paris, guardando as compras, preparando um prato com pão, presunto e tomates. Mas Judith e Abraham, para sua surpresa, não fizeram nenhuma objeção quando ela lhes falou a respeito de Ted e sobre a mudança para Paris.

— Oh, Paris... iremos até lá com tanta frequência que você vai enjoar de nós — disse Abraham, com seu jeito bonachão; e realmente vieram, em dois fins de semana, hospedando-se, num acordo mútuo, em um bom hotel na Île de la Cité. Foram corteses, até mesmo amáveis, com Ted. Tudo correu muito melhor do que Eva poderia imaginar; e, no final, ela sentiu certa gratidão em relação a Judith, sua velha adversária.

O apartamento está gelado, mesmo com o aquecedor a gás ligado e as portas fechadas; ela leva o almoço para a sala, coloca um xale sobre os ombros e abre as venezianas, recebendo a tarde minguada do inverno, as buzinas dos carros e o choro distante das crianças que saíam para o intervalo na hora do almoço.

Ted deixou os jornais do dia em uma pilha na mesa. Os jornais são entregues no apartamento, e não no escritório. Ele gosta de lê-los atentamente durante o café da manhã: os jornais franceses primeiro, depois os britânicos, e finalmente o *Wall Street Journal* e o *Herald Tribune*. Eva geralmente se limita aos jornais britânicos, procurando artigos escritos por pessoas que eles conhecem — e os seus próprios artigos, aos sábados; Bob Masters ainda lhe envia dois ou três romances literários por mês para que ela os avalie. Agora, ela pega o *Daily Courier* do alto da pilha e lê as principais notícias enquanto come: os primeiros dias após a vitória de Richard Nixon; a morte de seis pessoas em um ataque a bomba executado pelo IRA. E em seguida, na primeira das páginas sobre cultura, ela vê o nome dele: "Jim Taylor: dando vida nova à arte do retratismo".

A mão de Eva paira sobre a página. Pensa na expressão no rosto de Jim quando ela recusou o convite para jantar e deixou-o nos degraus da galeria de Cork Street. Mais jovem, subitamente, e perdido de algum modo. Ele havia lhe enviado um cartão-postal após o encontro, endereçado ao *Courier*. Dizia: *Muito obrigado por vir à exposição. Desejo-lhe toda a felicidade, que, ao que me parece, não é nada menos do que você merece.*

A fotografia era a de uma escultura de Hepworth: uma forma ovalada (seu título era *Oval nº 2*) bipartida por dois buracos lisos, como se partes da escultura tivessem sido devoradas por cupins. Eva olhou para a imagem por alguns minutos, procurando algum significado mais profundo — além da conexão com St. Ives, é claro —, mas não encontrou nenhum. Era como se Jim houvesse escolhido uma imagem que não tivesse nenhum significado intrínseco. E talvez fosse melhor assim, pois Eva não conseguiu esconder a empolgação que sentiu quando o recebeu, embora tenha rapidamente enfiado o cartão-postal no fundo da última gaveta da sua mesa — onde permaneceria, evocando apenas as memórias mais sutis da atração mútua. Já havia dado sua resposta a Ted. E Jim... bem, ele tinha de pensar em sua própria família. Sua própria vida.

Às duas horas, Eva tira as coisas do almoço da mesa e dá uma rápida conferida no apartamento, afofando almofadas, alisando os lençóis recém-colocados no quarto de hóspedes que receberá Penélope e Gerald; ela preparou também duas camas de acampamento para Adam e Charlotte. Em seguida, veste o casaco de novo, pega o cachecol e as luvas e sai para a rua.

A escola de Sarah fica a uma pequena caminhada dali. Eva vê a filha imediatamente, junto a outras duas meninas no playground, com as cabeças bem próximas umas das outras, cabelos castanhos e loiros. Não quer perturbá-las. Sarah só começou a fazer amizades há pouco tempo, mas a menina ergue os olhos, vê que Eva está por ali e começa a fazer suas longas despedidas com as outras meninas.

Elas tomam um táxi até a estação. O trem de Penélope e Gerald vai chegar dali a uma hora, e a mochila de Sarah está pesada com a lição de casa para o fim de semana.

— Aquelas garotas parecem ser legais — diz Eva quando elas se acomodam no banco traseiro. — Talvez você possa convidá-las para irem tomar chá lá em casa.

— Talvez. — Sarah dá de ombros e, em sua tranquilidade estudada, Eva tem uma visão súbita da adulta que Sarah será algum dia, e da criança que ela mesma já foi. E coloca um braço ao redor dos ombros da filha.

— Por que está me abraçando? — pergunta Sarah, embora ainda seja jovem o bastante para se aconchegar e apoiar a cabeça na mãe.

— Porque sim — responde Eva, e elas observam a cidade passar rapidamente, emoldurada pela janela do carro: os prédios residenciais brancos, as vitrines iluminadas das lojas e as cúpulas reluzentes de Sacré-Coeur, que encimam a colina como sentinelas.

Versão 3

Entrevista
Cornualha, fevereiro de 1973

A entrevistadora não é exatamente como Jim esperava.

É uma mulher de aparência sensata e sólida, já no final da meia-idade, vestida com calça azul-marinho e um suéter amarelo-claro. Seus cabelos são curtos e, quando desce do carro — acabou de estacionar diante da casa; Jim a observa pela janela da sala —, ela começa a olhar ao redor com uma curiosidade que não se incomoda em disfarçar.

Jim sai para recebê-la e a cumprimenta com um aperto de mãos. Seus olhos azuis pequenos não piscam sob as sobrancelhas grossas e grisalhas.

— Ann Hewitt. Pensou que eu seria mais nova, não é mesmo?

Pego desprevenido, ele sorri.

— Talvez. Mas aposto que você pensou que eu seria mais bonito.

Ann Hewitt inclina a cabeça e espera alguns segundos, como se estivesse decidindo se deveria rir daquilo.

— Talvez.

Ele a leva até a cozinha e enche a chaleira para preparar o chá. Helena deixou uma travessa de biscoitos e um vaso de flores sobre a mesa.

— Ela não é uma corretora de imóveis, Hel — disse Jim antes que Helena saísse; ela estava andando pela casa de um lado para outro desde o começo da manhã, limpando, arrumando, deixando tudo apresentável.
— Não precisamos impressioná-la.

Helena ergueu os olhos, incrédula.

— Oh, é *claro* que precisamos, Jim — disse ela. — E seria idiotice sua achar que não.

— Não há ninguém na casa, então? — Ann Hewitt está diante da lista de tarefas da casa. Há menos nomes agora — Finn e Delia foram embora no ano passado, depois que Howard acusou Delia de roubar o dinheiro da manutenção da casa para comprar maconha —, mas as tarefas continuam bem distribuídas como sempre, repetindo-se em um ciclo infinito que Jim está começando a achar deprimente. Na verdade, se for sincero, ele já acha que aquilo é deprimente há um bom tempo.

— Receio que não. Hoje é dia de feira em St. Ives. Temos uma barraca. — Ele despeja a água quente em duas canecas e pega a jarra com o leite. — Quer açúcar?

— Não. — De dentro da bolsa a entrevistadora pega um lápis e um caderninho preto. Ela o abre na primeira página, e Jim observa a marcha rápida do lápis; coloca uma caneca no balcão ao lado da mulher, pensando em como a cozinha deve parecer aos olhos dela. O fogão antigo e tão propenso a quebrar que eles frequentemente são forçados a passar vários dias se alimentando com comida fria, mesmo quando está geando. As cortinas que Josie costurou à mão e tingiu no estilo *tie-dye* precisam muito ser lavadas. O estoque de garrafas vazias de vinho, guardado por Simon, que cria esculturas com fragmentos de vidro (quando consegue se levantar da cama). Jim fica subitamente grato a Helena e sente-se mal por ter ralhado quando ela estava pensando apenas no bem dele, no bem de todos eles. Mas a culpa, quase sempre, é o sentimento mais forte de Jim em relação a Helena atualmente, e ele é capaz de reprimir o impulso quase com a mesma rapidez com que aparece.

Ele toma um gole do chá.

— Vamos até o estúdio?

— Eu estava pensando... — Ann Hewitt lhe oferece um sorriso, apertando os lábios um contra o outro. — Poderia me mostrar o interior da casa, talvez, enquanto os outros estão fora?

Jim hesita. Stephen Hargreaves insistiu que a entrevista fosse feita na casa. "Eles querem somente ver onde você trabalha, Jim. Nada que seja indecente." Mas Howard ficou furioso e proibiu Jim de fazer aquilo, até que Jim lembrou Howard discretamente de que este *não era* o seu pai e não podia proibi-lo de fazer nada; e que a Casa Trelawney também era o lar dele nos últimos cinco anos.

— Ainda bem que não sou o seu pai — retrucou Howard, irritado.
— Mas, se estamos aqui, tenho certeza de que ele diria a mesma coisa:

você é um *artista*, não uma celebridade. Parece que tem problemas para lembrar a diferença.

Os dois ficaram sem se falar por vários dias — embora isso não seja tão incomum agora. Foi Howard quem acabou quebrando o silêncio.

— Se você quiser mesmo trazer essa mulher para a nossa casa, pelo amor de Deus, só deixe que ela veja a cozinha e o estúdio. Não deixe que ela veja o resto da casa, que reviste o lugar e nos julgue. E traga-a para cá no dia da feira. Não estou com a menor vontade de me sentar com ela e ficar de conversa fiada.

Maldito Howard, pensa Jim agora. *Maldito egocentrismo. Malditas regras idiotas.*

— Sim, tudo bem — diz ele em voz alta. — Imagino que você vai conseguir dar uma boa olhada no lugar.

Mais tarde, Jim vai se perguntar o que lhe deu na cabeça para mostrar cada cômodo da casa a Ann Hewitt — como se *ele* fosse um maldito corretor de imóveis —, respondendo às perguntas que ela fazia de maneira tão educada, tão inocente:

— E então, de quem é este quarto? Sua filha, Sophie. Onde ela dorme? — Ele chegou até mesmo a abrir a porta do quarto de Josie e Simon: eles não haviam levantado o lençol tingido em batique que usavam como cortina, e o quarto ainda estava mergulhado na semiescuridão, o ar ainda adocicado pelo cheiro da maconha.

Sua única justificativa, mais tarde, será aquela que Jim não poderá compartilhar com ninguém — o fato de que estava pensando em Eva. Sua mente está tomada por ela, como sempre está agora — e especialmente naquela manhã, quando apenas algumas horas se interpunham entre ele e o momento em que ela sairia da sua mente e se tornaria real outra vez.

E assim, agora, Jim mal percebe enquanto Ann Hewitt faz anotações em seu caderno, e mal se dá conta do que está dizendo quando a leva para o estúdio. Este, pelo menos, está organizado, com tudo limpo e guardado; Howard deixou até mesmo que Cath varresse suas lascas e cavacos de madeira e organizasse suas ferramentas.

Enquanto conversam, o tempo parece se distorcer e se deformar; quando ouve uma batida na porta, ele tem a sensação de que horas, ou até mesmo dias, podem ter passado. Jim fica subitamente alerta: esta é a deixa — que foi combinada, após Howard insistir, para que ele peça à repórter que vá embora. E significa que Jim também irá embora dali a pouco.

Ele acompanha Ann Hewitt até o carro, onde ela o cumprimenta mais uma vez e o agradece por se dispor a responder à entrevista.

— Este é um lugar muito interessante — diz ela ao se sentar no banco do motorista. — Nossos leitores ficarão fascinados, tenho certeza.

Ele se despede com um aceno, sem pensar mais nada a respeito das últimas palavras dela. Não voltará a pensar em Ann Hewitt até algumas semanas mais tarde, quando o artigo estiver aberto sobre a mesa da cozinha, espalhando suas ondas de choque pela casa.

Josie preparou uma omelete espanhola para o almoço. Jim se senta, come, esquiva-se da curiosidade dos outros sobre a repórter com um vago "Oh, foi tudo bem, eu acho". Sophie senta-se em seu colo e ele coloca pedaços da omelete na boca da menina, embora consiga sentir a irritação de Helena: ela prefere que Sophie coma por conta própria, mas Jim adora fazer isso, com a filha sobre o colo, apertando o nariz contra a cabeça dela, inalando o cheiro doce de bebê dos cabelos da menina.

Com Sophie, a sensação de culpa que Jim sente é mais forte do que com Helena, mais difícil de ignorar. Culpa por criá-la aqui, na colônia — um lugar que antigamente parecia ser tão libertador, mas que agora está começando a parecer detestável para se criar e se educar uma criança. Com dois anos e meio, Sophie está ficando carente e difícil de lidar; à noite ela geralmente desce da cama e anda de cômodo em cômodo, chorando, até que Jim — ou, mais frequentemente, Helena — se levante da cama para ir procurá-la e a coloque sob as cobertas entre os dois. E há muitos perigos à espreita, como facas largadas pela cozinha durante a noite; a altura terrível do penhasco e as pedras pontiagudas e inclementes lá de baixo.

Até pouco tempo, Sophie tinha livre acesso ao estúdio; mas, certo dia, em janeiro, ela enfiou a mão nas tintas a óleo de Jim e carimbou marcas multicoloridas sobre toda a superfície de uma das esculturas que Howard havia criado em um pedaço de madeira que encontrou boiando no mar. Jim achou aquilo hilário, mas Howard definitivamente não.

— Será que *alguém* pode ficar de olho nessa maldita criança? — trovejou ele, com as bochechas carnudas se tingindo de um tom escuro e perigoso de roxo. — Ela fica andando por aqui como um indiano descalço.

Entretanto, se Sophie não pode mais entrar no estúdio, então um dos dois — ele ou Helena, geralmente, embora Cath e Josie ajudem quando podem — precisa cuidar dela; e essa tarefa fica a cargo de Helena, que praticamente parou de pintar desde o nascimento da menina. Tudo isso pesa na consciência dele.

Hoje, Jim parte assim que pode, sem levantar suspeitas. Sophie sai da casa para observá-lo ir embora, e Helena a segura, trazendo-a para longe das rodas do carro.

— Você volta amanhã, então? Chega para o jantar?

— Sim, chego para o jantar. — Ele a beija e, em seguida, se abaixa para beijar a filha, cujo rosto já está se preparando para as lágrimas. Observa seu reflexo no espelho quando engata a marcha a ré, manobra o carro e o leva até a viela que dá acesso à casa. Sophie está chorando agora, batendo os punhos pequeninos nas pernas da mãe; por um momento, Jim considera a possibilidade de dar meia-volta. Mas não o faz. Continua a dirigir, observando as duas silhuetas ficando cada vez menores a distância, até desaparecerem.

Em Bristol, ele passa cerca de uma hora com a mãe e Sinclair. Diz a eles o mesmo que disse a Helena: que vai viajar a Londres, passar a noite com Stephen e discutir a exposição do mês seguinte. Não se atreve a pensar em quantas vezes ele usou essa desculpa — Stephen, é claro, sabe de tudo —, mas nem Vivian nem Sinclair parecem estar interessados. Sua mãe está distraída, os olhos indo de um lado para outro enquanto conversam. Em um breve momento a sós com Jim, Sinclair confessa que está preocupado com ela e que os episódios mais extremos das variações de humor de Vivian parecem ter voltado.

— Precisamos levá-la ao médico, então. E logo. — Jim fala com preocupação, mas se sente constrangido intimamente ao perceber que aquela notícia quase não o afeta. Está pensando somente no que precisa fazer para sair dali o mais rápido que puder.

São sete horas quando ele chega ao hotel — o hotel deles, como passou a chamar o lugar em sua mente, embora só tenham se encontrado ali duas outras vezes. Uma noite inteira juntos é um luxo do qual eles raramente conseguem desfrutar. Ele a encontra no bar, admirando a extensão cinzenta do mar, com um gim-tônica na mesa.

Eva se vira, ouvindo quando ele se aproxima, e Jim sente algo explodir dentro de si: a euforia de vê-la pela primeira vez após tanto tempo. A onda entorpecente de olhar em seu rosto e saber que, pelo menos por uma noite, e por uma manhã que passará muito rápido, ela lhe pertence.

Versão 1

Ilha
Grécia, agosto de 1975

No barco que partiu de Atenas, eles se sentam no convés superior, na parte traseira, assim como fizeram naquela primeira vez. As cores vivas de Nikon são exatamente como ficaram marcadas na memória de Jim: o azul-escuro do mar; os amarelos pálidos da terra firme que se afasta; o cerúleo do céu.

Ele fecha os olhos, sentindo o sol bater em seu rosto. O zunido do motor é como o ronronar de uma criatura enorme e benigna que encobre a conversa dos outros viajantes — uma mulher americana, perto dele, está lendo uma história de Dr. Seuss a uma criança pequena; uma família grega do outro lado está compartilhando uma torta de espinafre, chamada *spanakopita*, e pedaços de queijo feta. Ele busca a mão de Eva, lembrando-se de como, naquela primeira visita — a lua de mel dos dois; tudo era tão novo, tudo ainda era possível —, ela usava um vestido xadrez, azul e branco, e seus pés estavam morenos nas sandálias brancas.

— Você ainda tem aquele vestido? — pergunta ele, sem abrir os olhos.
— Qual?
— Aquele que você usou na lua de mel. Xadrez, azul e branco. Não o vejo há anos.
— Não. — Ela solta a mão de Jim. Ele a ouve buscando a bolsa, revirando seu interior abarrotado. — Dei para o bazar da escola de Jennifer. Deve ter uns vinte anos.

Quando a barca se aproxima da ilha, eles seguem com os outros passageiros para a proa; ainda sentem aquela onda infantil de empolgação ao avistarem terra pela primeira vez. Ali está a torre da guarda caindo aos pedaços na entrada do ancoradouro; as colinas cobertas por arbustos que se erguem sobre a cidade, tão inesperadamente verdes depois das ruas de Atenas ressecadas pelo concreto. Há a cidade em si — se for possível chamá-la assim, esse pequeno agrupamento de casas que se erguem em terraços como um anfiteatro ao redor do porto; a cúpula da igreja; o bar e a taverna diante do ancoradouro, onde homens idosos resmungam ao redor de tabuleiros de gamão no fim da tarde.

Jim se lembra dos jumentos também, magros e sujos, rodeados por moscas, deixados sob o sol; havia ficado bastante irritado com aquilo, e Eva, surpreendendo-o, disse que ele não devia julgar as pessoas de acordo com seus próprios valores. Mas ele não vê nenhum jumento agora, e a cidade parece ter dobrado de tamanho: novas casas — algumas cuja construção ainda não foi finalizada, com vigas de metal se erguendo por entre blocos de concreto — pontilham os terraços mais altos, e os bares e tavernas se multiplicaram. Alguns metros depois do cais, um casal vestido de branco está tomando coquetéis sob a sombra de um toldo listrado, ao som de um disco de Elton John que toca no interior do bar.

Ele tem uma recordação súbita, clara e vívida. Ele e Eva sentados no cais ao pôr do sol com suas taças de retsina. Petros, o *barman*, serve doses de *ouzo* aos pescadores, seus rostos grosseiros e marcados como couro trabalhado. Mas não há nenhum sinal de Petros agora; o homem que sai do bar com uma bandeja de taças enfeitadas com guarda-chuvas em miniatura e cerejas glaceadas é jovem, musculoso e esguio como uma foca. O neto de Petros, talvez. Ou talvez não haja nenhum parentesco.

Enquanto esperam na prancha da barca com as malas, Jim olha para Eva.

— Meu Deus, as coisas realmente mudaram, não é?

— Era de esperar, depois de todo esse tempo.

Um garoto está à espera deles, trazendo o nome de ambos em um cartão branco, com erros de grafia. Ele coloca as malas em um carrinho e parte sem dizer uma palavra. Eles o seguem, e Jim sente o desânimo tomar conta de si. A ideia foi dele, e parecia ser boa: passar o décimo quinto aniversário de casamento na ilha que tanto adoravam, uma semana juntos, apenas eles dois. Eva não teve tanta certeza no início; Daniel ainda não completou três anos, pequeno demais, ela acha, para ficar sem os pais por uma semana inteira. Mas, aos poucos, Jim a convenceu, e Daniel ficaria com Juliane. (A *au pair*, a neta dos Dührer, havia chegado de Viena há quatro anos, e agora eles não conseguiam mais imaginar a vida sem ela por perto.) Os dois ficariam bem, disse ele. Após algum tempo, Eva concordou, sob a condição de que não ficassem no mesmo hotel de antes.

— Seria horrível se descobríssemos que o lugar mudou tanto a ponto de ficar irreconhecível.

Parecia que ela estava preparada para as mudanças trazidas pelo tempo, ao contrário de Jim. Ele sabe que é muito mais afetado pela nostalgia do que a esposa: é ele que captura cada novo episódio na vida dos filhos — aniversários, primeiros passos, idas ao teatro — com a sua câmera; é quem manda cada rolo de filme para ser revelado, quem olha várias e várias vezes cada maço de fotografias. Esse, Jim imagina, é o mesmo impulso que antigamente o levava a pintar — a necessidade de capturar um momento, seja ele real ou imaginário, antes que desapareça. E, ainda assim, parece-lhe agora que essas tentativas, seja na arte (aquelas pinceladas abstratas sem qualquer significado com as quais desperdiçou muito tempo e que agora lhe provocam apenas um leve constrangimento, além de certa tristeza), seja naqueles instantâneos de família. Sempre há uma mescla da imagem na sua memória — Eva escovando uma mecha de cabelo para tirá-la do rosto; Jennifer em seu uniforme escolar, tão elegante, tão discretamente crescida; Daniel sorrindo da cadeira elevada com o rosto lambuzado — com as fotografias que ele espalha sobre a mesa da cozinha.

Agora, enquanto caminham pela rua íngreme calçada com pedras, na direção do apartamento alugado — com vista para o mar e uma sacada para poderem tomar o café da manhã —, uma frase surge em sua mente. Um aforismo daqueles que vêm nas mensagens dos biscoitos da sorte: *Nada é permanente, exceto a mudança*. A frase se repete sem parar, como um disco riscado, até que eles chegam ao apartamento — e admiram a sua bela fachada branca; o abençoado frescor dos quartos fechados; a varanda, alegre com as primaveras vermelhas floridas; o mar abaixo deles, espelhado e reluzente. E, em seguida, parece que um peso sai dos ombros de Jim, e ele pensa: *Mas, com certeza, a mudança não precisa sempre ser para pior*.

Quando o garoto vai embora com a sua gorjeta, arrastando o carrinho vazio, eles ficam gratos por poderem cair na cama, exaustos após a longa jornada. Jim é o primeiro que acorda. Ainda faz calor. Para arejarem o quarto, eles abriram as venezianas, afastaram as cortinas de renda entre o quarto e a sacada — mas o sol está se pondo e uma brisa leve agita as cortinas. Ele fica deitado por algum tempo, entre o sono e o sonho. Estava sonhando com o jardim de casa. Estava lá com Jennifer e Daniel, brincando de esconde-esconde; sua mãe também estava lá, e Sinclair, e todos perguntavam onde Eva estava, mas ele não sabia. Jim se vira de lado, tomado por uma ansiedade irracional; mas ela está ali, é claro, dormindo profundamente, com o braço direito acima da cabeça como se estivesse congelada em meio ao ato de acenar.

Ele gostaria de estender a mão para ela, de trazer o corpo quente para junto do seu. É o que teria feito há quinze anos, sem pensar — ou, se estivesse pensando em algo, seria apenas na sorte que tem por tê-la conhecido; no quanto era inconcebível viver sua vida sozinho. Mas agora ele hesita. Eva está num sono muito profundo, e ele sabe o quanto está cansada; duas entrevistas na rádio esta semana, e todas aquelas idas e vindas com a BBC para acertarem o roteiro de *Impresso*. Conforme a data da partida se aproximava, Daniel ficava mais agitado, irrequieto; acordando no meio da noite, chamando por ela, consolando-se apenas quando o deixavam deitar na cama do casal, e ele passava a noite se virando de um lado para outro e fungando, atrapalhando o sono dos dois. Assim, agora Jim não busca o corpo da esposa. Em vez disso, ele se levanta, pega os cigarros e vai até a sacada.

É um belo começo de noite; o piso de pedra está morno sob seus pés; a luz, suave e difusa. Fragmentos de som sobem das casas mais abaixo — uma mãe chamando pelo filho, uma menina rindo, os sons alegres de um desenho animado em uma televisão. Jim observa uma pequena lancha passar perto do muro do ancoradouro, entalhando seu rastro em forma de V na superfície da água tranquila. Sua mente também está bastante tranquila, e ele se lembra de que esse era o efeito que a ilha causava — a possibilidade de fazer uma pausa no redemoinho de pensamentos, de concentrar a mente neste momento, neste lugar.

Em sua lua de mel, presumiu que isso acontecia porque estava muito apaixonado, muito feliz, inebriado com as visões do futuro; e assim fica surpreso ao descobrir, agora, que o lugar ainda causa um efeito parecido, no qual tudo se afasta. Todos os problemas que se acumularam nas décadas anteriores: seus anos como professor; a forte decepção que sentiu ao ver que suas ambições estavam fadadas ao fracasso; sua infidelidade, distante agora (Jim não foi para a cama com nenhuma outra mulher além da esposa desde o caso com Greta); sua inveja do sucesso de Eva, que ocorre praticamente sem que ela precise se esforçar (não exatamente sem esforço, é claro; ele, entre todas as pessoas, sabe que ela trabalha duro. Mesmo assim, em seus momentos mais sombrios, Jim não consegue deixar de pensar no quanto as coisas foram *fáceis* para ela). Tudo isso evapora, deixando apenas as lajotas mornas, o céu azul-índigo e a extensão de mar que escurece lentamente.

Ele poderia chorar aliviado, mas não o faz. Volta para o quarto, encaixa-se no contorno do corpo de Eva, apoia a cabeça em seu ombro até que ela acorde e se vire em sua direção, sonolenta, e diga:

— Estou feliz por termos vindo.

Versão 2
🌸🌸

Retorno
Paris e Londres, abril de 1976

A ligação chega logo depois das nove horas.

Por sorte, Eva está em casa para atendê-la. Acabou de levar Sarah à escola e teria ido direto para a universidade se sua primeira sessão de supervisão não tivesse sido cancelada — Ida, a secretária da faculdade, telefonou mais cedo para dizer a Eva que dois dos seus alunos estavam doentes, e o seu sotaque lento e arrastado do Mississippi exibia o desprezo pelas desculpas que eles deram. Assim, Eva se viu em casa, com várias horas livres, com um tempo que dedicaria à leitura da nova biografia de Simone de Beauvoir que Bob lhe enviou de Londres para que ela resenhasse, uma decisão que tomou enquanto percorria a curta distância de volta ao apartamento, parando em sua *boulangerie* favorita para comprar croissants e pães e admirando os ramos em flor nas árvores que ladeiam a rua onde mora.

Mas ela mal conseguiu tirar o casaco e colocar as chaves e a sacola de compras na mesinha do corredor quando o telefone toca.

— Eva? — É Anton. Ela percebe imediatamente no tom de voz do irmão que alguma coisa está errada. — Onde você estava? Faz meia hora que estou tentando falar com você.

— Acabei de voltar. Fui levar Sarah para a escola, Anton. — Há uma cadeira ao lado da mesinha do corredor, um móvel velho e raquítico que Eva comprou no mercado de pulgas de Les Puces, com a intenção de trocar o estofamento gasto. Ela se senta, percebendo uma sensação fria que crescia dentro de si. — Não ligou para o escritório? O que foi? Alguma coisa com a nossa mãe?

Há uma pausa, durante a qual ela ouve o irmão suspirar.

— Ela está no hospital, Eva. No Whittington. Pneumonia. Não está nada bem. Pode vir hoje?

Pneumonia — uma palavra bastante curiosa. Durante todos os preparativos — telefonar para Ted, telefonar para Ida, telefonar para Highgate porque quer ouvir a voz de Jakob, mas esqueceu-se de que ele não estaria em casa —, Eva vê a palavra projetada em sua mente, em letras escritas com giz branco, imagina um professor barbudo apontando para o verbete com uma vareta. *Observe o "pn" grego — estranho aos nossos ouvidos. De "pneumon", que significa "pulmão".* Os pulmões de Miriam: sua mãe passou anos tossindo em sacos, aspirando em inaladores, balançando a cabeça enquanto fazia todas essas coisas, como se não fosse nada além de uma pequena inconveniência.

Ted, voltando mais cedo do escritório, abraça Eva e lhe acaricia os cabelos. Ela imagina os pulmões da mãe, desincorporados, parando de funcionar, como dois balões murchos e perfurados.

Após discutirem o assunto, decidem que Eva irá para Londres sozinha. É quinta-feira, Ted precisa terminar dois artigos para o jornal de sábado e Sarah tem uma prova de francês na manhã seguinte.

— Venham no sábado — diz Eva firmemente enquanto fecha a mala.
— Vou antes para ver como ela está.

Ted, sem se convencer, a olha com uma expressão séria, do outro lado do quarto.

— Bem... se você acha que isso é o melhor a fazer, querida. Mas eu preferiria ir com você agora.

No trem para Calais, com a biografia de Beauvoir ainda fechada no colo, Eva se pergunta por que insistiu para que eles não viessem. Ted podia renegociar seus prazos, e não seria uma tragédia se Sarah perdesse a sua prova. Contudo, por motivos que não conseguia realmente articular, ela sentiu uma necessidade instintiva de ver sua mãe desacompanhada.

Pensa na última vez que viu Miriam. No Natal — ou no "Hanutal", como Ted afetuosamente batizou a ocasião; desde que ele entrou na família, junto de Thea, a esposa de Anton, os Edelstein incorporaram peru, luzes piscantes e até mesmo um pinheiro nas suas celebrações. Todos se amontoaram ao redor da velha mesa de jantar, comendo à luz de velas; Hanna, a filha de Anton, estava com os olhos arregalados, gorgolejando no colo de Thea. Em seguida, como já era habitual, eles se reuniram na sala de música. Jakob tocou seu violino — músicas antigas e tristes que pareciam vir de algum poço profundo da memória coletiva — e Sarah foi até o piano, tocou a *Gymnopédie* de Satie, pela qual havia recentemente se distinguido na escola. Miriam estava encolhida em sua poltrona de sempre; parecia cansada. Eva e Thea insistiram em que ela deixasse que as duas cozinhassem, e parecia ter um pouco de dificuldade para respirar, embora aquilo não fosse tão incomum. Ela observou atentamente as mãos da neta conforme elas se moviam sobre as teclas do piano. Em seguida, fechou os olhos e apoiou a cabeça em uma almofada, com um pequeno sorriso arqueando seus lábios.

E, mesmo assim, relembrando a ocasião, Eva se recorda que a mãe havia ido para a cama muito cedo — e que, no dia seguinte ao Natal, acabou recusando-se a fazer o passeio tradicional com a família em Highgate Wood.

— Podem ir, queridas — disse ela alegremente durante o café da manhã. — Vou ficar bem aqui em casa com meus novos livros.

Eva percebe agora que Jakob estava preocupado.

— Sua mãe está se esforçando demais — disse ele quando percorriam o trajeto curto que os levaria até o bosque, de braços dados, enquanto o resto do grupo ia mais adiante. — Converse com ela, Eva. Faça com que entenda que precisa descansar. — E Eva, fazendo carinhos no braço de Jakob, concordou com o que ele pedia; mas o resto do dia se perdeu em meio à comida, à louça, em observar Sarah e Hanna brincando juntas, e a promessa acabou lhe escapando da mente.

O trem segue seu percurso de maneira firme e rítmica para o norte, e o arrependimento — tão inútil e tão difícil de ignorar — a domina. Por que não insistiu com a mãe, por que não lhe perguntou como realmente estava se sentindo; por que não se ofereceu para ficar com ela, mesmo que isso levasse algumas semanas? Por que não insistiu para que ela diminuísse um pouco o ritmo dos afazeres? Na realidade, Eva sabe que seus esforços teriam sido em vão. Miriam sempre fez o que quis, sempre fez as próprias escolhas. E ela nem consegue criticá-la por isso: é uma das qualidades que mais admira na mãe.

Em Calais, Eva entra na fila de passageiros que esperam para embarcar. O dia está calmo e ensolarado, como estava em Paris; o Canal da Mancha está azul-escuro e espelhado, e a travessia é tranquila. Em Dover, ela precisa de um momento ou dois para reconhecer o irmão: vestindo um sobretudo cáqui, que parece ser caro, ele está ao lado de um carro que ela não conhece, com suspensão rebaixada e design moderno.

— Como ela está? — pergunta Eva quando eles se abraçam.

Anton engole em seco. De perto, ele não aparenta o brilho de sempre; está pálido e tem olheiras profundas.

— Parecia estar um pouco melhor quando saí.

No carro, conversam sobre outras coisas: Hanna, que ainda não consegue dormir sem acordar durante a noite; Thea; Ted e Sarah; o trabalho de Eva na universidade. Ela fala para o irmão sobre o curso de redação que desenvolveu, sobre a alegria que sente em fazer aflorar o talento dos melhores alunos e em estimular os mais fracos. Fica surpresa ao perceber o orgulho em sua voz; lecionar devia ser apenas uma atividade secundária, uma maneira de preencher as horas vazias depois que ela e seu agente, Jasper, pararam de trabalhar juntos. Não foi uma separação total; ele ainda lhe envia cheques ocasionais e pergunta, de tempos em tempos, se ela começou a trabalhar em algum novo livro; e Eva também mantém contato com Daphne, sua antiga editora e amiga. Todavia, em ambos os casos, os telefonemas breves e amistosos sempre deixam implícita a sugestão de que um novo livro é apenas uma possibilidade remota, que Eva simplesmente não tem mais o mesmo desejo de escrever. As histórias em sua mente, que antigamente pareciam ser tão insistentes, tão impossíveis de ignorar, acabaram se transformando em sombras sutis, isso se permaneceram por ali. Ela se tornou mais exigente consigo mesma; ao analisar a última versão do manuscrito do seu terceiro livro — havia demorado demais na análise, ciente de que, em cada parágrafo, a tarefa ficava cada vez menos prazerosa —, tinha a nítida impressão de que era capaz de ver as emendas; que, em resumo, estava menos interessada em criar essa versão fictícia da vida de uma mulher do que em viver sua própria vida.

Quando finalmente admitiu isso, Eva não conseguia decidir se estava decepcionada ou aliviada. Enquanto tomava um café com Josephine, ela mencionou que, sem ter de escrever, o tempo parecia se esticar diante de si, sem quaisquer marcas ou limites. Alguns dias depois, Josephine lhe telefonou com um plano — sua amiga da fraternidade a que se associou na época da faculdade, Audrey Mills, hoje era professora de inglês na

Universidade Americana em Paris e estava procurando alguém para ocupar o cargo de tutor em literatura.

— Ela está louca para conhecer você. — O tom de voz de Josephine indicava que não haveria como fugir daquilo. — Quer que eu marque um horário?

Em Ashford, Eva volta a dormir, embalada pelo barulho suave que o carro faz. Sonha que está de volta ao apartamento de Paris, colocando Sarah na cama (mesmo com treze anos de idade, às vezes ela se permite esse tipo de tratamento), apagando o abajur na mesinha de cabeceira, deixando a porta entreaberta e indo até a sala para tomar um drinque com Ted. Mas é David quem ela encontra ali, e não Ted — vestido como estava no dia em que se casaram, com um terno cinza-claro e uma rosa-chá na lapela, os cabelos engomados da mesma maneira.

— Que tal colocarmos um pouco de música para tocar, sra. Katz? — diz ele e se aproxima para tomá-la nos braços. No entanto, conforme ela se afasta nos passos de dança e volta a se aproximar, percebe que o rosto dele se transformou: é Jim Taylor quem agora está olhando para ela.

Eva acorda quando o carro estaciona. Desconcertada, olha para Anton, piscando os olhos.

— Chegamos, irmã. Hora de acordar.

Já é quase noite — as luzes da rua estão piscando em Highgate Hill e o céu está tingido de azul-marinho, que fica mais escuro a cada instante. Por dentro, o hospital está fortemente iluminado e bastante movimentado. Eles passam por duas enfermeiras, elegantes e eficientes em seus uniformes, e por um senhor idoso com roupão e chinelos, ele se dirige para a saída com um maço de cigarros Woodbines.

Eva segura no cotovelo de Anton.

— Podemos esperar um momento? Não estou me sentindo bem.

— Sei que não está. Senti a mesma coisa quando eles a trouxeram para cá. Mas o horário de visitas termina às sete, e a enfermeira-chefe é um terror.

Eles acabaram de entrar no corredor e disseram o nome à enfermeira quando uma mulher de cabelos grisalhos e uniforme azul-marinho se aproxima. As palavras "enfermeira-chefe" estão gravadas em um crachá de metal em seu peito.

— Você deve ser a filha da sra. Edelstein. — A enfermeira estende a mão. — Graças a Deus você chegou. Ela está perguntando por você desde que foi internada.

Eles conseguiram encontrar uma cama diante de uma janela, explica a enfermeira-chefe conforme caminham, com uma bela paisagem. A mulher diz isso com um toque de orgulho, mas tudo o que Eva consegue ver é a cama de metal, o emaranhado de fios e o corpo pequeno da mãe sob uma pilha de cobertores — por que ela parece não ser maior do que uma criança? Jakob está ao seu lado, sentado em uma cadeira de plástico duro. Ele se levanta quando os filhos se aproximam para beijá-la, mas Eva está observando o rosto de Miriam, branco como os travesseiros da cama onde descansa. Seus lábios estão ressecados, mas ela está tentando sorrir.

— Eva, *Schatzi* — diz ela. — Lamento muito por incomodá-la assim.

Há outra cadeira do outro lado da cama. Eva se senta e segura a mão da mãe.

— Não seja boba, mãe. Você não me incomoda.

Jakob beija Miriam na testa.

— Voltaremos em um minuto, *Liebling* — diz ele, e em seguida se afasta, levando Anton consigo.

— Não deixe que ela fale muito — pede a enfermeira-chefe suavemente antes de se virar e sair do quarto também, e Eva tenta obedecer, percebendo o subir e descer trêmulos do peito da mãe. Mas há muitas coisas que ela gostaria de dizer e, assim, acaba falando essas coisas silenciosamente. *Você é a mulher que eu mais respeito no mundo. Amo você. Não me deixe.*

Miriam não diz nada, mas seus olhos estão semicerrados e Eva sabe que ela está escutando. Em seguida, ela abre os olhos completamente, aperta a mão de Eva e diz em alemão:

— Ele tentou fazer com que eu me livrasse de você. Ele disse: "Ela será uma coisinha suja e impura, assim como você. É melhor não tê-la".

Uma dor se forma no peito de Eva. Ela acaricia a mão da mãe, esperando silenciá-la, mas Miriam prossegue, sem se deter, com o brilho dos olhos fixado no rosto da filha.

— Foi por isso que eu saí de lá. Não foi por nenhuma outra razão. E havia muitas, é claro. Saí por sua causa. E fico muito feliz por isso, *Schatzi*. Você sempre me encheu de orgulho, em todos os dias da sua vida.

Eva gostaria de dizer também: "Você me deixa orgulhosa também, mãe. Como eu poderia realmente agradecê-la?". Mas os olhos de Miriam se agitam e se fecham, e não há mais nenhuma palavra: apenas o movimento lento e rítmico da mão de Eva sobre a da mãe, os bipes estridentes da máquina que está ligada a outro paciente, uma mulher gemendo em voz baixa em algum outro lugar da enfermaria. Eva observa Miriam dormindo até que a enfermeira-chefe retorna, seguida por Jakob e Anton, e lhe diz gentilmente que é hora de ir embora.

Versão 3

Gerânios
Worcestershire, maio de 1976

No dia seguinte ao funeral de Miriam, eles se encontram em Broadway, em uma pousada.

A sugestão partiu de Jim; ele passou pela cidade uma vez no ano passado, descrevendo uma trajetória longa e sinuosa que ia de Bristol até Londres, tomado pela mistura peculiar de desesperança e empolgação que, em anos recentes, foi a tônica que guiou suas variações de humor. Os tetos de telhas grossas; as paredes de pedra; a cor do creme na sobremesa; os gerânios transbordando dos cestos diante de pubs construídos em madeira — tudo isso parecia projetar uma aura inglesa antiquada e bem característica, que ele achava reconfortante.

Mas ele deve ter passado por ali no verão, anteriormente. Os gerânios não estão floridos agora, embora os cestos pendurados e os telhados sejam iguais aos que habitam suas lembranças. Ele fez reservas na maior das pousadas, mas, quando o proprietário os conduz pelas escadas até o quarto sob o telhado, com uma cama com dossel feita em mogno ("A suíte de lua de mel, senhor"), Jim percebe instantaneamente que cometeu um erro.

Eva, na janela, mal ouve o proprietário se despedir. Depois que o homem vai embora, fechando a porta por trás de si, Jim fica alguns momentos em silêncio, observando as costas rígidas de Eva.

— Podemos sair daqui agora. — Ele se aproxima, entrelaça os braços na cintura dela e inspira o seu aroma. — Ir para algum outro lugar. Qualquer lugar que você queira.

— Não. — Ela ficou muito magra; Jim consegue sentir suas costelas por entre as roupas. Ele é tomado por uma sensação de constrangimento. E pelo quanto se odeia por não poder cuidar dela. — Estou falando sério, Jim. Está tudo bem.

Ela se vira, ficando frente a frente com ele sem se desvencilhar dos seus braços, e Jim a observa, o rosto pequeno e entristecido, os olhos que não trazem o brilho habitual. Lembra-se de ter lido em algum lugar que o luto envelhece uma pessoa, mas não é assim que aconteceu com Eva. Vestindo jeans e casaco, ela parece estar muito mais jovem, como se ainda fosse uma colegial.

— Por que não vamos para a cama? — diz ele.

Ela o encara fixamente; não entendeu o que ele quis dizer.

— Não, não. Eu me referia a dormir. Você parece estar exausta.

— E estou. — Ela atravessa o quarto, desabotoando o casaco. — Sim, talvez eu durma.

A cama é dura e desconfortável, os travesseiros são finos, mas Eva cai no sono quase que imediatamente. Jim fica ao lado dela, deitado de costas, olhando para o dossel: o tecido tem uma estampa de folhas e flores que é vagamente familiar — William Morris, ele acha, lembrando-se subitamente de uma poltrona onde sua mãe costumava se sentar nas noites de inverno em Sussex, diante da lareira. Consegue se lembrar claramente de ficar sentado ali com ela, seguro em seu colo, contornando o traçado e os volteios de cada um dos caules com o dedo. Agora, contorna o traçado com os olhos enquanto a respiração de Eva fica mais lenta e compassada. Ele sabe que não vai dormir. Após alguns minutos, se levanta cuidadosamente da cama, pega a camisa e as calças, os sapatos, os cigarros e fecha a porta tentando fazer o mínimo possível de barulho, esperando que ela não acorde antes do seu retorno.

Fora da pousada, a High Street está tomada por turistas, o desembarque apinhado dos ônibus estacionados, o entra e sai das lojas de presentes e das casas de chá. Jim acende um cigarro e observa as costas de duas senhoras idosas conforme elas avançam lentamente pela calçada. Parecem gêmeas, com os cabelos idênticos cheios de cachos grisalhos, finos como lã cardada. Quando passa por elas, ouve uma delas falar para a outra:

— O que acha, Enid? Será que um pão doce vai estragar nosso apetite para o almoço?

Apressando o passo, Jim não ouve a resposta de Enid. Mais adiante, ele encontra um pub; descarta o cigarro, entra para pegar uma cerveja e vai com a bebida a uma das mesas ao ar livre. Já é quase meio-dia. Na sua casa — se é que pode se referir assim àquele lugar; quando está com Eva, a Cornualha parece tão remota quanto algum país estrangeiro —, Helena estará temperando o frango, descascando batatas, e Sophie deve estar por perto. Os pais de Helena virão para o almoço; esse foi o principal motivo das reclamações quando ele lhe disse que estaria fora no domingo, pois Stephen queria discutir alguns detalhes da próxima exposição (Jim toma cuidado para não abusar da boa vontade de Stephen com muita frequência, entre o seu repertório de justificativas).

— Precisa ser exatamente *neste* domingo? — perguntou Helena. Os dois estavam na cozinha; a cozinha *deles*, e apenas deles; já faz quase três anos que deixaram a Casa Trelawney, após a publicação da entrevista aterradora com Ann Hewitt, que deu a impressão de que os habitantes da casa eram "aberrações, drogados e até mesmo parecidos com os membros de uma seita".

Howard, atropelando as palavras e espumando de raiva diante da mesa da cozinha enquanto pedia a Jim e Helena — não, enquanto *mandava* — que fossem embora.

Helena, com o rosto vermelho e furiosa, esbravejava:

— *Como* você foi capaz de fazer uma coisa dessas? Eu disse para você tomar cuidado com aquela mulher. — Sophie, chorando inconsolavelmente enquanto guardavam suas coisas no carro e saíam da colônia, indo para longe de tudo e todos que ela conhecia.

Agora, na cozinha da nova casa, Jim desviou o olhar, fixando os olhos na pequena horta no terraço onde Helena havia plantado ervas em vasos e alinhado pés de batata em um longo cocho. Sentiu ódio de si mesmo quando disse:

— Desculpe, meu amor. Stephen vai viajar para Nova York na segunda-feira.

Entretanto, mesmo naquele momento, ele não tinha certeza se Eva conseguiria viajar. Já fazia quase dois meses desde a última vez que se viram, apenas quatro dias desde que Miriam falecera, e Eva havia se fechado no luto, ocupando-se com a miríade de tarefas relacionadas à morte — encontrar um rabino, encomendar flores, fazer e servir várias rodadas de chá para os vários amigos e vizinhos que vieram ao velório.

David pegou o primeiro avião que saiu de Los Angeles. Jim não conseguiu evitar o sentimento de ciúmes — o homem havia praticamente largado Eva sozinha do outro lado do mundo e somente agora decidiu aparecer. *Mas, na realidade, eu devia agradecer a David*, pensa ele amargamente enquanto toma a sua cerveja. A presença do ator deu uma desculpa legítima a Eva para deixar seus filhos por uma noite e sair de lá. Disse a David que precisava passar algum tempo sozinha. Aparentemente, Katz achou que não seria de bom-tom discutir com ela.

Às vezes, o absurdo da situação ameaça dominar Jim: ali está Eva, criando seus filhos praticamente sozinha, totalmente ciente de que seu marido está apaixonado por outra mulher; e ali está ele, vivendo sua própria mentira com Helena e Sophie. E, mesmo assim, quando ele não está com Eva, não lhe parece uma mentira; em casa, ele está sempre presente, inteiramente absorvido pela paternidade. Sophie está mais à vontade, aparentemente, no chalé — menos propensa a acordar no meio da noite —, embora tenha tido alguns problemas na escola; a mãe de outra criança acusou Sophie de praticar *bullying*, de roubar constantemente os brinquedos da sua filha. A professora chamou os dois à escola para uma reunião, perguntou se havia algum problema em casa.

— Oh, não — respondeu Jim, segurando a mão de Helena. — Não temos nenhum problema.

Era incrível a facilidade com a qual as mentiras lhe saíam pelos lábios agora; e, mesmo assim, ele diz a si mesmo que talvez esteja até mais carinhoso com Helena, demonstrando mais consideração do que faria se continuasse fiel a ela, sem Eva para abrilhantar a perspectiva da sua vida. E seu trabalho certamente não sofreu com isso — Jim vem tomando o cuidado, desde *Mulher lendo*, de não permitir que a imagem de Eva invada outras pinturas suas. Mas ela ainda está lá, é claro, em cada uma delas: enquanto trabalha, é o rosto dela que Jim vê em sua mente, seus olhos inteligentes e inescrutáveis que refletem a confiança absoluta que ela tem no seu talento de pintor.

Ele disse várias vezes a Stephen — que ainda é a única pessoa a quem contou seu segredo — que se sente como se estivesse partido ao meio, tornando-se duas pessoas, cada uma delas agindo e pensando em seu próprio mundo. Da última vez que disse isso — os dois estavam bebendo uísque já bem tarde da noite no clube de Stephen —, seu amigo suspirou e recostou-se na poltrona.

— Tal pai, tal filho, hein?

As palavras de Stephen ecoam em sua mente desde então, trazendo com elas uma sensação de que algo precisa ser feito. E, mesmo assim, toda vez que pensa em tocar no assunto com Eva, ele acaba recuando. Eles dispõem de tão pouco tempo juntos — às vezes, apenas uma hora em Regent's Park entre as reuniões de trabalho de Jim, antes de Eva ir buscar Sam na escola — que ele não quer estragar o momento falando do futuro. É como se, quando estão juntos, existam apenas no presente eterno. E ele sabe, lá no íntimo, que esse fato traz consigo seu próprio encanto especial: que nunca poderá ser igualado pelos ritmos monótonos do dia a dia.

Enquanto bebe, Jim pensa em Miriam Edelstein. Mais cedo, na pousada — eles tomaram um café no salão do bar antes de subirem para o quarto —, Eva pegou a ordem de serviço que trazia na agenda dentro da bolsa e alisou as dobras. Havia uma fotografia de Miriam e Jakob na primeira página: jovens e sorridentes. Miriam era a própria imagem de Eva em um vestido de verão, sem mangas. Jim ficou sentado em silêncio por alguns minutos, absorvendo a fotografia, os olhos pairando sobre as palavras estranhas que estavam impressas no interior: o vocabulário dessa outra fé que era reservado à morte. *El maleh Rachamim. Kaddish. Hesped.* Queria ter conhecido Miriam. Queria ser a pessoa que estava ao lado de Eva nos degraus do cartório, trajado com um terno elegante, apertando os olhos contra o sol enquanto sua nova sogra, Miriam Edelstein, estendia os braços para beijá-los e desejar-lhes tudo de bom em sua nova vida.

Agora, com o copo vazio, Jim se levanta da mesa e volta à pousada em High Street. O proprietário levanta o rosto quando ele entra, mas Jim não o encara. No andar de cima, ele abre a porta cuidadosamente, sem saber se Eva está acordada — mas ela ainda está dormindo, com a boca entreaberta e os cabelos escuros espalhados como um leque sobre o travesseiro.

Ele se despe outra vez, coloca as roupas no encosto da cadeira e se deita. Enquanto se encaixa nos contornos do corpo dela, Eva se mexe um pouco e ele diz em uma voz próxima de um sussurro:

— Venha viver comigo, Eva. Vamos começar tudo de novo.

Alguns segundos de silêncio, durante os quais ele consegue sentir o coração trovejar no peito. E em seguida o silêncio se estende, quebrado apenas pelo som suave da respiração de Eva, e Jim percebe que ela não o ouviu.

Versão 1

Poetas
Yorkshire, outubro de 1977

— Mais um? — diz ele.

Eva olha para o seu copo vazio. Deveria dizer não. Deveria se despedir e subir os dois lances de escada até o silêncio seguro e acarpetado do seu quarto.

— Claro. Por que não?

Tantas razões pelas quais eu não deveria tomar mais um. Ela observa as costas de Leo enquanto ele vai até o armário das bebidas e serve duas doses generosas de uísque. Ele é alto, forte e tem um gingado digno de um esportista em seu caminhar. Há um número desproporcional de mulheres de meia-idade no grupo dele, e Eva percebeu que elas o observavam. No primeiro dia, ela ouviu duas delas no banheiro feminino, rindo como se fossem menininhas. "Meu Deus, aquele Leo Tait é ainda mais bonito ao vivo." A outra: "Mas ele é casado, não é?" E a primeira, com a voz desdenhosa: "Desde quando isso foi empecilho para qualquer um deles?"

Lavando as mãos na pia — ela esperou alguns minutos discretos antes de sair do seu cubículo para ter certeza de que as mulheres já haviam ido embora —, Eva se perguntava a quem as mulheres se referiam quando disseram "qualquer um deles". Homens? Maridos? Poetas? Ela imaginou que estes últimos tinham certa — e bem fundamentada — reputação pela promiscuidade (basta pensar em Byron ou Burns), mas ela não gosta dessa mania recente de definir todos os homens como uma espécie distinta e relativamente decepcionante. Observou o próprio reflexo no espelho por alguns segundos, pensando se o traço grosso de delineador que passou nos olhos antes do café da manhã não estava exagerado; pensando em Jim, em casa com as crianças e Juliane; sentindo a fúria antiga e quase esquecida da sua traição. E, em seguida, recompôs-se, saiu em busca do seu próprio grupo, perdeu-se nas minúcias de linhas e parágrafos — estava dando um curso de uma semana sobre revisão — e não voltou a pensar novamente em Jim, Juliane ou Leo Tait.

Contudo, naquela noite, durante o jantar, ela se viu sentada ao lado de Leo; as refeições foram servidas em mesas longas para estimular a socialização entre os coordenadores dos cursos e os alunos, mas os tutores ainda acabavam se sentando juntos em uma das pontas. Era ali que Eva estava sentada — ao lado de Joan Dawlins, escritora de romances policiais com quem havia aparecido certa vez em um programa de resenhas na televisão, e diante do teatrólogo David Sloane, um tipo sombrio e lúgubre que não havia dito nem uma palavra para as duas —, quando Leo se aproximou, trazendo uma taça de vinho.

— Com licença... importa-se? — disse ele, indicando a cadeira vazia ao lado de Eva. Joan abriu um sorriso amarelo:

— É *claro* que não, Leo. — Ainda assim, Sloane não disse nada. Mas Leo não se sentou; ficou atrás da cadeira, como se esperasse que Eva permitisse que ele se sentasse.

— Eva?

Ela ergueu os olhos do prato, registrando a presença dele pela primeira vez.

— A cadeira está vazia, não é?

Assim que falou, Eva percebeu que havia sido grosseira. E Joan ficou imediatamente vermelha. Sloane, por sua vez, estava sorrindo. Eva viria a saber, quando a semana chegasse ao fim, que ele era o tipo de homem que adorava ver outras pessoas em situações desconfortáveis. E assim ela se voltou para Leo, pronta para se desculpar, mas ele não parecia nem um pouco perturbado.

— Fiquei *muito* feliz ao ver que você também estava lecionando nesta semana — disse ele alegremente, sentando-se. — Adoro os seus livros. Cheguei a descer em estações erradas do metrô enquanto lia *Impresso*. E a adaptação para a TV foi ótima. Fizeram um trabalho muito bom.

Cuidadosamente, Eva colocou o garfo e a faca sobre o prato vazio. Não conseguia ter certeza se ele estava sendo sincero; detestava bajulações fajutas — algo que havia visto bastante, desde que começou a fazer "sucesso". Na verdade, a imagem que tem de si mesma não é a de uma "pessoa de sucesso" — receia que, se fosse assim, jamais conseguiria escrever outra palavra —, mas ela gosta dos elogios, das resenhas e das entrevistas. No fundo, entretanto, sabe que nada disso importa tanto quanto o próprio ato de escrever — sentar-se todas as manhãs diante do seu processador de texto, Jennifer e Daniel na escola, Juliane ocupada na cozinha, no andar de baixo, e permitir-se o luxo de passar o tempo inteiramente sozinha. É mais do que é permitido à maioria das mulheres, afinal de contas.

— Obrigada.

Eva deve ter dito aquilo com um toque de dúvida na voz, porque ele se virou na sua direção — e ela percebeu que os olhos dele eram acinzentados, brilhantes como metal, e que covinhas juvenis apareciam em seu rosto quando ele sorria — e emendou:

— Você acha que sou algum bajulador. Mas não é nada disso. É apenas o meu rosto. Ninguém nunca me leva a sério.

— Não acredito nisso nem por um segundo.

— Muito bem. — Leo bebeu o seu vinho, ainda olhando para ela. — Talvez você seja a exceção à regra.

Leo estava flertando com ela, é claro, e de maneira bem descarada; e continuou a fazer aquilo pelo restante da semana. Talvez as mulheres cuja conversa ela ouviu o tenham julgado adequadamente, pois Leo parecia saber o que estava fazendo. Prestava atenção em Eva apenas por tempo suficiente durante as refeições e durante as reuniões à noite para fazer com que ela sentisse certa exclusividade, mas não o bastante para que qualquer outra pessoa percebesse. Eva observava a maneira como ele a cortejava — se é que poderia usar esse termo antiquado — e se divertia. Não fez nada para estimulá-lo (ele sabia que ela era casada, assim como ele também era; com certeza, estava apenas brincando), mas também não lhe disse para parar. Mais tarde, ela perceberia que podia ter feito isso com facilidade, se realmente quisesse; o que indicava que ela realmente queria que o flerte continuasse.

E, de qualquer maneira, Eva já havia se acostumado, desde que sua mãe morreu, a essa estranha sensação de estar aquém de tudo, a achar que nada do que estivesse lhe acontecendo fosse de fato real. É como se tivesse sido dividida em duas, ou até mesmo três versões de si mesma — simulacros que vivem e respiram —, e perdido a original de vista. Tentou contar isso a Penélope, mas parecia estar relatando uma história de ficção científica. Sentiu que a amiga a observava cuidadosamente, como se não soubesse ao certo como responder.

— É o luto, querida — disse Penélope, após algum tempo. — O luto faz coisas muito estranhas. Não lute contra isso. Deixe o tempo passar.

Era o luto, então, que estimulava Eva a entrar no jogo de Leo Tait; a assentir quando oferecia a ela, e somente a ela, alguma bebida; a desfrutar do calor da perna dele pressionando a sua, em segurança, fora da visão dos demais, por baixo da mesa de jantar? Talvez, no início. Mas na quarta noite — a terça-feira —, a mão de Leo deslizou até sua coxa, e ela sentiu um choque que a fez suspirar abruptamente; e, mesmo assim, não afastou a mão dele. Depois daquilo, o jogo ficou mais intenso; em uma excursão em grupo até Haworth — Lucas, o diretor da fundação, era obcecado por Brontë —, eles acabaram ficando sozinhos por um momento em uma escadaria que levava ao piso superior. Leo a agarrou pela cintura e falou em seu ouvido com uma intensidade feroz:

— Preciso beijar você, Eva. *Tenho* de fazer isso. — Ela fez que não com a cabeça e se desvencilhou, voltando para perto do grupo. Durante o resto do dia, ela manteve distância, sentindo a culpa começar a tomar conta de si, embora não houvesse feito nada, nem mesmo deixado que ele a beijasse; mas naquela noite, deitada na cama, percebeu que a culpa que sentia era por antecipação. Queria Leo. Sua decisão já estava tomada; e, deitada em seu quarto, sem conseguir dormir, ela pensou em Jim, e se, quando estava com Greta, ele havia sentido o mesmo.

E assim, hoje, sexta-feira, como é habitual na fundação, o fim dos cursos foi marcado por uma série de leituras: dois alunos de cada curso — romancistas, teatrólogos, poetas, escritores de romances policiais — selecionados por seus tutores e, em seguida, os próprios tutores. Leo foi o último a ler. Todos já haviam bebido um pouco além da conta, e as mulheres não se preocuparam em esconder sua empolgação quando ele se levantou, trazendo o exemplar fino e mais recente das suas poesias.

— Ele pode ler para mim sempre que quiser — disse uma mulher que estava sentada logo atrás de Eva, num sussurro.

Eva estava olhando também, é claro; admirando seu belo e melodioso barítono conforme sua voz se espalhava pela sala. Ela nunca havia lido os poemas de Leo Tait (embora não houvesse admitido isso), e não estava preparada para o seu efeito, para a fluidez tranquila das palavras, para a sofisticação inesperada. Havia imaginado ritmos possantes, rimas fortes — e não essa forma ondulada, que ia e voltava, crescendo em intensidade, que deixou a sala em silêncio por um segundo, e depois outro, antes que os aplausos começassem.

Agora Leo está voltando com os uísques; já é o terceiro copo, ou será o quarto? Já são quase três horas da manhã, e todos os outros já subiram para seus quartos; até mesmo Lucas se recolheu há alguns minutos, já a passos trôpegos; eles o ouviram tropeçar entre os lances de escada. Cada momento que Eva passa aqui, a sós com Leo, é perigoso, mas ela não faz qualquer menção de ir embora.

Quando ele chega à mesa, não se senta.

— E se levássemos esses copos para o meu quarto?

Eles sobem as escadas em silêncio. O quarto dele fica no terceiro andar, na parte da frente da casa; as enormes janelas envidraçadas, que agora emolduram a noite escura, dão vista para o estacionamento, para a estrada. O quarto de Eva é maior, com vista para os jardins, e perceber isso lhe causa uma sensação quente e constrangedora de orgulho.

Ela fica ao lado da porta fechada, segurando seu copo, enquanto ele anda pelo quarto, fechando as cortinas e acendendo o abajur ao lado da cama. *Ainda há tempo*, ela pensa. *Eu podia abrir a maçaneta da porta, voltar para as escadas.* Mas não é o que faz. Deixa que Leo se aproxime, que tire o copo da sua mão e que traga o corpo para a mesma altura que o dela.

— Tem certeza? — pergunta ele, e ela faz que sim com um movimento de cabeça, trazendo-lhe o rosto para perto do seu. E, logo em seguida, deixa-se levar pela sensação pura, por essa pele nova e ainda não descoberta, e não há mais nenhum espaço para pensar.

Eva acorda na cama dele. É cedo — ela mal conseguiu dormir — e o quarto está banhado de uma luz fria e arroxeada. Leo ainda está dormindo, respirando suavemente com a boca entreaberta. Em repouso, o rosto dele parece absurdamente jovem, embora seja alguns anos mais velho do que ela. Eva se veste silenciosamente, tomando cuidado para não acordá-lo; fecha a porta quase sem fazer barulho e volta o mais rápido que consegue para o seu próprio quarto. Não vê ninguém, mas percebe que não se importaria se visse; a vergonha que a acompanhou durante a semana, curiosamente, se evaporou.

No chuveiro, ensaboando o corpo que ele tocou, sente uma súbita onda de prazer. Não voltará a ver Leo, a menos que isso ocorra por acaso, em festas ou em outros cursos como esse — não fizeram nenhuma promessa que não fossem capazes de manter. Esta noite, ela estará em casa com Jim e as crianças; voltará à sua outra vida e ao seu ritmo já conhecido. O que aconteceu em Yorkshire será algo que vai guardar para si. Algo que levará consigo silenciosamente, como uma pedrinha enfiada no bolso de um velho casaco: escondida e depois quase esquecida.

Versão 2

Gengibre
Cornualha, dezembro de 1977

Véspera de Natal — o céu está tingido de um tom pálido de azul, e o mar parece tranquilo e vibrante. No ancoradouro, uma fina camada de gelo está se derretendo sobre os conveses dos barcos castigados pelo vento.

Guirlandas de azevinho estão penduradas nas janelas do Old Neptune, e um ramo de visco está preso no alto do alpendre, roçando a cabeça dos pescadores quando eles entram para tomar uma cerveja enquanto deixam a esposa ocupada com a preparação do peru e com os presentes. A cada vez que a pesada porta de carvalho se abre, um trecho barulhento de alguma música natalina típica da região ecoa pelas docas. *When a Child is Born, Mull of Kintyre, Merry Christmas Everybody*.

Em seu chalé na Fish Street — todos eles riram muito do nome da rua, na primeira vez que a viram —, Helena, Jim e Dylan estão preparando biscoitos de gengibre. Helena coloca o açúcar na vasilha e mexe a mistura com uma colher de madeira. Seu rosto está corado pelo esforço, e uma mecha de cabelo, que se soltou do elástico que o prende em um rabo de cavalo, está grudada em seu rosto. Jim gostaria de se inclinar sobre o balcão e afastar aquela mecha, colocá-la atrás da orelha de Helena e sentir o calor da sua pele com a mão. Mas não o faz.

— Posso mexer um pouco, mãe? — Dylan está com oito anos: alto para a sua idade, com a pele de porcelana da mãe e cabelos castanho-claros. *Como um ratinho*, diz Helena; ela começou a tingir os próprios cabelos com hena, e sai do banheiro com um cheiro de ervas amargas. Os olhos de Dylan, entretanto, são os mesmos de Jim — aquele azul espantoso — assim como as sardas salpicadas no nariz. Às vezes, quando olha para o filho, Jim tem a sensação incômoda de que seu próprio reflexo o encara de volta. São parecidos de muitas outras maneiras também; no talento de

Dylan para o desenho (seu conjunto de lápis HB, que Jim lhe deu no seu último aniversário, está entre os objetos que ele mais valoriza); na sensibilidade do garoto, a maneira como ele olha para Helena e Jim como as duas principais referências para seu próprio humor.

— Achei que você não ia pedir. — Acima da cabeça de Dylan, Helena o olha e sorri. Parece estar relaxada hoje, brincalhona, e ele consegue sentir a tensão entre os dois diminuir. É uma mudança perceptível, como o sol saindo de trás de uma massa de nuvens. Houve algumas ocasiões, recentemente, após Helena sair do quarto, em que Jim percebeu que estava prendendo a respiração.

— Pronto. — Helena coloca seu avental em Dylan e o amarra frouxamente. Ainda não tem altura suficiente para alcançar o alto do balcão confortavelmente e, assim, Helena o coloca sobre um banquinho. — Continue mexendo. — Para Jim, ela acrescenta: — Cigarro?

Eles vão até a porta dos fundos, tremendo, observando a respiração formar nuvens de vapor no ar frio. As ervas de Helena estão abrigadas dentro da estufa improvisada que ela construiu com caixotes e duas cortinas velhas e grossas que encontrou, apenas um pouco esfarrapadas, em uma lixeira. Ela tem esse tipo de talento — é prática, muito mais do que ele. Mas fumar fora da casa é algo novo: foi sugestão de Iris — não, foi uma *instrução*. Quando pensa em Iris, Jim sente o gosto amargo e familiar da desaprovação.

— Iris virá mesmo, não é? — Ele tenta manter um tom de voz despreocupado.

Helena olha na direção dele.

— Sim. Em um minuto. — Ela dá uma longa tragada no cigarro artesanal. — Sinclair chegou a mencionar o horário em que chegaria?

— Disse que estaria aqui a tempo de tomar o chá.

— Por volta das cinco, então.

Ele observa o perfil de Helena; as sobrancelhas grossas e arqueadas, os ângulos amplos e a curva dos lábios. Quando se conheceram em Bristol — naquela exibição no armazém; os quartos escuros cheios de arte e vinho de qualidade duvidosa —, ele ficou impressionado com a vitalidade daquela mulher, a maneira como parecia trazer a brisa marinha nos poros da pele. E aquilo não era apenas produto da sua imaginação; na

Casa Trelawney, após uma noite mais intensa, Helena ainda acordava cedo para fazer um de seus passeios pela praia, sem apresentar nenhum sinal dos excessos da noite no rosto. Ele se lembra de que ela sempre era alegre naquela época — e a retratou assim em uma pintura: *Helena com as rubiáceas*: sua beleza desnuda, simples, capturada com algumas pinceladas. Não consegue identificar exatamente quando a tensão entre os dois começou a aparecer sem um motivo verdadeiro, uma trinca que se espalha por uma vidraça. Mas ele sabe qual é o seu nome: *Iris*.

Ele está no andar de cima quando Iris chega, vestindo um blusão antes de sair para o estúdio — é um pequeno depósito pintado de branco, e o vento sempre invade o lugar, mas Jim sai cedo para ligar o aquecedor elétrico. Instintivamente, ele se enrijece, imaginando aquela mulher no seu corredor, cumprimentando Helena e abaixando-se para beijar seu filho.

Iris é baixa, atarracada, com um rosto grande e quadrado e cabelos num corte chanel tingidos num tom pouco elegante de laranja. Ela cria obras gordas e bulbosas de cerâmica que chama de "esculturas"; ele e Helena têm algumas peças que enfeiam vários cantos do chalé. Iris também tem uma barraca na feira de artesanato do sábado, onde os turistas, para a enorme surpresa de Jim, às vezes deixam seu dinheiro em troca de uma vasilha ou uma caneca, mas isso não chega a ser motivo de preocupação; Iris se sustenta, pelo que ele sabe, com uma herança generosa deixada por uma tia-avó. Isso permite a ela adotar a típica indiferença dos hippies pelas coisas materiais, com a qual Jim desconfia que ela disfarce a inveja que sente pelo modesto sucesso comercial dele. *Arte é para as pessoas, não para vender. Ter alguma coisa para si é roubo. Eu trabalho em um plano espiritual superior.*

Às vezes, quando Iris fala desse jeito, Jim é tomado por um desejo arrebatador de socá-la. Nunca, em toda a sua vida, ele detestou alguém com tanta veemência; e é um sentimento que não consegue realmente explicar. Helena, é claro, é capaz de sentir, e sua reação é manter-se inabalável. Sem sombra de dúvida, ela parece reservar a maior parte do seu bom humor para Iris atualmente.

No corredor, Jim cumprimenta Iris, um beijo de Judas em cada face. A pele da mulher está desagradavelmente úmida e cheira a patchuli. Ela aperta os olhos quando o observa.

— Fiquei sabendo que você está preparando biscoitos de gengibre, Jim. Nunca imaginei você na cozinha. Isso é trabalho de mulher, não é? — Iris esboça um meio sorriso, com a cabeça inclinada. Ela sempre o provoca dessa maneira, com seu feminismo fajuto e distorcido, como se Jim fosse o tipo de homem que odeia as mulheres. Na realidade, a única mulher que ele odeia no mundo é a própria Iris.

— Dylan está ajudando também — diz ele. — Isso transforma o garoto em uma mulher?

Sem esperar pela resposta, ele se dirige a Helena.

— Vou sair um pouco. Me avise quando eles chegarem, está bem?

No estúdio, o aquecedor está cuspindo o cheiro acre de poeira queimada, e Marcel está estendido no velho tapete de retalhos, com a barriga para cima.

— Bom dia, garoto. — Jim se abaixa, faz cócegas no gato e Marcel se espreguiça, ronronando. — Vamos ouvir um pouco de música?

Ele coloca o álbum *Blood on the Tracks* no toca-fitas — presente de Sinclair e sua mãe no Natal ano passado. Tira o lençol que cobre o cavalete — um velho hábito do qual nunca se livrou, embora Helena raramente venha até aqui hoje em dia — e coloca a mão no bolso para pegar o tabaco e o papel de enrolar cigarros. Os acordes trêmulos e instáveis de *Tangled Up in Blue*, narrando sobre uma mulher ruiva, amada e perdida. Ele canta junto com a fita, apertando o tabaco, espalhando-o pela superfície do papel, estreitando os olhos enquanto olha para a tela.

O cabelo da mulher não é ruivo; é castanho-escuro, profundo, lustroso como uma noz. Ela está virando o rosto, olhando para o homem sentado atrás dela, no sofá da sala; ele está de frente para ela e para o observador, com uma expressão que Jim gostaria que fosse inescrutável. Naquele momento, seu medo mais forte é que o homem — que, ao mesmo tempo, é ele e também não é, assim como a mulher é tanto Helena quanto Eva Katz, e qualquer uma das mulheres com quem ele já conversou — pareça entristecido demais.

Aquele é o terceiro painel do tríptico. Os outros dois, que estão encostados na parede do estúdio e cobertos por lençóis, mostram quase a mesma imagem, exceto por pequenas variações: no primeiro, a mulher está sentada no sofá e o homem está em pé; no segundo, os dois estão sentados. Jim mudou alguns detalhes da sala também: a posição do relógio na parede atrás do sofá; os cartões e as fotografias na cornija; a cor do gato que se espreguiça na poltrona (somente um deles é preto e branco, uma homenagem a Marcel).

— Como num jogo dos sete erros — disse Helena quando ele descreveu a ideia pela primeira vez; ela estava brincando, mas ele sentiu a alfinetada. Suas intenções para o tríptico são bem mais grandiosas. A pintura retrata as muitas escolhas que não foram feitas, as muitas vidas que não foram vividas. Ele a chamou de *Três vezes nós*.

Jim havia apenas começado a trabalhar no rosto do homem — pincelando levemente as sombras ao redor da sua boca, tentando erguer seus cantos — quando Helena enfia a cabeça pelo vão da porta. Ela precisa erguer a voz para que ele a ouça por sobre a música.

— Eles chegaram.

Ele assente, afasta-se relutantemente da tela e coloca o pincel no pote com aguarrás. Curva-se para fazer um carinho em Marcel e desliga o aquecedor; vai levar alguns dias até que possa voltar aqui.

Jim nunca gostou do Natal — as infindáveis horas regadas a comida e bebida, a alegria forçada. No Natal após a morte do seu pai, Vivian havia acabado de sair do hospital e nem se incomodou em se levantar da cama. Não havia nada na despensa a não ser um pote de geleia e um pacote de biscoitos de água e sal envelhecidos, que ele já havia terminado de comer quando a sra. Dawes, a vizinha, com seu talento para perceber o desconforto de Jim, tocou a campainha e insistiu para que ele fosse jantar em sua casa.

Agora Jim segura o corpo morno e agitado do gato e pressiona o queixo contra a cabeça de Marcel.

— Vamos lá, garoto. Vamos colocar você para dentro.

Na cozinha, ele sente o cheiro dos biscoitos de gengibre assados que estão esfriando e o coro baixo das músicas natalinas no rádio. (Helena é surpreendentemente tradicional em relação ao Natal; quando Howard e Jim tentaram proibir qualquer menção à data em certa ocasião na Casa Trelawney, ela e Cath quase chegaram ao ponto de fazer as malas e ir embora.)

Vivian está conversando em voz alta com Dylan.

— Você não pode espiar o que tem dentro das caixas dos seus presentes, querido. — Está vestindo um blusão verde com a figura de uma rena tricotada desajeitadamente na frente, uma touca de lã cor-de-rosa e um par de brincos com o formato de folhas. Ela se vira para beijá-lo e Jim percebe que ela passou duas linhas grossas de delineador, uma diferente da outra, ao redor dos olhos; e que o batom rosa se entranhou nas rugas profundas dos dois lados da boca.

— Meu querido — diz ela.

Sinclair, que vem pelo corredor com as malas, olha Jim nos olhos e forma as palavras "Não está bem" com os lábios, silenciosamente.

É Dylan que os conduz pela noite: ele adora a avó e insiste em trazer seus brinquedos favoritos — a lousa mágica, a mola maluca, o boneco de Luke Skywalker — para que a avó os inspecione. Helena serve pratos de presunto, queijo e salada; eles comem os biscoitos de gengibre com canecas de chá e fazem uma brincadeira de adivinhação que se desintegra quando chega a vez de Vivian e ela fala o nome do filme antes de começar a fazer a mímica.

— Ah, meu Deus — diz ela, percebendo seu erro. Seus olhos se enchem de lágrimas. — Sou uma idiota. Idiota.

Jim, lembrando-se de um jogo desastroso de "vinte perguntas" que deixou a mãe chorando na sala, cria uma distração, oferecendo bebidas para todo mundo. Após a segunda taça de vinho do Porto, Vivian adormece no sofá, roncando baixinho.

Mais tarde, quando ela é convencida a se recolher, quando Dylan já está dormindo e Helena também já foi para o quarto, Jim e Sinclair se sentam na cozinha, compartilhando o que restou de uma garrafa de uísque.

— Há quanto tempo ela está assim?

Sinclair dá de ombros. Jim já viu a expressão do padrasto em seu próprio rosto, na época em que morou com a mãe naquele apartamento miserável em Bristol.

— Três semanas, talvez. Ou quatro. O remédio estava funcionando às mil maravilhas. Você sabe disso. Mas acho que ela parou de tomá-lo. Diz que lhe dava a sensação de estar dentro de uma bolha, que ela quer *sentir* outra vez.

— Você não encontrou os comprimidos?

— Não. Você sabe como ela é esperta. Está esvaziando o frasco. Acho que joga tudo na privada.

O relógio da cozinha continua a tiquetaquear; na velha poltrona no canto, Marcel boceja e depois volta a dormir.

— Vamos ter de ligar para o dr. Harris no ano novo — declara Jim. — Ela não vai aguentar. É demais para você.

— É demais para todos nós. — Sinclair esvazia o copo. — Ela passa a noite toda chamando o nome do seu pai, sabia? É a primeira vez que faz isso. Quando tento reconfortá-la, ela me agride.

— Lamento — diz Jim, porque realmente lamenta e porque não há nada mais a dizer. Depois, os dois sobem para seus quartos; Jim, para se deitar ao lado de Helena, buscando o calor do seu corpo; Sinclair, para o quarto onde Vivian está dormindo tranquilamente, pelo menos por enquanto.

Durante a noite — ou talvez no início da manhã —, Jim acorda ao som de uma mulher chorando. Continua deitado e imóvel por alguns segundos, subitamente alerta; mas Helena continua dormindo, e ele não ouve o som outra vez.

Versão 3

Fosforescência
Los Angeles, dezembro de 1977

Na véspera do ano-novo, David e Eva vão a uma festa na casa do empresário de David, Harvey Blumenfeld, em Hancock Park.

A casa é ampla — é claro — e construída com vigas estruturais de madeira, uma adaptação de um estilo florentino com torretas que faz com que Eva se lembre, estranhamente, de uma excursão com a escola a Stratford-upon-Avon: o chalé de Anne Hathaway, com o teto de palha, o reboco grosso delineado por vigas escuras de madeira. Enormes palmeiras cercam a piscina, flanqueada por uma estrutura baixa feita com belas pedras avermelhadas, com um forno a lenha no qual o próprio Harvey — um homem com um apetite imenso, especialmente por gestos dramáticos — já foi visto, em suas reuniões mais íntimas no verão, assando pizzas para seus convidados.

Eva escolhe um vestido rosa-choque longo, com os punhos em evasê e um decote bem amplo. Parecia perfeito em Londres — ela o encontrou em uma pequena butique próxima a Carnaby Street —, mas não é adequado para Los Angeles, ela descobre assim que chegam à festa.

As outras mulheres vestem terninhos com calças compridas ou blusas com decote canoa e mangas curtas. Todas ostentam cabelos bem penteados; os braços e colos desnudos têm, na maioria, a cor atraente e uniforme de bege-claro. Dizer que são bonitas parece inadequado, e não é, em todos os casos, o termo mais exato; elas têm algo que vai além da beleza. São douradas, luminosas; Eva, enquanto observa as convidadas — lá estão Faye Dunaway, elegante como uma gazela com calças brancas largas; Carrie Fisher diante da piscina, piscando os olhos para Warren Beatty —, tem a impressão de que, de algum modo, elas absorveram o calor dos holofotes do estúdio pela pele. David, também, sempre tem essa qualidade, e tanto mulheres quanto homens são atraídos por ela, como se fossem mariposas. Ali está ele agora, do outro lado da sala, conversando animadamente com uma atriz magra como uma taquara, que veste uma blusa com decote generoso, e seus olhos não se afastam do rosto dele.

Eva fica sozinha, tomando champanhe e reparando no detestável vestido rosa. Tem uma visão desconfortável, subitamente, na qual todo o seu relacionamento com David se transforma em uma sequência de momentos que se desenrola como um carretel; um rolo de filme de vestidos inadequados que ela usou para ir a festas onde ela não conhece ninguém.

Bem, não que ela realmente não conheça *ninguém*; ali está Harvey, é claro, que trata Eva com uma cortesia exagerada que, pelo que ela imagina, ele acha ser um hábito tipicamente europeu. ("A bela *Frau* Curtis! Como *vai* você, a mais bela das damas?") Harry está aqui, embora Rose não esteja; eles se separaram há três anos, depois que ela encontrou Harry na cama com a sua mais recente jovem atriz. E, no decorrer dos anos, Eva conheceu um número considerável de pessoas relacionadas com David para poder andar pela sala, passando de um grupo a outro. Ela sabe que aquelas pessoas não a consideram uma delas — como poderia, a mulherzinha que preferiu ficar na Inglaterra criando dois filhos —, mas, de maneira geral, são bastante amáveis com ela. Certa vez, em uma cerimônia do Oscar, uma jovem atriz chamada Anna Capozzi — que era elegante sem precisar se esforçar, em um vestido negro frente única — se aproximou, pegou Eva pelo braço e sussurrou em seu ouvido: "É absurdo o que estão falando de David. Nenhum de nós acredita em uma palavra". Ela devia saber a verdade — que David estava, que *está* apaixonado por Juliet Franks —, mas Eva achou que foi gentil da parte dela negar aquele fato.

Pelo menos Juliet não está na festa; ela voltou a Londres para as festividades do fim do ano — uma ausência diplomática pela qual Eva fica agradecida, mas não se deixa enganar. Ela sabe que Juliet está praticamente morando com David. Encontrou loções e perfumes caros no banheiro da suíte do marido, e Rebecca — falando de forma insensivelmente franca, como se quisesse forçar a mãe a reagir — disse a Eva que Juliet frequentemente está lá pela manhã para preparar o café. Pilhas de panquecas com calda de mirtilos e sucos batidos na hora. Um dia, pensar naquela mulher preparando o café da manhã da sua filha faria Eva gritar a plenos pulmões. Agora ela percebe somente qual é a verdadeira essência daquela cena: Juliet é a verdadeira esposa, enquanto ela é a outra mulher, a intrusa.

    Foi Eva quem teve a ideia de passar o Natal e o Ano-Novo em Los Angeles. Não teria nenhuma revisão de textos para fazer e pensou que seria uma oportunidade para que Sam passasse alguns dias com o pai (David não passou mais do que um fim de semana em Londres, espremido entre testes de elenco, desde o funeral de Miriam), e para que eles dois passassem algum tempo com Rebecca, que atualmente está morando com o pai. Ela está com dezoito anos agora, mais alta do que Eva, com os olhos castanhos de David e lábios expressivos e despreocupados. Já fez alguns trabalhos como modelo em Londres, e David havia começado a apresentá-la aos seus amigos de Hollywood como... bem, "como um cafetão", foi como Eva descreveu a situação durante a última briga, pelo telefone. David ficou indignado, e com razão, como somente um pai que observou a vida dos seus filhos a uma distância segura de oito mil quilômetros pode se sentir.

— Se você tentar impedi-la de fazer o que quer, Eva, tudo o que vai conseguir é afastá-la de você — disse ele.

    Eva não quis admitir, mas sabia que ele estava certo. A adolescência de Rebecca foi pontuada por lágrimas, portas batendo e ameaças de fugir para Los Angeles. A pior discussão aconteceu quando Rebecca tinha somente catorze anos. David não havia voltado à Inglaterra para o aniversário da filha. O pedido de desculpas habitual veio pelo telefone: "Desculpe, meu bem, mas Harvey agendou uma entrevista com George Lucas"; depois, um frasco grande de Chanel nº 5, a tradicional oferta de paz, chegou pelo correio. Eva, para tentar compensar aquilo, organizou um elaborado jantar para Rebecca e quatro amigas: coquetéis de camarão, ensopado de frango *chasseur* e bolo de sorvete. Rebecca e as amigas não compareceram; e somente uma das amigas — uma garota meiga e nervosa chamada Abigail — teve a decência de telefonar.

— Lamento, sra. Katz — disse Abigail. — Rebecca foi para uma danceteria com as outras. Ela vai ficar furiosa comigo por lhe contar, mas eu estava me sentindo mal.

Lenta e cuidadosamente, Eva embrulhou a comida em filme plástico e colocou-a de volta na geladeira; tirou os pratos e os talheres da mesa; removeu o álbum *Alladin Sane* (seu presente de aniversário para Rebecca) do toca-discos. Sam ajudou — tinha cinco anos na época; ainda adorava a amada irmã mais velha, mas era precocemente sensível aos sentimentos da mãe — e depois Eva o colocou na cama e ficou acordada, fumando e esperando. Eram quase duas horas da manhã quando Rebecca chegou em casa. Quando viu a mãe, apertou os lábios — pintados de um rosa lúrido e cintilante — e disse:

— Queria morar com o meu pai em vez de morar com você.

E Eva, com uma franqueza da qual se arrependeria mais tarde, respondeu:

— Bem, se é isso que você quer, por que diabos não vai até lá?

Rebecca apertou os olhos até que eles se transformaram em duas frestas estreitas.

— Talvez eu vá mesmo. E depois você vai se arrepender, não é?

Mas Eva nunca pensou que Rebecca fosse cumprir a ameaça — até que, quatro anos mais tarde, após terminar os estudos com as notas mais altas da escola, ela o fez. Arrumou as malas — os shorts jeans, os coletes de camurça com franjas, as fitas cassete de David Bowie e seu velho urso de pelúcia chamado Gunther — e partiu para o aeroporto de Heathrow numa manhã de sábado, com a passagem aérea que, aparentemente, David lhe mandou.

Foi sorte Eva tê-la apanhado; ela havia saído para levar Sam ao treino de futebol. Quando abriu a porta, viu a filha descendo as escadas com uma mochila pesada e a agarrou pelo braço.

— Aonde você pensa que vai?

— Los Angeles. — Rebecca encarou a mãe, desafiando-a, e Eva viu a determinação e a autoconfiança de David naqueles olhos castanho-escuros, naquele queixo firme e decidido. Era muito parecida com o pai; tinha dezoito anos; talvez realmente devesse ir passar algum tempo com ele. E, assim, Eva decidiu não brigar. Afrouxando o aperto ao redor do braço da filha, ela disse:

— O que deu na sua cabeça para ir embora sem dizer nada?

Rebecca também sentiu seu ímpeto arrefecer um pouco naquele momento.

— Desculpe. Achei que você tentaria me impedir.

Eva, suspirando, estendeu a mão e colocou uma mecha solta do cabelo da filha atrás da sua orelha.

— Vamos, levo você até Heathrow. Não que você mereça. E quanto àquele danado do seu pai...

No carro, Eva guardou a mochila no porta-malas. Rebecca sentou-se no banco do passageiro, as pernas à mostra e bronzeadas, sem quaisquer marcas.

— Você entende que eu tenho que me afastar um pouco, não é, mãe? — disse ela despreocupadamente. — Você me sufoca. Você me sufoca com o seu amor.

Eva virou o rosto, fingindo que verificava o retrovisor enquanto piscava para afastar as lágrimas. Ficaram em silêncio enquanto David Bowie as acompanhava ao longo da rodovia M4. (Aquela estrada feia ainda parecia muito romântica, porque se estendia até a Cornualha, até onde Jim estava.) No terminal, Rebecca parecia arrependida.

— Eu realmente sinto muito, mãe. — E Eva, sem querer deixar que a raiva azedasse a separação, comprou alguns presentes para a viagem: um pó compacto Christian Dior e um Ray-Ban. Rebecca até chorou um pouco quando elas se despediram. E então ela se foi: uma figura pequena vestindo shorts e calçando botas, curvada sob o peso da enorme mochila.

Durante todo o trajeto de volta para casa, voltando para Sam e para um apartamento vazio, as palavras da filha ficaram se repetindo sem parar na sua cabeça. *Você me sufoca.* Eva se deu conta de que havia feito sua escolha, não uma vez, mas duas: investiu não em Jim, na chance de encontrarem sua felicidade juntos, mas em seus filhos, na certeza de que a felicidade deles dependia de uma mãe que fosse leal, principalmente — pelo menos no papel —, ao seu pai. Chegou a considerar a hipótese de se divorciar de David e colocar o amor que sentia por Jim às claras: mas, cada vez que pensava nisso, via seus filhos — o modo como Rebecca parecia brilhar toda vez que via seu pai, ou como Sam estimava cada um dos pôsteres de filmes e dos programas de teatro do pai, suas fotos autografadas. Pensou em trazer Jim para a vida deles — construir um lar, tecer as fibras diferentes das duas famílias despedaçadas — e sentiu uma onda de medo.

Estava priorizando seus filhos. Os dois estavam: Jim fazia a mesma coisa com sua filha Sophie — e esse fato, Eva pensava agora, a havia tornado superprotetora. Lembrava-se da ocasião, em uma das raras noites que passou com Jim anteriormente, em que insistiu que Rebecca passasse o fim de semana inteiro em casa em vez de sair com as amigas; queria que a presença da filha, de algum modo, compensasse a intensidade e a dor da saudade que sentia de Jim. Lembrava-se também das tardes em que, ao voltar de uma hora ou duas passadas com ele em Regent's Park, proibiu Sam de ir à casa de um amigo depois das aulas. A culpa a fez trazer seus filhos para muito perto de si. Enquanto voltava pela M4, Eva percebeu que não precisaria mais fazer isso. Que talvez a melhor mãe não fosse aquela que tentava, contra todos os obstáculos, proteger seus filhos; e sim aquela que era honesta, feliz, sincera consigo mesma e com seus próprios desejos.

Em Los Angeles, a festa progride, regada a champanhe, com uma banda e fogos de artifício à meia-noite. À uma da manhã, os lançadores giratórios de fogos de artifício ainda estão fumegando e os convidados estão começando a se dispersar. Aqueles que quiserem continuar com a festa vão se dirigir ao Chateau Marmont, ou a quartos de hotel espalhados ao longo da rodovia. Eva e David não estarão entre eles: Sam e Rebecca estão em casa (isso se Rebecca *ficou* em casa. Eva suspeita que ela provavelmente escapuliu no carro esporte que David lhe deu de presente no seu aniversário de dezoito anos). E assim eles vão até o Aston Martin vermelho de David, sob a noite fresca e úmida da Califórnia, com uma mistura do aroma herbal dos oleandros e de gasolina e a fosforescência amarga dos fogos de artifício.

David deixou a capota abaixada. Eva cobre os ombros com a echarpe enquanto ele manobra o carro, o cascalho fazendo bastante ruído sob os pneus.

— Está com frio? — pergunta ele, olhando na direção de Eva.

— Não, estou bem. A noite está refrescante.

Na estrada, eles veem as luzes da região central de Los Angeles, piscando como as luzes de sinalização de aviões distantes. Eva pensa em Jim, é claro, como sempre faz: sua forma sólida e segura; cada vez que ela o vê, parece que o resto do mundo se desmancha em um borrão.

Ela pensa naquele dia e naquela noite no hotel em Broadway, no dia seguinte ao funeral da mãe; como Jim voltou após uma caminhada, deitou-se ao seu lado e pediu que fosse viver com ele, e ela fingiu não ter escutado. Ela o amou por pedir aquilo — é claro que amou —, mas havia acabado de perder a mãe, as crianças haviam acabado de perder a adorada vovó, e a ideia de forçá-los a passar por mais uma perda, mais uma mudança abrupta, era terrível demais para ser contemplada.

Ela pensa no que Jim pode estar fazendo neste momento; se está deitado ao lado de Helena, pensando na última vez que eles — ele e Eva — fizeram amor.

Ela pensa na sensação de quando lhe escreveu aquela carta, há tantos anos, pedalou com ela pela King's Parade enquanto as luzes dos postes se acendiam e sentiu que seu coração estava se despedaçando — não em algum sentido metafórico, mas com uma dor que era física: como se estivesse realmente se rasgando em dois.

Pensa em Jim diante da Biblioteca Pública de Nova York, as mãos geladas enfiadas nos bolsos, esperando por ela, examinando a multidão em busca de um rosto que não apareceria.

Ela pensa: *Já faz muito tempo*.

Ela pensa: *Agora*.

— É hora de pararmos com isso, David. — A voz de Eva parece estar estranhamente mais alta, flutuando na direção dele pela estrada silenciosa. — Não consigo continuar com isso. Não sei nem mesmo o que estamos fazendo.

David observa a estrada se desenrolar. Seu perfil é quase tão familiar para Eva quanto o seu próprio — chegará aos quarenta este ano; ela já o conhece há mais da metade da sua vida — e ainda assim fica chocada ao perceber que realmente não conhece o homem que ele se tornou. Aquele rosto é o mesmo que aparece nos pôsteres dos filmes, os olhos sem expressão, inescrutáveis.

— Você tem razão — diz David cautelosamente, como se estivesse escolhendo palavras em uma linguagem que não domina completamente. — Deixamos as coisas seguirem por tempo demais.

— Eu amo outra pessoa. — Ela não esperava dizer isso agora.

— Eu sei. E Jim merece você, Eva. Estou falando sério. Ele a amou durante todo esse tempo.

Eva passa a mão pelo tecido rosado do seu vestido. Um fragmento de poesia — T. S. Eliot; como ela se dedicava a ele durante o tempo em que estudou em Cambridge — surge em sua mente: *As pegadas ecoam na memória / pela passagem que não atravessamos*. Todo o esforço que eles fizeram, todos os segredos, todas as camadas frágeis de mentiras e meias verdades. Tudo isso desaparece; simplesmente se vai.

— Quando você descobriu?

— Acho que eu sempre soube.

Ela engole em seco. Eles passam por um hotel cujo letreiro só está aceso pela metade, as letras de néon *TEL* flutuando como fantasmas em meio à escuridão.

— Rebecca sabe?

— Não tenho certeza. Ela nunca falou nada. — Eva respira um pouco mais aliviada. Vai contar tudo à filha e a Sam também, mas a seu próprio tempo. — Não fomos honestos com eles, não é mesmo?

— Não fomos honestos um com o outro.

— Não sei se concordo com isso. — David pega seus cigarros no painel do carro. Acende um e o passa para Eva. — Nós dois fizemos o que achávamos ser certo, Eva. E não somente devido a alguma ideia velha e antiquada sobre lealdade. Eu amava você, e você sabe disso. Provavelmente ainda amo. Nós simplesmente não damos certo, não é mesmo?

Eles ficam em silêncio enquanto fumam. *Ele é um homem decente, apesar disso tudo*, pensa Eva. *Ele realmente fez o melhor que podia*. Outro conversível passa por eles, buzinando ruidosamente: quatro adolescentes estão no carro, ouvindo Deep Purple a todo o volume. Eva examina rapidamente o rosto deles em busca de Rebecca, mas sua filha não está naquele carro. Ela se recosta contra o apoio de cabeça, fumando o cigarro até a brasa se apagar contra o filtro, pensando na velocidade em que tudo pode mudar; pensando no que Jim vai dizer quando ela lhe contar o que fez.

Diante da casa de David — aquela caixa de aço, vidro e concreto modernista; a casa sempre foi de David, não dela —, o carro ronrona gentilmente até parar. Eles ficam sentados por um momento; nenhum deles está pronto para entrar ainda.

— Seja feliz com ele, Eva — diz David. — Eu realmente desejo que você seja feliz.

Ela estende a mão e toca o rosto dele. É a primeira vez que ela o toca em meses — ou mesmo em anos — e sentir a pele fria de David em sua mão faz um calafrio percorrer seu corpo: medo, arrependimento e o doce prazer de lembrar que o amou, ou de acreditar que o amou. De acreditar que tinha de amá-lo.

— Acho que seremos, David. Realmente acho que seremos.

Versão 1

No chão
Bristol, fevereiro de 1979

Eles enterram Vivian em uma sexta-feira pela manhã; o mais frio dos dias de fevereiro, o céu cinzento e o ar pesado, umedecendo a pele, embora não tenha chovido.

A grama ao redor da igreja está congelada; quebra-se sob os pés das pessoas quando elas saem. Durante toda aquela lenta procissão — Jim segurando a alça dianteira esquerda do caixão, suportando a sua parte do peso, deixando que os cantos afiados pressionem seus ombros desconfortavelmente —, ele só consegue pensar nos coveiros; em quanto tempo deve ter levado para que eles abrissem a cova, quebrando a camada congelada na superfície até chegar à terra fofa e quente abaixo.

Ele nunca foi a um enterro antes. Funerais, sim — o de Miriam aconteceu há quase três anos —, mas todos foram cremações; cerimônias breves que culminam com um desfecho apoteótico, no qual o caixão desaparece por trás de uma cortina como num passe de mágica. Do funeral do seu pai, Jim se lembra apenas daquela lenta dança do veludo vermelho, o ruído mecânico conforme o caixão era levado a lugares desconhecidos. Sua mãe, imóvel e silenciosa no banco da igreja, ao seu lado (o médico veio até a casa naquela manhã e lhe deu algo para "mantê-la calma"); a lã cinzenta do tecido da sua bermuda áspera arranhando suas pernas.

Quando a polícia ligou para dar a notícia, Jim imaginou — quando foi capaz de pensar em alguma coisa — que o funeral da mãe seria do mesmo jeito. Mas planos haviam sido traçados, promessas haviam sido feitas. Vivian vinha frequentando a igreja há mais de um ano. Jim não ficou surpreso quando ela lhe contou, pois, com frequência, durante os períodos mais eufóricos, sua mãe desenvolvia fanatismos súbitos e imprevisíveis. Houve uma fase particularmente constrangedora no início da adolescência de Jim em que Vivian flertou com a Wicca e seus poderes sobrenaturais, e ele encontrou pequenas oferendas espalhadas pela casa — gravetos trançados, um ninho com ovos de codorna e uma pilha de bulbos secos de margaridas.

E, assim, Vivian manifestou a vontade, de acordo com Sinclair, de ser enterrada em sua nova igreja. Tinha horror à cremação, de pensar em seu caixão sendo levado em direção às chamas enquanto ainda estava viva, sem que ninguém conseguisse ouvi-la gritar por socorro.

Jim não disse, mas pensou: "Bem, se a minha mãe queria um enterro cristão, talvez devesse ter pensado duas vezes antes de se jogar de uma ponte".

Ele faz tudo que pode para consolar Sinclair, que se sente responsável pelo que aconteceu — embora Jim não o acuse de nada, não mais do que acusa a si mesmo. Foi Vivian que se recusou a tomar seus remédios — eles encontraram um punhado de comprimidos escondidos em um saco plástico dentro da cisterna da privada do banheiro do térreo. Era ela quem queria poder *sentir* outra vez. Foi ela quem esmagou um comprimido para dormir até transformá-lo em pó e o misturou no uísque que Sinclair tomava e depois saiu de casa às três da manhã para caminhar descalça sobre o asfalto negro e frio até a ponte.

Era uma ponte simples para pedestres, que passava sobre um pedaço sem qualquer característica especial da rodovia; só Deus sabe por que ela escolheu aquele lugar. Naturalmente, foi encontrada por um motorista. Ele contou à polícia que a viu cair — observou uma mulher despencar da ponte, com a camisola iluminada pelas luzes dos postes.

— Ela estava sorrindo — disse ele. — Tenho certeza disso. Nunca vou esquecer.

Jim sabia disso porque pediu para ver a transcrição do depoimento do motorista. Ao lê-lo, lembrou-se de uma história que ouviu certa vez em um pub de Bristol, quando havia voltado de Cambridge para passar as férias e saiu sozinho em uma noite para ir beber cerveja no White Lion. O homem era alto, mais ou menos da sua idade; estava sentado entre um grupo de funcionários de algum escritório, que vestiam ternos baratos. Contava àqueles garotos, com o sotaque suave e característico de Bristol, sobre uma garota que trabalhava em uma fábrica, rejeitada pelo seu amado, que se jogou da ponte suspensa de Clifton, e suas enormes saias rodadas em estilo vitoriano se abriram, formando uma espécie de paraquedas. Incrivelmente, ela havia sobrevivido. "Viveu até os oitenta e cinco anos", disse. Era curioso como Jim conseguia visualizar o rosto do homem em sua mente. "Uma lenda em sua própria época."

Diante da sepultura, os garotos que ajudavam o coveiro se aproximam para trazer o caixão até o chão. Alguém — um dos cavadores, supõe Jim — forrou a cova com mantas de um tecido grosso; colocado contra a terra negra, o tecido verde parece ser algo de gosto duvidoso, artificial. Jim passa a parte do peso da mãe que está sobre os seus ombros para os garotos — que na verdade já são homens, com músculos sólidos sob os paletós pretos — e sente uma mão se fechar ao redor da sua. Eva. Sinclair está do seu outro lado — apenas a casca de um homem, esvaziado, como se o ar lhe escapasse por algum furo. Jennifer e Daniel estão atrás deles, cada um segurando uma das mãos de Jakob.

— O que aquele homem está fazendo, vovô? — pergunta Daniel a Jakob num sussurro alto enquanto o padre, um homem grande e desajeitado com um rosto leve e gentil (claro que devia ser gentil, para permitir que Vivian tivesse um funeral como aquele), se aproxima da cova.

— Ele está se despedindo, Daniel — sussurra Jakob em resposta. — Todos nós vamos dizer adeus para a sua avó.

Depois, os carros pretos os levam de volta para a casa de Sinclair — Jim nunca conseguiu se acostumar à ideia de que aquela era a casa da sua mãe —, onde Eva e as tias prepararam o bufê completo com vinho, licores e cerveja. Ele se serve de um copo de uísque — o que resta de uma garrafa que ele mesmo deu a Sinclair no Natal, mas que bebeu praticamente sozinho durante as últimas noites em claro — e observa Eva enquanto ela caminha por entre os convidados. Ainda é magra, compacta; seus cabelos escuros — que agora estão presos num coque baixo — exibem uma ou outra mecha grisalha, mas, na realidade, ela ainda poderia passar por uma garota.

Sua garota. Sua esposa. A mulher que ele conhece melhor do que qualquer outra — melhor, certamente, do que ele jamais conheceu a própria mãe, com suas impenetráveis reservas de tristeza. Transformou--se em uma pessoa muito diferente da garota que era antigamente, com sua bicicleta em Cambridge. Hoje, Eva é, de certa forma, pública, uma pessoa conhecida, até mesmo reconhecida. Há algumas semanas, um homem que tinha mais ou menos a mesma idade de Jim se aproximou enquanto eles estavam jantando em um restaurante e disse a Eva o quanto ele a admirava, sem se preocupar em dar uma olhada na direção de Jim. E ele não se importou — não como poderia ter se importado em outras vezes. Decidiu dar um fim, durante aquela maravilhosa viagem à Grécia, à sua amargura desagradável. E voltou para casa sentindo-se verdadeiramente melhor do que já se sentia há vários anos — mais próximo de sua bela e brilhante esposa; cheio de amor pelos seus filhos; encontrando satisfação na carreira de professor; na possibilidade de inspirar em outros o seu próprio amor pela arte e por tudo o que aquilo significava para ele.

E, ainda assim, aquela velha sensação de fracassos e de ambições não realizadas voltou a surgir. *Um marido, um pai, um professor de artes*: entediante, pesado e confiável. Não um *verdadeiro* artista; não como seu velho amigo Ewan, com sua exposição no museu Tate. Recentemente, em uma festa, Jim ouviu um dos novos amigos de Eva — um produtor de TV que usava um terno azul, reluzente — perguntar a ela por que o seu marido nunca considerou a possibilidade de se tornar um "pintor de verdade, como o pai".

— Oh, mas Jim é pintor — respondeu Eva. — E é muito bom.

Jim sentiu orgulho da lealdade da esposa, de sua cegueira carinhosa e deliberada. (Já faz anos que ele não pinta nada.) E mesmo assim suas palavras também lhe doeram. Durante vários dias ele se perguntou se Eva realmente acreditava no que havia dito — se aquilo era, resumidamente, a sua versão da verdade, e o que aquilo significava sobre a pessoa que ela ainda devia acreditar que ele era. Em que motivo, agora, Jim ainda poderia se apegar para dizer que era alguma espécie de artista?

A vigília passa num borrão de rostos.

— Pelo menos, ela descansou — diz alguém, uma mulher da idade da sua mãe, com cabelos grisalhos, os olhos azuis pequenos marcados pelas veias vermelhas. Jim concorda com um aceno de cabeça, sem conseguir formular uma resposta. Somente a sua tia Patsy parece ter algo que valha a pena compartilhar.

— Você fez tudo o que podia por ela, Jim. Era o queridinho dela, era tudo para Vivian. Mas, no fim das contas, não foi o bastante, não é mesmo? Nada seria o bastante para ela, nunca.

Ela franze as sobrancelhas enquanto Jim se serve de mais uma dose de uísque — trouxe mais uma garrafa de Londres.

— É melhor tomar cuidado com isso. Beber até cair não vai fazer a dor ir embora.

Ele sabe que sua tia tem razão; está bebendo demais. Não consegue culpar sua mãe por isso também — por mais conveniente que isso possa ser. Já faz alguns meses que tem a desconfortável noção do alívio que vem com o primeiro copo — a sensação de que está reconfigurando o mundo, tornando-o compreensível.

O melhor momento é após o jantar (e mais cedo, às vezes, nos fins de semana). Após deixar os estresses do dia para trás, com Daniel na cama e Jennifer sentada obedientemente com os seus livros da escola, Eva fora de casa, em algum lugar — geralmente, Jim não consegue se lembrar; talvez tenha pedido que ele a acompanhasse, talvez não —, e a cozinha tranquila, calmamente iluminada. O segundo copo também é bom, com o terceiro as cores dos cômodos ficam mais quentes e a noite se enche de possibilidades. É somente com o quarto copo, o quinto, que essas possibilidades parecem retroceder, e as sombras da casa parecem crescer. É aí que se pergunta onde está Eva, onde estão todos, por que a casa está tão quieta. É então que sente a enorme e profunda solidão tomar conta de si, e com ela a sensação irritante de que ele não puxou o pai, e sim a mãe. Pois certamente é assim que Vivian devia ter se sentido em seus momentos mais sombrios, naquela noite sem lua em que fechou a porta atrás de si e saiu descalça pelas ruas. É nesse momento que realmente pensa que é o filho da sua mãe, e esse pensamento o enche de medo; e, assim, ele enche mais um copo.

Algum tempo depois — já está escuro fora da casa, e as janelas da cozinha estão lançando fachos de luz sobre o gramado bem aparado do jardim —, Eva faz café. Ela coloca uma caneca diante de Jim. Ele está sentado diante da mesa da cozinha, o mesmo lugar onde está há várias horas. As outras pessoas devem ter ido embora, ele percebe somente a presença da esposa, de Sinclair, e uma conversa baixa na televisão da sala.

— Eu falhei com ela — diz Sinclair. — Lamento muito, Jim.

Jim olha para o padrasto, para o seu rosto gentil, sem qualquer característica notável ou memorável.

— Você não precisa se desculpar, Sinclair. Não há nada que você poderia ter feito. Ninguém poderia ter feito nada.

Ele vem dizendo a mesma coisa, ou variações dela, várias e várias vezes, há semanas. E continuará fazendo isso, mas nunca será o bastante. Nunca conseguirá fazer Sinclair compreender, verdadeiramente, que a escuridão vivia dentro de Vivian. E que, embora ela a temesse, a odiasse, havia momentos, também, nos quais não queria nada além de mergulhar de cabeça nela, de permitir que suas águas se fechassem sobre sua cabeça. Jim entende, e é por isso que pega a garrafa de uísque e se serve de uma dose generosa na caneca de café.

— Jim... — A voz de Eva é suave, preocupada, mas ele balança a cabeça negativamente. Levanta-se, pega a caneca, vai até o corredor e abre a porta dos fundos.

O frio que faz é do tipo lento, penetrante, mas Jim não o percebe a princípio, só quando seus dedos tremem quando tira o tabaco, os papéis e os filtros do bolso da camisa. Seus movimentos são desajeitados, vacilantes; xinga as mãos, o frio, tudo, até que Eva chega, pega o tabaco dele e prepara um cigarro para os dois. Silenciosamente, eles fumam, olhando para os contornos escuros e congelados dos arbustos sendo tomados pela geada. Fumam porque não há nada mais a se dizer. Fumam até que seus rostos comecem a doer de frio e é hora de voltar para dentro.

Versão 2

Café da manhã
Paris, fevereiro de 1979

É Ted quem vê a notícia no jornal.

Eles estão tomando o café da manhã: café e brioches, as notícias do BBC World Service em volume baixo, os jornais espalhados pela mesa. Ted ainda prefere ler os jornais em casa, mas Eva só pode se juntar a ele às sextas-feiras, agora — nos outros dias, tem de estar na universidade às nove horas. Com frequência, chega mais cedo para uma hora de leitura e preparação: reunindo e organizando os seus pensamentos.

O escritório de Eva fica no terceiro andar do departamento de inglês da faculdade — é pequeno, mas bem iluminado, com as janelas emoldurando os galhos mais altos de um plátano e as paredes decoradas com pôsteres de filmes e reproduções de capas de livros. O prazer que ela sente nesta pequena sala, mobiliada exatamente ao seu gosto, a surpreende. Ama o apartamento onde mora, com sua miscelânea de vida familiar (o violão de Sarah, apoiado no sofá; os jornais de Ted; as roupas recém-lavadas penduradas na área de serviço, num velho varal de teto), mas nada daquilo parece ser tão completamente seu, somente seu, quanto esse pequeno escritório na faculdade.

Mesmo agora, enquanto examina um artigo sobre uma greve de caminhoneiros, a mente de Eva já está naquela sala, considerando a pilha de contos do primeiro ano que restam em sua mesa, a carta de recomendação que concordou em escrever para um aluno que vai tentar um mestrado em Harvard. E, assim, ela não está realmente prestando atenção quando Ted diz:

— Jim Taylor. Você não o conheceu em Cambridge?

— Jim Taylor? — Eva ergue os olhos e percebe que a expressão do marido é séria. — O que tem ele?

— A mãe dele morreu. Matou-se, aparentemente. Que coisa horrível. — Ele dobra o seu exemplar do The Guardian bem no meio e o entrega a ela. *Vivian Taylor, viúva do artista, morre aos 65*. Não é a principal notícia do obituário, mas um artigo na mesma página, acompanhado por uma pequena fotografia em preto e branco de uma mulher num vestido estampado, e o homem ao seu lado mais baixo e atarracado. *O legista declarou que a causa da morte foi suicídio. Deixa um filho, Jim, também um pintor talentoso, e duas irmãs, Frances e Patricia.*

Eva olha novamente para a fotografia. Vivian não está sorrindo, mas o homem com o braço ao redor dela — seu marido, Lewis Taylor — está radiante. Não é bonito; é baixo e tem feições grosseiras; não se parece em nada com Jim — mas tem uma energia interna, leonina, tangível até mesmo em oito centímetros de papel-jornal. Mas Vivian: *viúva do artista, mãe do artista*. *Que horror*, pensa Eva, *ter a vida definida somente em relação aos homens que amava*.

Do outro lado da mesa, Ted observa seu rosto.

— Chegou a conhecê-la?

— Não. — Eva coloca o jornal sobre a mesa. — Na verdade, eu mal conheço Jim. Não chegamos nem mesmo a nos conhecer em Cambridge. Foi somente em Nova York, mais tarde.

— Oh, desculpe. — Ele já está indo adiante, passando para os jornais franceses, pegando a edição matinal do *Libération*. — Enganei-me.

Mais tarde, em seu escritório, é hora do almoço — o trânsito enche a rua mais abaixo enquanto o êxodo do fim de semana começa, com alunos gritando e rindo pelos corredores. Eva pega o obituário, coloca-o sobre a carta de recomendação para Harvard que ainda não terminou de escrever. Ali está Jim, com certeza, na expressão de Vivian, no contorno do seu corpo magro. Ficou surpresa por não terem usado também uma foto de Jim — o rosto dele é mais familiar; Eva recentemente leu um artigo que dizia que uma de suas pinturas tinha sido vendida em um leilão por um valor astronômico. Talvez o editor tenha pensado que seria doloroso demais para ele, ou para a família. *É estranho também que não façam menção a Helena ou ao filho deles*, pensa Eva. *Qual era o nome dele mesmo? Dylan. Um belo garoto. Cabelo escuro e olhos brilhantes e curiosos, banhado pela luz do sol, estendendo a mão para pegar algo que está fora do enquadramento.*

Da gaveta da escrivaninha, Eva tira um cartão-postal que foi enviado ao endereço da universidade. *Simples demais*! *Profissional demais*! Em vez disso, ela encontra um cartão que pegou no Museu de Rodin: *A onda*, três mulheres agachadas por baixo de uma onda congelada de ônix verde. Não é uma obra de Rodin, e sim de Camille Claudel. *Viúva do artista, mãe do artista*. Será que Jim vai achar a ressonância importante? Ela decide arriscar que não.

Querido Jim, ela escreve. *Fiquei muito triste quando soube que sua mãe partiu*. Risca a palavra "partiu" e olha para o cartão rasurado por um momento. Não tem outro cartão; Jim terá de perdoar o erro. Escreve "morreu" no lugar da outra palavra; qualquer outro termo será um eufemismo. *Não tenho outras palavras para oferecer. É em momentos como este que vemos o quanto a linguagem realmente é inadequada. A arte diz tudo de maneira muito melhor, não é? Espero que você ainda consiga trabalhar. Penso em você...*

Eva para de escrever e tamborila no queixo com a outra ponta da caneta. "Frequentemente" seria um exagero; pensa nele apenas raramente, e nunca por muito tempo — enquanto toma banho ou ao fechar os olhos para dormir; naqueles momentos mais reservados nos quais permite que a sua mente vagueie rumo ao que poderia ter sido. Deixa aquela frase do jeito que está; sincera, mas ambígua. Em seguida, acrescenta: *Com os meus pêsames e o desejo de que você fique bem, Eva Simpson*. O endereço da galeria de Jim em Cork Street vai do lado direito do cartão, e está feito.

Ela vira o cartão e o observa por alguns segundos — não consegue realmente compreender as expressões das três figuras de bronze capturadas sob aquela camada sólida de água —, e em seguida o guarda no bolso do casaco para enviá-lo mais tarde.

As próximas horas passam tranquilamente. Ela é interrompida somente por uma aluna — Mary, uma garota nervosa do primeiro ano que veio de Milwaukee, ansiosa por saber o que Eva achou do seu conto antes da aula de segunda-feira; e por Audrey Mills, que traz café e salgadinhos da *pâtisserie* local. Audrey é uma mulher corpulenta e de bom coração, com uma cabeleira grisalha presa em uma trança que lhe cai por cima de um dos ombros. Elas conversam sobre as coisas de sempre: alunos, as provas do meio do semestre, os reparos que o marido de Audrey está fazendo na casa de campo na região de Versalhes; o livro de Ted (ele está na metade de um manual bem-humorado sobre os franceses para quem vem da Inglaterra); Sarah.

— Hoje é a noite do concerto do meio do semestre, não é? — Audrey está terminando de comer um pedaço de *millefeuille*.

Eva assente.

— Começa às cinco. É melhor eu terminar logo esta carta de recomendação e voltar para casa. Não vou conseguir viver o resto da minha vida se me atrasar.

Às quatro da tarde, Eva tira a carta de recomendação para Harvard da máquina de escrever, dobra-a cuidadosamente e a guarda dentro de um envelope cor de creme. Depois, veste o casaco, examina a bolsa para ver se está com as chaves do carro e o pó compacto. Fora do seu escritório, o corredor está vazio, os sons ecoam; seus saltos clicam eficientemente no piso de tacos conforme desce as escadas, e deseja a Alphonse, o solitário vigia noturno, *un bon week-end*.

O trânsito de sexta-feira já está carregado; Eva leva uma eternidade para conseguir manobrar o seu pequeno Renault até a Avenue Bosquet, e a fila de carros diminui a velocidade até parar sobre a Pont de l'Alma. Já são quatro e meia. Eva tamborila um ritmo ansioso no volante, tenta lembrar a si mesma de que há piores lugares para se estar presa no trânsito; o dia está entediante e desbotado, mas os prédios altos e cinzentos ao longo do Rive Droite estão belos e dariam um ótimo estudo em monocromia.

Ela observa um pequeno bote atravessar as águas sujas do Sena e se pega pensando na mãe — em uma visita que Miriam e Jakob fizeram a Paris em um verão, logo depois que ela e Ted se casaram. Embarcaram em um *bateau-mouche* que ia de Notre-Dame até a torre Eiffel. O calor naquele barco sem uma área coberta estava intenso e Sarah estava causando problemas, choramingando sem parar porque queria sorvete. Para tranquilizá-la, Miriam tirou uma caixinha de suco de laranja da bolsa, a qual Sarah, em seguida — e deliberadamente, Eva suspeitava —, derramou sobre a parte da frente do seu novo vestido branco. Eva ralhou com a filha, e depois com Miriam; na torre, abortaram os planos de tomar o elevador até o alto, e, em vez disso, procuraram o interior fresco de uma cafeteria nas proximidades.

Eva pode ver sua mãe agora, procurando um lenço na bolsa; olhando fixamente para o tampo da mesa enquanto Ted e Jakob conversavam sobre amenidades e Sarah se ocupava com o sundae que Eva não teve coragem de lhe negar. Subitamente, sentiu vergonha de si mesma; estendeu o braço por sobre a mesa, segurou na mão de Miriam e disse em alemão:

— Desculpe, mãe. Perdoe-me.

E Miriam respondeu:

— Não seja boba, *Schatzi*. O que é que há para se perdoar?

Ela ainda está pensando em Miriam às cinco e quinze, quando chega à escola. Ted está diante da porta principal, os ombros encolhidos pelo frio.

— Não se preocupe — diz Ted quando Eva o alcança, exausta. — Ainda não começaram. Bendita a falta de pontualidade dos franceses, não é mesmo?

Eva o beija, amando-o por permanecer sempre calmo. É impossível brigar com Ted: ele escuta, considera, nunca ergue a voz. Só o viu muito irritado algumas vezes, e mesmo assim o seu mau humor só foi perceptível porque o rosto ficou ruborizado. *Ele é um homem muito fácil de amar*, pensa ela, e toma o seu braço, caminhando com ele pelo corredor até o salão principal. E é fácil para Sarah amá-lo, também, reservando-lhe uma afeição relaxada, tranquila. Vê-los juntos faz com que Eva fique com pena por alguns momentos de que ele não tenha sido capaz de gerar os próprios filhos. Ted contou a ela em uma das primeiras noites que passaram juntos em seu apartamento, em St. John's Wood, com uma voz entrecortada que parecia trazer consigo o medo de perdê-la, de perder aquilo em que estavam embarcando tão cuidadosamente, tão reservadamente. Mas Eva o trouxe para perto de si e disse com uma certeza que só começaria verdadeiramente a sentir mais tarde:

— Eu tenho uma filha, Ted. Seja um pai para ela. Vamos apenas ser gratos pelo que temos.

Sarah é uma das últimas alunas a se apresentar. Eva mal consegue respirar enquanto a observa surgir pela coxia e sentar-se em uma banqueta no centro do palco, acomodando o violão sobre a coxa. Ela é muito parecida com David — a mesma altura, a mesma elegância e as mesmas feições esculpidas — e, ainda assim, herdou muito pouco da autoconfiança inabalável do pai. *E por que herdaria, pensa Eva, quando não o viu mais de duas vezes por ano desde o seu quinto aniversário?*

Eva se pergunta, às vezes, se a timidez da filha — sua professora de música precisou de várias semanas para convencê-la a participar do concerto — se desenvolveu como uma espécie de reação à fama de David. Aqui, na escola internacional, em meio aos filhos de escritores, diplomatas e empresários, os pais de Sarah passam despercebidos. Mas não era assim em Londres; houve episódios de *bullying*, empurrões, cochichos e xingamentos. Eva conseguiu tirar as informações de Sarah lentamente. *Você acha que é a tal só porque o seu pai está na televisão?* Eva sentiu vontade de correr direto para a escola — pegar a diretora pelos colarinhos e forçá-la a dar um fim ao sofrimento da filha. Mas resistiu pelo bem de Sarah. Esperaram que as coisas esfriassem naturalmente. Depois de algum tempo, Ted a pediu em casamento e mencionou a possibilidade de se mudarem para Paris; e aqui estão eles.

Agora, Sarah está sentada no palco, imóvel, olhando para o chão. Durante dez segundos, talvez vinte, o silêncio se espalha pela sala. Eva é tomada pelo medo de que a filha simplesmente se levante e saia; ela agarra a mão de Ted com tanta força que, mais tarde, ele vai lhe mostrar os vergões que deixou na sua palma. Mas, em seguida, depois de alguns momentos mais longos, Sarah começa a tocar. E ela é boa, como Eva sabia, com uma certeza que vai além do seu orgulho natural de mãe. Sarah tem a aptidão natural da avó para a música; conforme toca, há uma mudança perceptível entre os outros pais: exclamações silenciosas de surpresa. E, posteriormente, os aplausos, sob os quais Sarah se levanta com o rosto vermelho, piscando os olhos, como se houvesse esquecido que estava sendo observada.

Conforme o prometido, eles levam Sarah para jantar, junto a sua melhor amiga, Hayley, e aos pais de Hayley, Kevin e Diane. Kevin e Ted discutem a respeito de imóveis — Kevin é um corretor que veio de Chicago, especializado em negociar apartamentos de alto padrão para outros expatriados. Hayley e Sarah compartilham seus segredos na outra ponta da mesa, o rosto de ambas semioculto por cortinas de cabelos. Diane — uma mulher pequena e esquálida com os maneirismos precisos de uma dama sulista — se aproxima de Eva, e sua echarpe Hermès traz consigo a sua fragrância Chanel.

— Dá pra acreditar no quanto elas cresceram?

— Não dá. — Na mente de Eva, sua filha ainda é a menininha de bochechas gorduchas que engatinha pelo carpete da sala, ou a garotinha de cinco anos que estende as perninhas rechonchudas nos balanços do Regent's Park. Às vezes, quando Sarah entra na sala, Eva tem de piscar os olhos para apagar a lembrança da menina que ela já foi.

Tinha se esquecido do cartão-postal que escreveu para Jim Taylor há algumas horas, ainda guardado no bolso do casaco; um casaco que, quando voltarem ao apartamento, ela vai pendurar no gancho do corredor e não voltará a vestir até a semana seguinte. Não vai colocar a mão enluvada naquele bolso até o final do dia. E então, ao pegar o cartão, ela vai lê-lo outra vez e se perguntar o que foi que lhe deu para escrever aquilo. *De que adiantaria para Jim Taylor receber pêsames vazios de uma mulher que ele mal conhece?* E, assim, ela vai colocar o cartão-postal no cesto de lixo sob sua escrivaninha e não voltará a pensar naquilo por vários anos.

Versão 3

No chão
Bristol, fevereiro de 1979

— O que posso fazer? — pergunta Eva.

É a primeira vez que os dois conversam após algum tempo. Ele ouviu quando ela estava chegando — seus sapatos fizeram ranger o cascalho —, mas não foi logo até onde ele estava. Ficou atrás dele, um pouco distante, mas ele foi capaz de senti-la ali com tanta certeza como se ela houvesse falado. Havia a mesma onda entorpecente de alegria, potente como sempre. Imediatamente, ele se sentiu envergonhado: ficar sozinho diante da sepultura da mãe, enquanto as outras pessoas se afastavam lentamente, e sentir *alegria*?

— Apenas fique aqui.

Os dedos enluvados de Eva se fecham ao redor dos dele, camurça preta sobre lã cinza e grossa. Foi ela quem lhe comprou as luvas e um casaco novo, e os entregou em uma bolsa listrada elegante. Jim tentou dizer que aquilo era demais, mas ela fez que não com a cabeça.

— Aceite, querido. Por favor, deixe que eu faça isso por você.

Ele fica feliz por estar com aquele casaco agora, o ar está gelado e castiga-lhe o rosto, o pescoço. Não faz ideia de quanto tempo está ali, quanto tempo se passou desde que a última pá de terra foi virada, ou do momento em que o vigário concluiu a cerimônia. *Através de Nosso Senhor Jesus Cristo, que transformará nossos corpos frágeis para que possam se igualar ao seu corpo glorioso.* Dez minutos? Meia hora? O vigário — um homem gentil, de feições suaves — fechou o livro e foi embora. Os ajudantes do coveiro se afastaram em um compasso elegante. Houve um murmúrio baixo entre os presentes: Sinclair, ao seu lado, olhou para Jim, cheio de expectativa, como se esperasse por uma deixa. Sophie começou a puxar sua manga.

— Papai, estou com *frio*.

Jim não se moveu. Ficou parado e em silêncio até todos irem embora. Até mesmo Eva, que não estava ao seu lado, onde ele gostaria que ela ficasse, mas mais ao fundo, amparando o braço de Jakob. (Ele havia sofrido uma queda há algumas semanas e ainda caminhava com uma bengala.) Do seu outro lado estava Sam, quieto e com o rosto pálido em um terno preto pequeno demais para o seu tamanho. Rebecca estava mais atrás, os cabelos dramaticamente cacheados e presos, as unhas pintadas num tom feio de marrom-avermelhado. Não queria ter vindo — seu grupo da Academia Real de Arte Dramática estava profundamente envolvido com os ensaios de O conto de inverno, de Shakespeare —, mas Eva insistiu. Jim ouviu as duas discutindo aos sussurros no escuro: o apartamento de Regent's Park não é grande o suficiente para quatro pessoas — e, com certeza, não o suficiente para cinco, agora que Sophie veio morar com eles. Os ressentimentos fervem nos quartos pequenos; às vezes, ao abrir a porta do apartamento, Jim consegue sentir que o ar fica mais denso, como se fosse uma camada de fumaça.

Discussões surgem com uma frequência exaustiva, mas apenas entre certos adversários: Rebecca e Eva; Sophie e Jim. Entre o restante, a dinâmica é frágil demais, incerta demais para permitir que as desavenças esquentem. Com Eva, Sophie é tímida, monossilábica, e não responde às ofertas gentis da madrasta (um passeio de compras de sapatos escolares que se passou num silêncio pétreo; uma ida ao cinema; um concerto da orquestra de Jakob). Tanto Jim quanto Eva são pacientes com ela, suspeitando que a decisão de Sophie de se mudar para Londres — abandonar sua escola, seus amigos e toda a sua vida na Cornualha — ocorreu menos por ela haver perdoado Jim do que pela dificuldade de se relacionar com a própria mãe. Helena agora está mergulhada, pelo que Jim soube por Sophie e pelas cartas raivosas que a ex-companheira ainda lhe escreve, em uma série de casos amorosos com homens mais novos. O mais recente tem a mesma idade de Rebecca — um eletricista chamado Danny, que ela conheceu, de acordo com Sophie, quando ele foi consertar uma parte da fiação no chalé.

— É *nojento* — disse Sophie, com uma dignidade ferida que lhe tocou o coração. — Eu *nunca mais* quero vê-la!

Sozinho diante da sepultura — todos esses pensamentos e também alguns outros (Vivian misturando tintas na despensa da casa de Sussex; Vivian, magra e com o olhar vidrado, fixo, no hospital) passando pela sua cabeça —, Jim mal percebia que ele mesmo estava se transformando em um espetáculo. Quase consegue ver sua própria imagem, capturada em uma tomada a distância; o filho abalado pelo luto postado como uma sentinela ao lado do túmulo da mãe. Todavia, enquanto estava ali, ao lado da cova recém-cavada e forrada com o pano verde grosso, não estava prestando tanta atenção na sua dor, e sim em uma sensação curiosa de vazio. Exaustão. Alívio. A tranquilidade que se forma quando um evento aguardado há tempos finalmente acontece.

— O carro está esperando — avisa Eva em voz baixa agora.

Jim assente. Havia praticamente se esquecido do carro preto, do motorista com o quepe. Eva segura sua mão, aperta-a, e eles se viram para ir embora. O estacionamento da igreja está quase vazio: apenas o pequeno Citroën de Eva (não havia espaço para todos eles no carro da família) e aquela perua preta, onde, pela janela traseira, ele consegue ver o rosto de uma mulher pressionado contra o vidro. Pele pálida, olhos azuis bastante espaçados. Suas entranhas se reviram: Helena. Ele pisca algumas vezes e olha novamente. As feições da mulher se reorganizam até se transformarem nas de uma menina. Sophie.

Quando Jim disse a Helena que iria deixá-la, o rosto da mulher se fechou e se retorceu como se ele houvesse lhe desferido um soco. Ele quis sentir pena, e mesmo assim Helena lhe pareceu tão feia, sua tristeza tão vingativa e descontrolada — *uma mulher desprezada* —, que ele teve de se esforçar para não sair pela porta e fechá-la por trás de si. E, no fim das contas, foi mais ou menos isso que ele fez: fechou a porta da cozinha enquanto ela chorava, deixando para trás os cacos de louça que cobriam o chão. (Helena havia atirado pratos contra ele; mais tarde, no estúdio, ela retalhou várias telas de Jim com uma faca.)

Jim olhou para o alto da escada, na direção da porta aberta do quarto de Sophie — que estava na escola —, e depois pegou a mala e saiu. Antes, ele colocou uma carta sobre o travesseiro da filha, explicando-lhe, da melhor maneira que conseguiu, suas razões para ir embora e dizendo-lhe que seria sempre bem-vinda para vir ficar com ele e com Eva. Muito tempo depois, Jim perceberia o erro que cometeu ao não conversar cara a cara com a filha. Não sabia que levaria três meses até ver Sophie novamente, ou que, seis meses mais tarde, Helena lhe telefonaria, com a voz baixa e venenosa, para dizer que Sophie queria sair da Cornualha e ir morar com ele.

— Ela escolheu *você* — disse ela. — Então é assim, Jim. Você tirou tudo o que eu tinha. Espero que esteja feliz agora.

A verdade terrível era que Jim *estava* feliz: não de uma maneira ordinária e superficial, mas da forma mais profunda possível. Esse tipo de felicidade não era realmente um estado passageiro, e sim uma forma de honestidade: uma sensação de que tudo estava essencialmente certo. Sabia disso quando estava com Eva em Cambridge e procurou essa sensação novamente com Helena; encontrou algo real com ela, verdadeiro, mas não era a mesma coisa. E, tantos anos depois, Jim encontrou aquela felicidade novamente com Eva — ou, pelo menos, uma versão dela, por mais que fosse confusa e complicada.

Mesmo assim, toda aquela complexidade se desfez em 8 de janeiro de 1978. A data precisa ficou marcada em sua mente. Eva havia acabado de voltar de Los Angeles e os dois reservaram uma noite inteira que dedicariam apenas um ao outro no hotel em Dorset. Ele percebeu imediatamente que alguma coisa havia mudado — temia que ela houvesse finalmente decidido abandoná-lo. Mas, na verdade, era o contrário: ela estava deixando Katz.

— É você, Jim — disse ela. — Sempre foi você. — E assim foi: aquela honestidade, a mescla de dois objetos em um estado de congruência. Jim regressou à Cornualha no dia seguinte e fez as malas.

Agora ele acompanha Eva até o seu Citroën, onde Jakob, Sam e Rebecca — a família dela, da qual ele agora faz parte — estão à espera.

— Vejo vocês mais tarde — diz ele, e a beija. Em seguida, senta-se no banco traseiro do carro preto.

— Para casa, senhor?

Jim tem vontade de dizer ao motorista: "Aquela casa nunca foi o meu lar". Em vez disso, porém, ele diz:

— Sim, por favor. Desculpe por fazê-lo esperar.

A casa de Vivian e Sinclair não fica longe da igreja. Na verdade, poderiam ter vindo a pé, mas os coveiros insistiram para que usassem os carros. Estão perto dos limites de Bristol, onde as grandes rodovias e os bairros novos se mesclam a grandes tubulações de esgoto e a campos cobertos por mato. Pela janela do carro, uma curta sequência de lojas — um restaurante chinês, uma lavanderia — dá espaço ao terreno enorme de uma escola, e gritos desincorporados vêm de algum playground longe das vistas. Já é meio-dia e meia, hora do almoço.

— Está com fome, querida? — Sophie está sentada com as costas bastante eretas, as bochechas ainda manchadas após chorar. Ela faz que não com a cabeça e Jim sente vontade de abraçá-la, como faria sem sequer pensar, há alguns anos.

Foi somente quando viajou à Cornualha para buscá-la que ele começou a compreender toda a extensão da raiva de Sophie. Havia carregado o porta-malas e o banco traseiro com suas malas, seus livros da escola, sua coleção de monstrengos em miniatura com rostos plásticos deformados e cabeleiras em cores fluorescentes. No corredor de entrada da casa — Helena, para o alívio de Jim, havia saído —, ele abraçou a filha e sentiu-a rígida, sem esboçar qualquer reação.

— Estamos muito felizes por você vir morar com a gente — sussurrou ele em meio aos cabelos de Sophie. — Nós dois. Eva e eu.

— Só estou indo com você — respondeu Sophie, empedernida — porque sinto *nojo* da minha mãe.

Vivian também ficou irritada, com uma intensidade que surpreendeu Jim. Nunca soube que sua mãe e Helena fossem particularmente íntimas, mas, quando ela ficou sabendo do que chamou de "a deserção de Jim", Vivian telefonou para o apartamento de Eva e lhe falou poucas e boas. ("Seu *monstro*", sibilou ela; Jim conseguia ouvir Sinclair ao fundo, com a voz apaziguadora. "Calma, Vivian, você não precisa fazer isso".) Ela também lhe escreveu cartas; folhas e folhas cobertas com sua caligrafia grande e ornamentada. *Você não é melhor do que o seu pai. Egoístas, vocês dois. Cabeças vazias, sem nada além de si mesmos e daqueles seus malditos quadros.* Por fim, ela foi visitá-los. Eva abriu a porta; Vivian entrou abruptamente no apartamento, com a boca pintada por um rosa borrado sob um chapéu de abas largas.

— O que foi que você fez com o meu filho? — perguntou ela.

Se Vivian fosse um tipo diferente de mulher — ou se sua doença fosse outra —, a cena poderia até mesmo ter sido cômica; um esquete descrito pela pena de Oscar Wilde. Mas ninguém estava rindo.

— Você *acabou* com a vida da sua filha — disse Vivian para Jim enquanto Eva preparava chá, observando os dois com uma preocupação cautelosa. Em seguida, tomando o chá, Vivian emendou: — Vocês acabaram com a minha vida. Vocês dois.

Foi então que Jim teve a certeza, como sempre suspeitou, de que era com o pai dele que Vivian estava irritada: com o seu pai e consigo mesma. Jim levou-a de volta a Bristol naquela noite. Vivian havia saído de casa enquanto Sinclair tomava banho, sem lhe dizer para onde ia. Vivian adormeceu no carro quase imediatamente, e as luzes da estrada brilhavam em *flashes* alaranjados em seu rosto conforme os quilômetros se passavam. Jim passou a noite no quarto de hóspedes e, ao acordar, percebeu que a amabilidade da mãe havia sido restaurada — pelo menos por enquanto. Antes de ir embora, Sinclair chamou Jim para uma conversa reservada.

— Acho que ela não está tomando os remédios — disse ele. — Mas os médicos não vão fazer nada, a menos que ela tente se machucar. Não sei mais o que fazer.

Tudo o que Jim conseguiu fazer foi dizer a Sinclair que não se preocupasse; as coisas acabariam se resolvendo com o tempo, com ou sem os remédios, como sempre aconteceu antes. Contudo, quase um ano depois, Vivian colocou um sedativo na bebida que Sinclair sempre tomava antes de dormir e saiu de casa na calada da noite. Um motorista a encontrou na manhã seguinte caída sob uma passarela. Ela não havia deixado uma carta.

Na casa, as tias de Jim estão passando pratos de sanduíches e empanados de salsicha. Eva, que chegou alguns minutos antes, está fatiando um pão de ló. A casa não está cheia: ali estão cerca de vinte pessoas, reunidas em grupos pequenos e conversando em voz baixa. Stephen e Prue estão aqui, e também Josie e Simon, que vieram da Cornualha. Até mesmo Howard e Cath enviaram condolências, na forma de um dos elaborados desenhos a lápis de Cath — uma garrafa de leite, um ramalhete de tulipas e a palavra "Lamentamos" escrita logo abaixo com uma caneta de ponta fina.

Jim se junta a Stephen no canto da sala, fumando um cigarro.

— Foi uma boa cerimônia, Jim. — A voz de Stephen é grave e séria; ele está trajando um terno sóbrio, cinza-escuro. Jim pensa em todas as noites em que se sentou com Stephen (noites demais para enumerar) falando sobre seu amor por Eva; sua indecisão; o que sentia em relação à sua mãe, ao seu pai. Stephen, Jim percebe agora, é a única pessoa que realmente o conhece por inteiro; mesmo quando está com Eva, precisa tomar certos cuidados, eliminar fatos que podem lhe causar dor: o conteúdo erótico das cartas furiosas de Helena; o fato de que Jakob chamou Jim para conversar, na primeira vez que puderam ficar a sós, e o advertiu (educada e discretamente, mas ainda assim uma advertência) para nunca fazer com Eva o que fez com a outra companheira e a filha. Stephen conhece essas coisas (sabe de tudo) e ainda está ao seu lado. Jim sente uma onda de afeto pelo amigo. Tocando-lhe o braço, ele diz:

— Obrigado por vir. De verdade.

Stephen limpa a garganta.

— Não precisa me agradecer. É o mínimo que eu podia fazer.

Do outro lado da sala, Patsy, a tia de Jim, está perguntando ao vigário se ele gostaria de tomar chá; Jim, observando-os, cruza o olhar com o dela e faz que sim com a cabeça.

— Me dê licença por um minuto, Stephen.

Na cozinha, Jim encontra Sinclair enchendo a chaleira.

— Deixe que eu cuido disso — diz ele, mas o padrasto coloca uma mão firme em seu braço. — Pelo amor de Deus, Jim, eu ainda consigo preparar um maldito bule de chá.

— É claro, me desculpe.

Jim ocupa-se das xícaras e dos pires. Alguém — Patsy, imagina Jim — os deixou sobre o aparador em fileiras organizadas, ao lado de uma jarra de leite e um açucareiro. O açucareiro faz parte de um conjunto maior, pintado à mão com imagens de pequenas flores amarelas. Jim se lembra daquele jogo de chá desde a época em que morava na casa de Sussex: Vivian tirava as xícaras da cristaleira para os convidados. Ela quebrou uma delas, certa vez; atirou-a para o outro lado da cozinha a fim de acertar a cabeça do seu pai. Errou, é claro, e os cacos ficaram espalhados pelo chão por vários dias.

Ele pensou em tudo isso enquanto deixava para trás a casa de Helena, naquele dia, há um ano — para longe dos pratos que ela atirou pela cozinha, dos restos do seu relacionamento, do seu amor —, e sentiu, então, todo o peso da decisão que tomou. E, ainda assim, conforme Londres se aproximava — Londres; Eva; a chance, finalmente, de viverem juntos —, Jim sentiu a tristeza desaparecer gradualmente. *Será que foi assim que meu pai se sentiu quando nos deixou, quando foi embora com Sonia?*, pensa ele agora. *E, mesmo assim, ele voltou. Eu, não. Será que isso faz dele um homem melhor do que eu?*

— Desculpe-me, Jim. Foi indelicado da minha parte.

Jim, por um momento, esqueceu que Sinclair estava na cozinha. Ele ergue os olhos e vê que o padrasto o observa, arrependido. As mãos de Sinclair tremem quando coloca a chaleira sobre o suporte. Jim nunca o ouviu vociferar antes.

— Não tem importância. O que posso fazer?

Inconscientemente, ele repetiu as palavras que Eva lhe disse diante do túmulo. Jim olha novamente para a sala, pela abertura do passa-pratos, procurando seu rosto. Ela está sempre presente em sua mente, mas isso é uma busca por um foco, um pequeno puxão no cordão invisível que os une — e que sempre os uniu, desde o primeiro momento em que ele a viu em Cambridge. Ela estava linda naquele dia, com seus olhos atentos e a postura escultural de uma bailarina.

Ele a vê agora, entregando um pedaço de bolo a uma senhora idosa que Jim não reconhece. Está de costas para ele, mas, sentindo que está sendo observada (ou talvez sentindo o mesmo puxão), Eva se vira.

Com você, posso enfrentar qualquer coisa — diz Jim a ela silenciosamente. *Fique comigo.*

Eva lhe abre um pequeno sorriso — pouco mais do que um curvar de lábios —, como se quisesse simplesmente dizer *sim*.

Parte 3

Versão 1

Bella
Londres, setembro de 1985

Bella Hurst entra na vida de Jim num dia refrescante de setembro, com o céu claro e sem nuvens, os campos ainda úmidos pela chuva da noite passada.

É o primeiro dia do semestre escolar; o cheiro de tinta ainda pode ser sentido nas salas de aula e o piso de tacos do salão recebeu um tratamento recente e está brilhando. Os corredores estão quase em silêncio — os garotos só voltarão às aulas no dia seguinte —, e Jim está diante dos armários da sala de artes, enchendo as prateleiras com potes de guache e bisnagas de tinta a óleo. Faz tudo lentamente, aproveitando o silêncio, a sensação de ordem; no dia seguinte, tudo voltará a ser barulho e tumulto outra vez.

— Sr. Taylor?

A garota — mais tarde ele saberá que ela é uma mulher, mas é como uma garota que ele a vê pela primeira vez — está em pé, diante da porta aberta, como se não soubesse se deve entrar. A luz — as janelas altas acabaram de ser limpas, e os cavaletes, as bancadas de trabalho e as mesas para a montagem de telas estão banhados pela luz do sol — está atrás dela, de modo que Jim só consegue ver seus contornos. Uma nuvem ensombrecida de cabelos cacheados, uma camisa branca folgada. Uma calça legging e botas de cano baixo. Traz uma bolsa de couro pendurada no ombro esquerdo.

Ele guarda a caixa de tintas.

— Sim?

— Bella Hurst. — Ela estende a mão, e ele retribui o gesto. A pegada de Bella é firme.

— Ah, sim — diz ele.

— Não estava esperando por mim?

— Estava, sim. Bem, eu sabia que você viria. Mas não...

Ele quer dizer que não fazia ideia de que ela fosse tão jovem. A secretária de Alan, Deirdre, lhe telefonou em agosto para dizer que Gerry, o chefe do departamento de Jim, havia quebrado a perna durante um passeio de bicicleta na França e que teria de encontrar um professor substituto. Alguns dias depois, ela telefonou de novo para avisar que uma nova professora havia sido contratada. Jim, Eva e as crianças estavam prestes a sair de viagem rumo à Cornualha — duas semanas na casa de praia de Penélope e Gerald em St. Ives. E assim, com Eva ao seu lado no corredor e olhando fixamente para o relógio, Jim assentiu quando ela lhe disse aquele nome — Bella Hurst —, agradeceu a Deirdre e não voltou a pensar no assunto.

— Pode me chamar de Jim — diz ele agora, para preencher o silêncio. — Só os alunos me chamam de sr. Taylor.

— Tudo bem, Jim. — Bella dá um passo atrás e tira a bolsa do ombro. — Você me mostraria a sala?

Ele mostra o lugar para Bella, abrindo gavetas e armários, ligando o projetor, indicando onde ficam as pilhas de papel mais barato para os primeiros anos e as melhores folhas de desenho para os anos mais avançados. Ela não é tão jovem quanto ele imaginou (pela silhueta, parecia não ser muito mais velha do que Jennifer), deve ter vinte e cinco anos talvez. Os cabelos revoltos são escuros e, quando seus olhares se cruzam, ele percebe que um dos olhos dela é azul e o outro, quase preto.

— Igual a Bowie — diz ela. Ele acabou de ligar o projetor, exibindo uma imagem inclinada dos *Girassóis* de Van Gogh na parede oposta.

— O quê?

— Meus olhos estranhos. David Bowie também tem um olho azul e o outro preto.

— Oh! — Jim desliga o interruptor e as flores desaparecem. — Não estava...

— Me encarando? Não, eu sei que não estava. Mas gosto de dizer às pessoas que Bowie e eu temos algo em comum.

De volta ao armário dos materiais, ele coloca a chaleira antiga e manchada de tinta para ferver e prepara duas xícaras de chá. Ficam sentados em banquetas altas diante das bancadas dos alunos, dispostas como se fossem a letra C, e a mesa de Jim completa o círculo. Bella conta que fez seu curso preliminar em Camberwell, a faculdade em St. Martin's e o mestrado no Royal College. Aluga um espaço que transformou em estúdio em Peckham e mora em uma pensão em New Cross. (Jim estremece instintivamente, imaginando as tábuas do piso soltas, ratos, um teto com infiltrações e vazamentos, e depois vai se autocensurar por ter esse tipo de mentalidade. Desde quando será que se transformou num burguês?)

Ela anda de bicicleta; nunca deu aulas antes (foi seu tutor no Royal, um velho amigo de Alan do tempo do colégio, que a recomendou ao emprego); e é completamente contra qualquer tipo de educação privada.

Ela diz isso com um sorriso, erguendo a caneca até os lábios.

— Imagino que isso me torne uma grande hipócrita.

— De fato. — Jim terminou o chá; bebeu-o numa admiração silenciosa, emudecido diante daquela garota (mulher!) que mais parecia um redemoinho, com a cabeleira cacheada, as roupas largas e despojadas, o jeito de falar caótico, passando de um assunto para outro sem se preocupar em dar uma sequência lógica à conversa. — Talvez seja melhor guardar isso para si mesma.

Bella coloca a caneca sobre a mesa.

— É mesmo, talvez eu guarde. — De dentro da bolsa, ela tira uma embalagem de tabaco. — Aceita um cigarro?

Jim sorri.

— Aceito.

Eles fumam na escada de incêndio, onde Jim e Gerry geralmente relaxam durante o intervalo da manhã, recuperando as forças antes de confrontar o próximo grupo de garotos entediados. Na opinião de Jim, eles não fazem ideia da sorte que têm; é um privilégio muito raro poder assistir a aulas em uma escola como esta, com suas torres de alvenaria, os carvalhos enormes e antigos, os gramados que se estendem por uma área imensa. Os garotos são filhos de banqueiros e advogados: homens elegantes e afortunados, homens cheios de dinheiro, homens que Thatcher está tornando mais ricos a cada mês que passa.

Arte, para a maioria dos alunos de Jim, é uma matéria sem qualquer significado, uma ocasião para se divertir, uma oportunidade de brincar com tintas e tesouras antes de voltarem aos assuntos mais sérios, que envolvem provas de matemática, grupos de debate ou treinos de rúgbi. Mas sempre aparece um ou outro menino — geralmente um ou dois a cada ano — que se destaca, que se debruça sobre o retrato que está desenhando (uma atriz idosa, totalmente vestida) enquanto as formas que seu lápis desenha ganham vida. É por eles que Jim consegue continuar acordando cedo de manhã, dando o nó na gravata e penteando os cabelos. É por esses garotos — e também por Eva, Jennifer e Daniel — que ele é capaz, quase todas as noites, de parar de beber quando chega ao quinto copo, antes que o sexto e o sétimo o levem a um sono doce e arrasador.

— Você estudou em Slade, não é? — Bella está em pé sob um facho de luz do sol, erguendo o rosto na direção do calor. Em seguida, e sempre, Jim vai pensar nela como uma composição de luz e sombra. Uma fotografia de Man Ray, capturada numa monocromia granulada.

— Sim. Como você sabe?

Ela abre os olhos. As cores contrastantes das íris conferem ao seu rosto uma aparência inquietante, desequilibrada.

— Victor me disse. Meu antigo tutor. Ele conhece o seu trabalho. E todos nós conhecemos a obra do seu pai, é claro. O grande Lewis Taylor.

Jim começa a imaginar se ela está fazendo algum tipo de provocação.

— Já faz alguns anos que pintei alguma coisa de verdade.

— Bem... — Bella termina de fumar e esmaga o cigarro no vaso de plantas cheio de areia que ele e Gerry deixam ali para essa função. — Tenho certeza de que você deve ter suas razões.

Jim faz que sim com a cabeça, sem saber se deve dizer alguma coisa; mas ela está se virando para ir embora.

— Preciso bater um papo com o coronel. — Percebendo a confusão de Jim, ela ri. — Alan Dunn, é claro. Victor me disse que ele comanda este lugar como se fosse um exército.

E em seguida ela vai embora, e a sala de artes subitamente parece estar vazia. Jim volta a se ocupar com o armário dos materiais. Logo será a hora do almoço, e o restante do dia se perderá entre reuniões, planejamento de horários, preparações. Somente quando ele entrar no carro e acenar para Bella Hurst, que está indo embora em sua bicicleta, é que vai pensar novamente no que ela disse.

Ele deve ter suas razões. E, ainda assim, conforme guia o carro até a rua íngreme que leva a Gipsy Hill, Jim vai perceber a dificuldade que tem em se lembrar de quais eram essas razões.

Versão 2

Pronto soccorso
Roma, maio de 1986

— Querido?

Eva deixa as sacolas de compras no piso azulejado do corredor. Espera um momento ao pé da escada, escutando o silêncio.

— Ted, vou fazer o almoço. Você vai descer?

Novamente, nada de resposta. Ele deve ter saído. A agenda de Ted é imprevisível, ditada pelas manchetes da manhã ou por ligações urgentes de Londres. Seu editor mais recente, Chris Powers — um tipo bastante jovem e cheio de energia, que trabalhava anteriormente no *Mail* —, consegue fazer com que Eva sinta que está desperdiçando tempo vital, mesmo nos segundos que leva para subir as escadas com o telefone.

Ela recolhe as compras e as leva até a cozinha. Umberto, deitado de bruços sobre a bancada, ergue a cabeça e a saúda com um miado. Ela devia lhe dar uma bronca; eles já tentaram, sem muito sucesso, ensinar-lhe bons modos desde que o adotaram, logo após chegarem a Roma. Era uma coisa patética e magricela na época, cheio de pulgas e sarna. Mas Eva quase nunca consegue ralhar com ele; em vez disso, faz cócegas no pescoço do gato, encontra o lugar macio como veludo atrás das suas orelhas. Umberto ronrona e mia, rolando para ficar de costas. É naquele momento, enquanto desliza a mão pela barriga dele, que o olhar de Eva para sobre a mesa da cozinha. A carteira de Ted, as chaves e a carteira de motorista. Três coisas sem as quais ele nunca sai de casa.

A mão de Eva fica imóvel sobre o pelo do gato. Esforça-se para ouvir algum som vindo do andar de cima; o murmúrio baixo da voz de Ted ao telefone; a artilharia das teclas da máquina de escrever. (Ele não gosta do processador de texto que ela lhe deu de presente no seu sexagésimo aniversário; diz que não confia na velocidade com que as letras verdes e borradas apareçam na tela.) Mas não ouve nada — apenas o ronronar do gato, o zunido e os tremores da velha geladeira, um grito abafado da *signora* Finelli, a vizinha, chamando o marido que já não ouve muito bem para o *pranzo*. E então ela ouve — um som muito peculiar: uma lamúria grave e inarticulada, como o gemido de um animal ferido.

Em questão de segundos, Eva atravessou o corredor e subiu as escadas. Diante da porta fechada do escritório de Ted, ela hesita, prendendo a respiração. A lamúria ficou mais urgente: é como se ele estivesse tentando desesperadamente formar palavras, e encontrando apenas vogais alongadas e sem sentido. Eva abre a porta e corre até a escrivaninha, onde Ted está sentado, perfeitamente imóvel, de costas para ela. A primeira coisa em que ela pensa é que não há sangue. A segunda, quando chega até onde ele está, tomando-lhe o rosto nas mãos, é *Meu Deus*.

O rosto de Ted está rígido, sem expressão. Apenas seus olhos parecem estar vivos. Ele a observa, atônito como uma criança (uma lembrança rápida passa pela cabeça de Eva: Sarah aos dois anos de idade, com catapora, envolta em lençóis encharcados de suor), enquanto acaricia o seu rosto.

— Querido, o que aconteceu? Está sentindo dor? — Eva não espera que uma resposta venha; pelo menos, nada além do som que ainda vem da sua boca, que está entreaberta, como se estivesse no meio do processo de formar uma palavra quando seu corpo ficou paralisado. — Vou chamar uma ambulância. Por favor, tente ficar calmo, querido. Estou aqui agora. Vamos levá-lo para o hospital, está bem? Assim que pudermos.

Ted a observa enquanto ela pega o telefone. Ao lado, está a sua caderneta de contatos. Ao ligar para o número do serviço de emergências, ela percebe que a página aberta está coberta com letras rabiscadas e pequenas. Nenhuma palavra é legível.

Ela pega na mão esquerda de Ted.

— *Ambulanza* — diz ela ao telefone.

Horas mais tarde, Eva está sentada em uma cadeira dura de metal, na sala de espera de um *pronto soccorso*. É um prédio baixo de arquitetura moderna, a pouco menos de cinco minutos a pé da sua casa — ela passou inúmeras vezes diante do lugar no caminho habitual para o Trastevere. Sua casa fica empoleirada na colina íngreme de Monteverde Vecchio; protegida por portões de ferro e acessada por uma série vertiginosa de escadas. Aqui os vizinhos plantam ervas aromáticas, arbustos de gramíneas e primaveras roxas que, nos últimos dias do verão, cobrem o caminho de pedras com as flores que lhes caem dos ramos.

Eva faz a mesma rota quase todas as manhãs — desce vagarosamente, parando para dar *buongiorno* à *signora* Finelli, que está varrendo a varanda; e admirando a luz de Roma, suave e amarelada, refletindo das telhas soltas e dos *palazzi* que desmoronam. Pede um cappuccino e um *cornetto* no bar da *piazza*, às vezes com alguma amiga, mas frequentemente sozinha. Anda pelo mercado ao ar livre com suas sacolas de compras e as enche com pimentões, tomates, abobrinhas e bolotas de *mozzarella* envoltas em embalagens plásticas como se fossem peixes requintados. Em seguida, faz lentamente o caminho de volta, passando pelo hospital onde as palavras *pronto soccorso* brilham, vermelhas e urgentes, no muro que contorna o terreno.

Ela registrou aquelas palavras — guardou-as em sua mente, junto com muitas outras palavras em italiano que via todos os dias durante os últimos quatro anos. (O italiano de Eva não é tão fluente quanto o seu francês, mas é bom o suficiente para aparar as arestas mais afiladas da vida no exterior.) Nunca pensou no que poderia haver por trás daquele muro e também nunca pensou que, algum dia, poderia estar sentada ali, na sala de espera, observando o ritmo constante do ponteiro dos segundos no relógio da parede.

A espera pela ambulância pareceu interminável. *Como*, pensou Eva, sentada ao lado de Ted, acariciando inutilmente o rosto dele, *eles podem demorar tanto para chegar, quando o hospital fica tão perto?* Quando os paramédicos finalmente chegaram, reclamaram muito da impossibilidade de encontrar um lugar para estacionar. Traziam uma maca, um kit de primeiros socorros e um aparelho para realizar respiração artificial — mas, no momento, a condição de Ted parecia estar melhorando. Havia recuperado a sensação nos membros, era capaz de se mover e de falar e tentava convencer tanto Eva como os paramédicos de que não precisava ser levado ao hospital.

— *Non è niente* — garantiu Ted, em seu italiano alquebrado e pouco fluente.

Mas o paramédico-chefe fez que não com a cabeça.

— *Signore*, nós vamos levá-lo para o hospital agora, mesmo que seja preciso amarrá-lo nesta maca.

Na ambulância, e desde então — esperando na cadeira dura enquanto os médicos fazem sua bateria infindável de testes —, Eva tentou não deixar que os temores que circulavam em sua cabeça se enraizassem. Assim que recuperou os movimentos, Ted ficou antagônico, até mesmo irritado: ela não devia ter chamado uma ambulância; ele tinha de terminar um artigo até as duas horas da tarde. Eva, por sua vez, foi firme. Ela mesma telefonou a Chris Powers; insistiu que, pelo menos, Ted devia deixar que os médicos descobrissem o que havia acontecido.

Ninguém disse a palavra "derrame" em voz alta, mas ela era capaz de ouvir seu eco no ar. Estava lá, também, na troca de olhares entre os paramédicos conforme Ted descrevia as sensações que teve; e no rosto do belo e gentil médico que conduziu Ted por aquelas implacáveis portas duplas — *Prego, signore* — e mandou que Eva esperasse do lado de fora. Ela queria entrar com ele, mas, aparentemente, não era assim que as coisas funcionavam.

— É melhor que a família espere aqui — disse o médico, fechando as portas atrás de si.

Agora, na sala de espera, a *signora* matrona que está sentada do outro lado se inclina para a frente e lhe oferece um pacote embrulhado em folha de alumínio.

— *Mangia* — ordena ela, como se Eva fosse mais uma entre os seus filhos. Há dois deles aqui: uma menina, com uns seis anos de idade, os cabelos presos em tranças firmes; e um menino um pouco mais velho, inquieto em sua cadeira. Um terceiro, Eva presume, deve estar do outro lado das portas fechadas da enfermaria.

Eva abre a boca para recusar, mas não quer ofender a mulher; além disso, já faz horas que tomou o café da manhã, e não almoçou.

— *Grazie mille* — diz ela. O *panino* é delicioso: salame e mortadela. A *signora* a observa enquanto Eva come. — *Grazie* — diz ela novamente. — *È molto buono.* — A *signora*, vendo aquilo como um convite, enumera uma lista detalhada de instruções sobre onde comprar os melhores produtos do campo. O mercado do Trastevere, aparentemente, não passa pelo seu crivo. Eva está considerando qual seria a melhor maneira de discordar educadamente quando vê Ted surgir por entre as portas duplas.

— Querida! — Ele parece cansado, mas tranquilo; se as notícias fossem ruins, seria o médico que a chamaria para uma conversa reservada.

— O que foi que disseram? Você vai ficar internado?

Ele faz que não com a cabeça.

— Ainda não sabem ao certo. Querem que eu converse com um neurologista. — Percebendo a expressão no rosto dela, ele emenda: — Eles não acham que foi um derrame, Eva. Acho que isso já é alguma coisa.

— Sim, isso é alguma coisa. — Ela segura na mão dele. — Como está se sentindo agora?

— Exausto. — Ele abre um sorriso fraco. — Vamos para casa, por favor.

Eles tomam um táxi, pois não têm condições de encarar os degraus da calçada. Em casa, Ted se acomoda pesadamente no sofá da sala, com Umberto aninhado confortavelmente em seu colo. Eva coloca um cassete no toca-fitas — Mozart, para deixar o clima um pouco mais leve — e separa uma panela para preparar o molho do macarrão. Pensa em ligar para Sarah em Paris, mas decide não fazê-lo — já são quase nove da noite; ela estará ocupada, preparando-se para o show, e Eva não quer preocupá-la. E a garota *realmente* ficaria preocupada. Mesmo depois de tanto tempo ela ainda recorre a Ted com seus problemas, tanto quanto recorre a Eva, e há vários deles: a vida de Sarah em Paris é caótica, e a sua carreira na banda é tão complicada e imprevisível quanto o seu relacionamento com o seu guitarrista, Julien.

Ted sempre procurou ajudar Sarah, com sua presença sólida e reconfortante, durante todos esses anos — e também Eva, é claro. *Não consigo acreditar que levei tanto tempo para encontrar você*, disse ele a Eva em uma noite, há muitos anos, quando tudo ainda estava começando. *Receio que, se eu der um passo em falso, você pode desaparecer.*

Agora, ao tirar a embalagem de fettuccine do armário, ela tenta novamente afastar a imagem que se repete sem parar em sua mente desde o momento em que chamou o nome de Ted e ouviu apenas o silêncio em resposta. Uma estrada aberta que se estende infinitamente sobre terras planas e desertas; a paisagem vazia e sem graça da vida sem ele.

Versão 3
🍀 🍀 🍀

Pouso
Sussex, julho de 1988

— E então, como foram as coisas?

Sophie, acomodando-se no banco traseiro, espera alguns segundos antes de responder.

— Bem.

Jim olha nos olhos de Eva.

— E sua mãe?

Outro breve silêncio.

— Ela está bem.

Ele engata a marcha a ré do carro e sai lentamente do estacionamento. É sábado e o aeroporto está movimentado. Jim e Eva chegaram cedo para esperar Sophie. Ficaram na área de desembarque, bebendo café, observando uma família — um casal e três filhos, todos escaldados com um tom rosado de aparência desconfortável na pele — vaguear pelo terminal com um carrinho abarrotado de bagagens, sacolas do *free shop* e um jumento de pelúcia com um *sombrero*. Atrás deles vinham três homens usando coletes e calções, bebendo latas de cerveja.

— Minha nossa — disse Jim a Eva, em voz baixa. — Espero que esses caras não tenham vindo no avião de Sophie.

— Não se preocupe. O voo de Alicante ainda não pousou.

Alicante: uma cidade feita de poeira, calor e arranha-céus incompletos. Pelo menos é assim que Jim imagina o lugar; ele recebeu apenas um cartão-postal de Helena, enviado logo depois que ela se mudou para a Espanha. Um hotel alto, com a fachada da cor do barro, com uma feiura brutal; no verso, ela escreveu: *Para Jim — porque até mesmo o prédio mais horrível deste lugar é mais bonito do que a casa onde morei com você. H.*

Jim ficou furioso — não tanto pelo sentimento (isso ele era capaz de entender), mas com o fato de que Helena o expressou em um cartão-postal, no qual sua filha poderia ver o ódio que a mãe sentia explicitamente descrito. Ele escreveu uma carta raivosa em resposta, mas Eva, que a leu a pedido de Jim, sugeriu que ele esperasse antes de postá-la.

— Helena tem todo o direito de estar irritada — disse ela. — Não há motivo para enfurecê-la ainda mais.

E então ele esperou e, após alguns dias, relegou a carta à lixeira. Mas Helena deve ter sentido que conseguiu atingi-lo. Desde então, escrevia apenas para Sophie — com fotografias da sua pequena casa pintada de branco em um vilarejo nas montanhas; de senhoras idosas vestidas de preto, seus rostos como um mapa rodoviário cheio de rugas; de cabras magricelas enquadradas em terrenos rochosos e sem vegetação. E então, dois anos atrás, de um homem de cabelos escuros com o rosto estreito, a pele bem morena e os olhos apertados contra a luz.

— Juan — disse Sophie quando lhe mostrou a fotografia, sem que a sua expressão traísse qualquer sentimento. — O novo namorado da minha mãe.

Helena, é claro, é livre para fazer o que quiser; a única preocupação real de Jim, na época, era com Sophie — com essa nova mudança no terreno instável da sua jovem vida. Tentou perguntar-lhe o que achava de Juan — isso foi há dois anos; havia acabado de completar dezesseis —, mas ela não cedeu. Sophie o encarou com aqueles olhos com pálpebras pesadas e disse, com uma indiferença que parecia absoluta:

— Por que eu devo me importar com o que ela faz?

"Indiferente" é a palavra que Jim utiliza com mais frequência, atualmente, para descrever a filha. Ela é morosa e apática, e quase nunca conversa, a não ser que alguém fale com ela antes e, mesmo assim, usando quase que apenas monossílabos para responder. Ela ganhou peso: seu rosto — aquele simulacro das feições da mãe — se encheu, e ela esconde os quadris cada vez maiores sob camisetas largas. Contudo, o que mais assusta Jim é a sua falta de interesse por qualquer coisa, qualquer pessoa: ela é uma aluna mediana na escola e tem poucos amigos; passa a maioria dos fins de semana em casa, vendo televisão em seu quarto, em um pequeno aparelho portátil. Se Sophie houvesse até mesmo assumido uma atitude de confronto com Eva — transformando a madrasta no alvo preferido da sua agressividade adolescente —, ele poderia ter uma noção mais clara daquilo com que estavam lidando; mas ela se dirige a Eva com a mesma brevidade robótica que utiliza com o resto da família. Sam, que agora está estudando geologia em Londres, é o único que parece ser capaz de conversar com ela; nos fins de semana em que ele volta a Sussex com os livros da faculdade e as roupas sujas, Sophie se transforma: sorridente, quase empolgada, trotando como um cãozinho atrás do adorado irmão adotivo, que responde com uma afeição genial e feliz.

No início, Eva e Jim tomaram cuidado para não pressionar Sophie demais: a considerar o impacto que a mudança para Sussex lhe causou. (Eles finalmente venderam o apartamento de Regent's Park em 1984 e compraram uma casa dilapidada na zona rural, não tão longe do vilarejo onde Jim passou a infância.)

— Não se lembra do quanto foi difícil trocar de escola? — disse Eva na ocasião. — E ela teve que se mudar muitas vezes. Acho que devíamos dar um tempo a ela.

E eles lhe deram esse tempo — deixaram que se acomodasse na nova casa; esperaram que o primeiro semestre da escola terminasse. Mas isso era exatamente o que Sophie parecia estar fazendo: esperando; contando o tempo. Não trazia amigos para casa, não era convidada para sair. (Anos depois, Jim pensaria que aquilo era uma ironia afiada e desconfortável.) Eva e Jim começaram a se preocupar. "Como estão as coisas na escola, Sophie?", perguntavam em intervalos regulares. Ou, "Se você realmente odeia Sussex, sabe que não precisamos ficar por aqui. Podemos conversar sobre voltar para Londres". Mas Sophie dava apenas respostas neutras:

— Tudo indo bem; estou bem. — Até que Sam, que ainda morava com os pais na época, terminando o curso preparatório para a universidade, disse que era melhor pararem com aquelas perguntas.

— Ela acha que você sempre a está criticando — disse ele a Jim. — Acha que nada que faz é o bastante para agradar você e a minha mãe.

E, assim, eles se esforçaram para dar um passo atrás; dar à garota o espaço de que ela precisava para se concentrar no que quer que estivesse se concentrando.

— Ela é uma adolescente — disse Eva, lembrando-se das próprias fases difíceis que atravessou com Rebecca. — Isso vai passar.

Mas não passou; os anos prosseguiram e Sophie ficou cada vez mais remota. Durante os últimos meses dos estudos preparatórios, ela não demonstrou nenhum interesse pela vida universitária ou por tentar alternativas para procurar um emprego. Jim e Eva abandonaram a tática de manter uma distância cautelosa e tentaram, novamente, se aproximar.

— Você não pode simplesmente enfiar a cabeça em um buraco em relação a tudo isso, querida — disse Jim. Eles estavam sentados à mesa de jantar em uma tarde de domingo. Os pratos do almoço já haviam sido tirados e as tigelas de pudim estavam vazias diante deles. — Você realmente precisa começar a fazer algum plano.

Eva, ao seu lado, fez um sinal afirmativo com a cabeça.

— Podemos ajudar você, Sophie? Podemos tentar conversar e definir juntos o que gostaria de fazer?

Aquilo acabou atingindo o alvo. Sophie encarou a madrasta e disse, com a voz clara e tranquila:

— Foi isso que você fez? Você se sentou com o meu pai para *conversar e definir* como ele iria abandonar a minha mãe?

Doeu, é claro — mais tarde, na cama, Jim abraçou Eva enquanto ela chorava —, mas eles continuaram, sem se deterem. Sophie gostaria de frequentar a faculdade? Ou preferiria arrumar um emprego? Mas as provas vieram e passaram, e Sophie ainda não havia tomado uma decisão. Mesmo essa viagem à Espanha só aconteceu porque Helena e Juan lhe enviaram as passagens de avião como um presente pelo aniversário de dezoito anos. Jim não conseguia imaginar a filha tomando essa iniciativa sozinha, mesmo se ele e Eva lhe oferecessem o dinheiro (os dois haviam feito aquilo mais de uma vez, e ela sempre se recusou a aceitar).

Agora, entrando na fila de carros que se dirigiam lentamente para a saída, Jim não consegue se conter e diz, apertando as mãos no volante:

— Bem, Sophie. Isso é tudo o que você tem a dizer sobre duas semanas na Espanha? Que foi tudo bem?

Pelo retrovisor, ele vê a filha revirar os olhos.

— O que mais você quer saber?

Eva coloca a mão na coxa de Jim; um alerta.

— Tenho certeza de que você está cansada, não é, meu bem? Por que não fecha os olhos um pouco? Talvez possa nos falar um pouco mais sobre a viagem durante o jantar.

Eles ficam em silêncio. Na estrada, Jim concentra-se nas luzes de freio dos carros à sua frente. O dia está quente, mas a temperatura é suavizada por uma brisa firme que vem do mar; quando saem da estrada principal, pegando a via que os leva para casa, ele abre a janela e inspira profundamente. A estrada se estreita, penetrando mais profundamente no interior; as árvores altas dos dois lados, carregadas de seiva, se curvam e se encontram no meio em certos lugares, formando um túnel pelo qual a luz esverdeada se filtra discretamente.

Jim adora este lugar, ama-o com uma certeza profunda e inquestionável que nunca sentiu por Londres, ou mesmo pela Cornualha. Estar aqui lhe dá a sensação de ser uma extensão do amor que sente por Eva, mas também — e isso ele não esperava, na primeira vez que Eva falou da possibilidade de se mudarem para Sussex — pela sua mãe. O alívio inicial e vergonhoso que ele sentiu após a morte de Vivian — a leveza súbita sobre os ombros, como se um fardo pesado houvesse sido removido — cedeu espaço rapidamente à culpa. Durante meses, ele não foi capaz de pintar e passou os dias andando de um lado a outro do apartamento em Regent's Park, até que Eva — que estava trabalhando em um manuscrito no antigo quarto de Rebecca — não pôde mais aguentar aquilo. Pediu a Penélope que lhe passasse o número de uma terapeuta, uma colega de ambas da época de Cambridge. Ele foi conversar com a mulher no apartamento dela em Muswell Hill — um lugar escuro, cheio de livros e sossegado — e descobriu, após alguma resistência, que ali ele não era exatamente capaz de afastar a culpa (a culpa não apenas pelo que havia feito ou deixado de fazer por sua mãe, mas também em relação a Helena e Sophie), mas de diminuir a sua intensidade, de modo que, nos melhores dias, ela ficava quase inaudível. E, mais importante, após seis meses de terapia, ele começou a pintar outra vez.

Anos depois, conforme a situação de Sophie piorava, Jim sugeriu a Eva que Sophie também pudesse querer conversar com alguém; e perguntou até mesmo se deviam confrontar o fato de que ela poderia estar desenvolvendo os primeiros sinais da doença de Vivian.

— Sim, vale a pena tentar — concordou Eva.

Entretanto, quando falou com a filha sobre isso, pouco antes do Natal do ano anterior, ela o olhou com um intenso ar de desdém.

— Então, pai, o que você está querendo dizer é que eu sou alguma espécie de maluca, igual à vovó Vivian?

Jim não conseguiu conter a raiva.

— *Nunca* use essa palavra para falar de sua avó. Você não sabe o que está dizendo!

Sophie, fugindo pela porta da cozinha, parou e o encarou de volta.

— Bem, você também não sabe, pai. Por que então não me deixa em paz?

Agora, em casa, após voltarem do aeroporto, Jim leva a mala de Sophie até o quarto da filha e pergunta se há algo que ele possa fazer para ajudar com o jantar. Eva faz que não com a cabeça.

— Vou só esquentar uma lasanha.

— Vou ficar lá fora um pouco, então.

Eva faz um sinal afirmativo com a cabeça.

— Bato na sua porta quando estiver pronta.

Seu estúdio ocupa o velho celeiro que veio com a casa. Foi isso, juntamente ao terreno em volta — um pomar cheio de mato, uma campina com o capim alto — que fez com que eles se apaixonassem pela propriedade. O celeiro estava num estado terrível — telhas faltando, vigas apodrecidas, a carcaça de um trator muito antigo enferrujando sob teias de aranha. Mas eles arregaçaram as mangas e começaram a trabalhar — ele, Eva, Anton, Sam e uma equipe de pedreiros do vilarejo. Lenta e cuidadosamente, transformaram o celeiro num estúdio funcional: pontilharam o teto inclinado com enormes vidraças; instalaram um banheiro; e até mesmo — um luxo para os padrões locais — uma unidade de aquecimento central. Nas primeiras semanas após terem terminado, Jim conseguia ouvir a voz de Howard em sua cabeça, exatamente como nas manhãs de inverno, quando ele se mudou para o congelante estúdio comunal da Casa Trelawney. *Um pouco de frio nunca fez mal a ninguém. Não fique resmungando por aí, pelo amor de Deus. Vista mais uma blusa....*

Quase na mesma época em que começou a trabalhar no novo estúdio, Jim percebeu que estava se afastando da pintura e passando para as esculturas — trabalhando com grandes blocos de arenito e, depois, com granito; transformando-os em monólitos altos e de superfície polida que expressavam, em sua mente, a força silenciosa dos antigos monumentos. Os críticos não foram tão gentis: "Um exercício tedioso de uma inutilidade fálica" foi como um deles descreveu sua última exposição. Jim riu ao ler a crítica; lembrou-se de quando seu pai lhe falou, em uma daquelas tardes em que Jim se sentava silenciosamente para observá-lo pintando, que "as opiniões dos críticos servem apenas para forrar a gaiola de um hamster". A primeira reação de Stephen, entretanto, o surpreendeu.

— As esculturas são interessantes — disse o seu velho amigo e galerista, e Jim reconhecia um elogio sutil quando o ouvia. — Mas, na realidade, você é um pintor, Jim. Não seria melhor, talvez, voltar a fazer o que sabe?

Agora Jim está diante da peça na qual está trabalhando há três semanas: um estilhaço estreito de granito negro, aplainado e polido; a superfície lisa pontilhada com pequenos riscos de cor cinza, branco e carvão. Ele pensa em outra coisa que Howard costumava dizer na Casa Trelawney, várias e várias vezes, a quem se dispusesse a ouvir. *Na escultura, você não cria nada. Você apenas retira o excesso para mostrar o que já está lá.*

Aquelas palavras marcaram Jim e permaneceram com ele: ele sentiu, na primeira vez que suas mãos tiveram o desejo de deslizar sobre rocha sólida, que também expressavam algo sobre o que ele sentia por Eva. Jim não se permitiu sentir qualquer arrependimento pelos anos que passou sem ela — seus anos com Helena; sua filha Sophie —, mas, em sua mente, essas novas esculturas são monumentos a uma simplicidade essencial, à certeza que ele sente ao estar com Eva; à gratidão esmagadora que sente por isso, pela segunda chance que tiveram. A única coisa que deseja era poder ter aproveitado essa segunda oportunidade — e a própria felicidade — sem causar tanta dor a sua filha. Que pudesse ter encontrado alguma maneira de compensar a situação de Sophie, além de se esforçar para mostrar a ela a cada dia, a cada semana, o quanto significa em sua vida. Mas ela parece não querer escutar. *Ou talvez*, pensa ele, nos momentos mais sombrios, *eu simplesmente não esteja me esforçando o bastante.*

Às sete e meia, eles se reúnem na cozinha para jantar; Eva serve a lasanha, uma salada e vinho branco. Eva pergunta novamente sobre a viagem e Sophie lhes conta um pouco mais — sobre as galinhas pretas que Helena cria no quintal; sobre Juan, que ela descreve como "um cara normal. Meio estranho, mas normal".

Jim observa a filha, pálida e desajeitada em sua camiseta preta e calça legging. Sente uma onda de afeição pela garota; estende o braço para tocar sua mão e diz a ela o quanto está feliz por tê-la em casa novamente.

Sophie o encara com um olhar frio e, então, recolhe a mão.

Versão 1

Man Ray
Londres, março de 1989

Alguns dias antes de completar cinquenta anos, Eva convida Penélope para almoçar.

— Não traga Gerald — diz ela. — Jim está em Roma. Viajou com a escola.

No dia seguinte — um sábado —, ela coloca uma quiche no forno, prepara uma salada e coloca uma garrafa de Chablis para gelar. Elas comem. Bebem. Discutem a dor nas costas de Gerald; os planos para o casamento de Jennifer; ela está noiva de Henry, um advogado *trainee* com quem trabalha — educado, estável, com os cabelos já começando a rarear no alto da cabeça —, mas dedicado a Jennifer, e ela a ele. No mês passado, quando saíram para comprar o vestido de noiva, ela disse a Eva:

— Eu amo tanto Henry que chego a ter medo de me casar com ele, mãe. Tenho medo de que a realidade do casamento não seja igual à ideia que tenho na cabeça. Foi assim que aconteceu com você e o meu pai?

Eva olhou para a filha, diante dos cabides com os vestidos — tão jovem, tão linda, tão querida — e sentiu uma onda de emoções que não conseguiu definir: amor, tristeza, felicidade e algo mais; uma espécie de nostalgia, a sensação de que estava voltando a um momento em seu próprio passado em que estava ao lado de Jim e jurou fazer com que seu amor durasse uma vida inteira, e mais. Não, ela nunca sentiu medo.

— Não se preocupe tanto, querida — disse ela a Jennifer. — O casamento não é algo que tem que ser igual a uma imagem perfeita na sua mente. Vai ser o que você fizer dele. E você e Henry vão fazer do seu casamento algo *maravilhoso*.

É doloroso demais pensar sobre esse momento agora. Eva enche novamente as taças de vinho para si mesma e Penélope, e depois mostra o cartão-postal que guardou nas últimas páginas de um exemplar preliminar que a gráfica enviou do seu último livro. (Uma obra de não ficção desta vez: um estudo das dez melhores escritoras do século XX.)

É uma reprodução de uma fotografia em preto e branco. Uma mulher de perfil, os lábios e as sobrancelhas escuros e cheios, os cabelos elegantemente cacheados. A imagem está um pouco borrada, fora de foco, como se tivesse sido sombreada com um lápis de grafite bem macio.

— Lee Miller, não é? — pergunta Penélope. — Man Ray?

Eva assente, impressionada.

— Veja atrás.

No verso do cartão está escrito, com uma caligrafia inclinada e familiar: *Para B — porque sempre vou pensar em você numa linda monocromia. Obrigado por me trazer de volta à vida. Com todo o meu amor, sempre. J.*

Elas ficam em silêncio por um momento. E então Penélope diz:

— Onde você encontrou isso?

— No carro. Ontem. Estava limpando o porta-malas. — Eva engole todo o vinho do seu copo, observando a amiga do outro lado da mesa. Sente-se estranhamente calma, como estava na tarde anterior, quando as engrenagens desconexas da sua mente finalmente se encaixaram numa sincronia lubrificada, e ela embarcou no carro, sabendo imediatamente aonde devia ir.

— Não vou insultá-la perguntando se tem certeza se essa é a caligrafia de Jim.

— Ótimo.

Penélope recosta-se na cadeira, passando o dedo pela haste da taça.

— E nós sabemos quem seria essa "B"?

— Bella Hurst.

— A garota do estúdio?

— Exatamente.

Ela já devia saber, é claro; qualquer esposa diria o mesmo. E ainda assim Eva sente um desconforto ao perceber que realmente *devia* saber que, quando começou a sentir uma mudança em Jim, durante aquele período no outono — parecia estar mais alegre; bebia menos; chegou até mesmo a limpar o depósito, pegou o cavalete e começou, vacilante, a pintar outra vez —, devia haver alguma coisa, ou alguém, por trás daquilo do que apenas a superação gradual do luto que ele vivia pela mãe. Ela já sabia da professora substituta, é claro. Ele a mencionou algumas vezes; casualmente, ela pensou ("Oh, ela é uma graça. Bem jovem. Mora em uma pensão horrível em New Cross"), e depois com mais frequência, com um entusiasmo maior. Jim começou, ocasionalmente, a ir ao pub com Bella Hurst; visitou seu estúdio em Peckham; encontrou-se com ela, uma ou duas vezes, depois que Gerry voltou ao trabalho e ela não estava mais na escola. Eva supõe que também deve presumir que houve outros encontros sobre os quais não foi informada.

Era uma amizade, ou pelo menos era nisso que ela acreditava. Talvez essa Bella Hurst (sempre pensou na garota com o sobrenome junto ao nome) estivesse procurando um mentor. E Jim; bem, ela não tinha motivos para duvidar dele desde aquele caso, há muito tempo, com Greta. Ele sempre foi bastante aberto com Eva em relação a Bella, disse o quanto gostava de conversar com ela sobre artes, e que ela tinha ideias que ele nunca havia discutido anteriormente — ideias sobre prática, desconstrução, sobre a dissolução das antigas fronteiras entre arte erudita e popular. Em particular, Eva sempre pensou que essas ideias fossem pretensiosas, mas sempre se conteve para não expressar essas opiniões em voz alta.

Jim chegou até mesmo a convidar a garota para jantar: Bella Hurst sentou-se ali, bebendo o vinho deles, comendo a comida que Eva preparou. Era muito jovem e pequena com o colete de operário e o macacão jeans folgado; os olhos, por baixo daquela cabeleira revolta, eram encantadoramente diferentes um do outro; um era azul, o outro, preto. Ela sentiu uma pontada de alguma coisa na ocasião — mesmo que fosse uma inveja constrangedora daquela juventude, do viço, algo que ela e Penélope poderiam tentar emular com loções e cremes noturnos, embora não fossem conseguir recuperar nunca —, mas acabou guardando aquilo no fundo da mente. Estava simplesmente *ocupada* demais para se incomodar com desconfianças — ocupada com as pesquisas para o seu livro, com artigos de jornal, com uma série de programas de rádio e mesas-redondas e também com o Booker. (Ela estava na comissão julgadora do prêmio de 1987 e passou boa parte de 1986 analisando uma pilha enorme de romances.) Mesmo quando Jim veio conversar no ano passado e disse que havia uma vaga no estúdio de Bella Hurst — e que ele estava pensando em alugá-la, em ir até lá nos fins de semana e nas férias —, mesmo nessas ocasiões, sua reação foi apenas uma sensação de alegria por ele estar trabalhando outra vez.

— Essa é uma ideia fantástica, Jim — disse ela. — É claro que você deve alugar o espaço. Talvez um novo começo, em um novo espaço, seja o que você precisa.

Eva só consegue pensar agora que foi um caso de cegueira deliberada de sua parte, e que os dois estavam se escondendo bem diante das vistas dela. Deviam pensar que ela era uma idiota — isso se chegassem a pensar nela. Ou, talvez, para Bella Hurst eles tinham um casamento aberto; Jim podia até mesmo ter dito isso a ela. Será que ele descobriu algo a respeito de Leo Tait, sobre o breve caso que tiveram em Yorkshire? Eva não acha que isso seja provável — ela nunca comentou aquela noite com ninguém, e não pode imaginar que Leo o tenha feito. Mas, agora, tudo parece ser possível. E, se o caso com Bella fosse algo que aconteceu durante apenas uma noite — um desejo físico ao qual Jim não conseguiu resistir, assim como aconteceu entre ela e Leo —, então ela poderia ter reagido de forma diferente; mas é impossível que a mensagem de Jim possa descrever uma aventura casual. *Obrigado por me trazer de volta à vida.* Cada palavra era um disparo contra o coração de Eva.

Ontem, em Peckham, ela conversou com Bella Hurst, inabalável, implacável. Eva tocou a campainha do estúdio, disse a um homem de aparência entediada, que usava um guarda-pó coberto de manchas de tinta, com quem queria falar. Ele a deixou diante da porta aberta — ela leu o nome em cada uma das caixas de correio do corredor, com a tinta que descascava, os pontos verdes que indicavam a presença de bolor, várias e várias vezes; viu as letras do nome do marido se reorganizando, formando palavras incompreensíveis.

Sentiu uma tontura; teve de colocar a mão na parede para se apoiar, imaginando o que faria quando estivesse frente a frente com Bella Hurst; perguntando a si mesma o que poderia dizer para aliviar o peso da sua dor. Não havia nada, com certeza — aquilo era o fim de tudo, a destruição da vida que Eva e Jim se esforçaram tanto, por tanto tempo, para construir e manter. A alegria saltitante de se apaixonar, de encontrar um ao outro; sua lua de mel; os meses em Nova York; a linda casa que tinham em Gipsy

Hill. Jennifer. Daniel. A perda de Vivian, de Miriam. Aqueles anos terríveis nos quais Eva temeu que eles estivessem se afastando, e mesmo assim acabaram encontrando uma maneira de se juntar outra vez. Conseguiram superar. O que ela poderia dizer para fazer essa garota — essa *criança* — entender o significado de ver uma imagem da própria vida como você a conhece — uma imagem com substância e beleza; as horas, as semanas e os anos que compõem uma vida compartilhada, uma família — para, em seguida, vê-la arrancada sem qualquer cerimônia da sua moldura?

Quando Bella finalmente apareceu, ela o fez com um sorriso, o rosto nu sereno, usando uma camisa branca larga, uma legging preta, um casaco masculino de *tweed* (não o de Jim). Eva mostrou o cartão-postal — e disse, com uma voz que não conseguiu manter firme, que havia encontrado algo que acreditava pertencer a ela.

— Bem — disse Bella, com aqueles olhos, um negro e um azul, duros como bolas de gude. — É inútil dizer que sinto muito, eu receio, porque não sinto. Mas espero que não seja muito difícil para você.

Enquanto conta tudo isso a Penélope, Eva sente que está praticamente gemendo com a banalidade crassa dos eventos — o homem de meia-idade, pouco antes de completar cinquenta anos, apaixonando-se por uma garota que é apenas alguns anos mais velha que a sua filha; a esposa encontra o bilhete da amante e corre para confrontar sua rival. Visualiza a si mesma, naquele corredor sujo, vestindo os seus jeans mais velhos e que menos valorizam o seu corpo, os cabelos despenteados — esvaziar o porta-malas do carro foi o último estágio de uma limpeza geral na casa, e ela nem pensou em mudar de roupa. Jim a transformou no clichê mais antigo do mundo — a esposa traída — e ela o odeia por ter feito isso; odeia a si mesma por interpretar esse papel. Mas isso não faz com que a dor diminua nem um pouco.

Ela está chorando agora.

— Oh, Pen, acho que eu estava parecendo uma idiota.

Penélope cobre a mão de Eva com a sua; com a outra, tira um lenço de papel da bolsa.

— Tenho certeza de que não estava. Mas isso não faz diferença, não é mesmo?

— Não.

Penélope entrega o lenço e Eva enxuga os olhos. Do outro lado do corredor vem o ruído estridente do telefone.

— Quer que eu atenda? Que diga que você retorna a ligação mais tarde?

— Está tudo bem. — Eva amassa o lenço e faz uma bola com ele. — Provavelmente é Jennifer. Não quero que ela saiba que há algo de errado. Ainda não.

É Jennifer, que está ligando para conversar sobre a noite de terça-feira: elas sairão para celebrar o aniversário de Eva no mezanino de um restaurante húngaro, o Gay Hussar. Ao ouvir o som da voz da filha, a frágil compostura de Eva vacila; ela estrangula um soluço, mas não antes que Jennifer perceba o som.

— Está tudo bem, mãe? Você parece estar irritada.

Respirando fundo, olhando para a fotografia emoldurada na parede, acima da mesa da sala — os quatro há alguns anos, na praia de St. Ives —, Eva recorre às últimas reservas de força para dizer, com a voz firme e forte:

— Estou bem, querida. Obrigada por perguntar. Penélope está aqui, ela veio almoçar. Ligo para você mais tarde.

Na cozinha, Eva desaba em sua cadeira, apoiando a cabeça nas mãos.

— Meu Deus, Pen. As crianças. Não consigo suportar isso. O que vou fazer?

De dentro da bolsa, Penélope tira um maço de cigarros. Acende um, entrega a Eva e acende outro para si.

— Nós paramos de fumar — lembra Eva, mas Penélope ignora a objeção.

— Pelo amor de Deus, Eva. Se alguma vez nós precisamos mesmo de um cigarro, é agora. — Após um momento ou dois, ela emenda: — O que você quer fazer?

— Além de dar um soco no estômago dele? — Eva ergue o rosto, olha para a amiga e, mesmo agora, neste momento, elas trocam um sorriso discreto. — Não sei. Realmente não sei. Tenho que conversar com ele, é claro. E ver se ele realmente quer sair de casa. Bella parece pensar que esse é o caso. Mas tenho que ouvir isso dele mesmo.

— É claro que sim. — Da boca pintada de vermelho, Penélope solta uma pequena nuvem de fumaça. Eva sente que a amiga gostaria de dizer mais, que Penélope está se contendo para não revelar toda a extensão da sensação de traição que sente; a raiva pelo que aconteceu com Eva, é claro, mas sua própria raiva também. Penélope sempre adorou Jim e sempre tentou ver as coisas pelo ponto de vista dele. Foram bons amigos durante muito tempo, mas agora é preciso estabelecer um limite. — E se ele disser que não quer ficar com Bella? Que vai dar um fim no caso?

— Bem... — Eva dá uma longa tragada. — Nesse caso, vou ter que analisar o que restou entre nós. Não sei se podemos continuar juntos.

As palavras de Eva ficam no ar, sem resposta; impossíveis de responder. No jardim, além das vidraças, o sol fraco da primavera está se pondo por trás do depósito de Jim, sobre o terreno inclinado coberto pelo gramado. A árvore onde o velho balanço de Daniel ainda está pendurado começa a florir; os limites do terreno estão viçosos, com os arbustos que Eva e Jim plantaram juntos há vários anos. Eva percebe, chocada, que talvez não possa ficar com a casa se eles se divorciarem; não por motivos financeiros — é ela quem ganha o maior salário da casa, e já faz alguns anos —, mas porque estará cheia de todas as coisas que, até ontem, definiam os contornos de sua vida. A mobília, as fotografias, a época em que as crianças praticavam suas escalas no piano, enchendo todos os cômodos com gritos, sorrisos, pedidos e exigências pueris; tudo isso, agora, ela vai ter de relegar apenas à memória.

Uma chave gira na porta. Eva olha para Penélope e apaga rapidamente o cigarro.

— Daniel. Não diga nada, Pen.

— Como se eu fosse dizer. — Penélope dá uma última tragada e apaga o seu cigarro.

Aqui está Daniel, entrando na sala — do alto dos seus dezesseis anos e um metro e oitenta, os joelhos enegrecidos pelo barro abaixo da barra dos seus calções de rúgbi. Ele adora o esporte, e Jim, embora seja indiferente, sempre o leva aos jogos em Twickenham; fica por horas ao lado do campo nos jogos que a escola de Daniel disputa, torcendo por ele, batendo palmas com as mãos enluvadas. *Será que Jim ainda vai fazer isso se nos deixar?*, pensa Eva. *Será que as coisas vão voltar a ser normais algum dia?*

— Tudo bem, tia Pen? — pergunta ele. — Mãe?

— Estamos bem, querido. — Eva tenta abrir um sorriso. Mantém a voz leve e firme quando se vira e pergunta: — Como foi o jogo?

Versão 2

Pai
Cornualha, novembro de 1990

Jim acorda às seis da manhã, no momento em que o trem parte de Liskeard.

Continua deitado em sua cama, aproveitando o calor das cobertas. Dormiu bem: embalado, sem dúvida, pelo uísque que ele e Stephen consumiram durante uma noite no Arts Club, sem mencionar o champanhe e o vinho que beberam durante o jantar. Tomou um táxi para Paddington às onze da noite, encontrou o caminho a passos não muito firmes que o levava até a sua cabine individual na primeira classe; e percebeu, ainda um pouco atordoado, que estava se acostumando àquele tipo de mordomia. Mal houve tempo de vestir seu pijama e aceitar o chocolate quente que lhe foi oferecido por um guarda uniformizado antes que o sono o derrubasse.

Uma batida na porta soa na cabine: discreta, educada.

— Café da manhã, senhor?

— Sim. Obrigado. — Ele gira as pernas por cima do colchão. — Só um momento.

É uma refeição mixuruca — ovos mexidos endurecidos, torradas frias, bacon cheio de gordura —, mas Jim limpa o prato e bebe o café aguado. Sua cabeça está latejando. Enquanto se veste, encontra a embalagem de aspirinas junto a seus itens de higiene e toma três comprimidos com os últimos restos do café na caneca. Em seguida, veste o casaco, guarda seus poucos pertences na mala que fez para a viagem curta e sai para encarar a manhã.

É um dia frio e tranquilo de inverno, do tipo que ele sempre gostou: o céu com uma camada fina de nuvens, distante; o sol baixo estonteante, e as últimas folhas vermelhas e amarelas ainda presas às árvores. E o ar gelado e fresco da Cornualha; no vagão, ele abre a janela, apesar do frio, e aspira várias vezes o ar gelado. É isso que não consegue explicar a Stephen, sempre que seu amigo pergunta pela quinquagésima vez, e ele sabe que perguntará outras vezes, por que Jim insiste em continuar morando neste lugar, a centenas de quilômetros de distância de Londres. (Stephen parece ter apagado convenientemente da memória os próprios anos que passou na galeria de Bristol.) O ar, a luz, a paisagem estriada da água, rochas, grama. A sensação de estar bem nos limites mais distantes da Terra.

A casa está tranquila e quieta, e a cozinha, impecavelmente limpa — ontem foi um dos dias de faxina de Sandra. Caitlin encheu a geladeira; há um bilhete no balcão, redigido com a sua caligrafia clara e inclinada. *Mais uma vez, parabéns! Estarei aí por volta das dez. C.*

Jim prepara um bule de café e o leva até a sala, onde a luz é tão forte que agride os olhos. As enormes janelas envidraçadas emolduram a perspectiva de um pintor: um afloramento de rocha com um jardim que se estende até a beira do penhasco; uma gaivota solitária, apanhada por uma corrente termal; o mar escuro, estendendo-se até onde a vista alcança. Ele se senta, toma o café. A dor de cabeça está se transformando em uma lembrança distante de desconforto, e ele está em casa, trazendo boas notícias, e tudo está gloriosamente em silêncio.

Ficou surpreso, no decorrer dos meses depois que Helena se foi, pela rapidez com que se acostumou a morar sozinho. Saiu da casa assim que pôde — não conseguiu suportar mais uma noite no chalé de Fish Street, onde o silêncio não era do tipo receptivo e gentil que ele passou a estimar, mas sim um que nascia de um vazio doloroso: guarda-roupas que não foram totalmente esvaziados, os gabinetes da cozinha quase vazios e, o pior de tudo, o quarto desocupado do filho, de onde tudo foi removido com exceção de um desenho num papel dobrado, grudado com fita adesiva na parede, sobre a cama de Dylan. Nos piores dias — e houve vários naquelas semanas, depois da tarde terrível quando ele voltou do estúdio e encontrou Helena fazendo as malas, Dylan chorando, Iris com a boca fechada e resoluta no corredor, dizendo-lhe que não deveria "atrapalhar o caminho do amor" —, ele levava seu cobertor até o quarto de Dylan e dormia um sono agitado na cama do filho, sem os lençóis. Ao acordar durante a noite em meio àquele silêncio pesado, Jim tirou o desenho de Dylan da parede. Era um de seus primeiros rabiscos — ele, Dylan e Helena na praia de St. Ives, o sol redondo e leve. Jim sabia que era absurdo acreditar que aquela folha amassada de papel pudesse substituir a presença do filho, e mesmo assim percebeu que dormia melhor quando estava com o desenho ao seu lado.

Saindo de Fish Street, então, ele se mudou para uma casa nos arredores da cidade — recém-construída, sem qualquer característica excepcional; um ponto intermediário, onde transformou a sala de estar em um estúdio improvisado. Preferiu manter o quarto de hóspedes livre para Dylan: Helena, já em Edimburgo, prometeu que deixaria o filho viajar para visitar o pai sempre que quisesse. (Iris, por sua vez, tinha uma casa em New Town; Jim, no ponto mais alto da sua fúria, disse a Helena que ela *podia* ter se mudado para algum lugar mais distante — "para a maldita Timbuctu".) E Dylan quis vir; ele disse isso a Jim ao telefone, com suas conversas breves e truncadas indicando claramente a confusão e a saudade que sentia. E Jim quase não era capaz de suportar aquela situação. Mas obrigou-se a colocar os interesses do filho à frente dos próprios; ele e Helena concordavam que seria complicado demais para Dylan voltar à Cornualha até que todos estivessem restabelecidos e o acomodassem na nova escola.

Jim chegou a imaginar, algumas vezes, se devia ter lutado com mais empenho pelo filho; se devia ter contestado o argumento de Helena, que, como mãe de Dylan, presumia ter o direito de levá-lo, mesmo que fosse ela quem estivesse abandonando a casa. Mas estava determinado a não fazer com que Dylan se transformasse numa testemunha de um terrível cabo de guerra pela sua guarda; e Helena, por incrível que pareça, sentia o mesmo. Ela lhe escreveu uma carta depois que partiu. Uma mensagem controlada; pedia a Jim que a perdoasse, que havia se apaixonado por Iris de repente e que sentiu que não tinha outra escolha a não ser partir com ela, buscar a felicidade. Pediu a ele que não esquecesse os muitos anos bons que passaram juntos e que tiveram um garoto maravilhoso. Jim, depois que o fogo da sua raiva perdesse a força, acabaria encontrando algum conforto naquela carta.

Contudo, naquele momento, só tinha a casa feia, seus cômodos vazios com as paredes pintadas de bege. Trabalhar ali era difícil, mas também era a única coisa que tinha. E canalizou a sua fúria (que ainda ardia forte na época) em uma série de retratos: escuros e cheios de sombras. Iris, com as bochechas gordas e o cabelo alaranjado. Helena, mostrada de costas, os cabelos presos em um rabo de cavalo pouco elegante. Dylan atrás dela, aos nove anos, o rosto virado na direção do pai, que não aparecia na tela. E Vivian, saindo da cama nos momentos mais negros da noite, enquanto Sinclair dormia sob uma montanha de cobertores.

Chamou a série de *Partir, em três partes*. Quando completou a obra, percebeu que começou a dormir melhor e até mesmo a apreciar a ordem e a paz de morar sozinho. Em sua seguinte exposição, em setembro de 1980, Stephen vendeu a série inteira a um colecionador anônimo, por 150 mil libras. Isso e os lucros da venda de *Três vezes nós* — o valor foi publicado nos jornais e solidificou a reputação de Jim; ele queria mudar a vida dele com o dinheiro, comprar uma casa — o deixaram numa situação financeira bem confortável. E quando Sinclair morreu, alguns meses depois — de maneira ordeira, sem qualquer alarde, exatamente como o homem sempre viveu —, a pequena herança de Lewis Taylor passou para as mãos de Jim, juntamente à carteira de investimentos de Sinclair, cuidadosamente administrada e deixada para Jim, já que ele mesmo não chegou a ter filhos.

Tudo aquilo resultou numa soma que Jim nunca imaginou que chegaria a ter. E com o dinheiro veio a desconfortável noção — herdada, como várias outras coisas, do seu pai — de que a arte não era, essencialmente, algo que deve ter alguma conexão monetária. Jim guardou a maior parte daquele dinheiro em um fundo em nome de Dylan; com o restante, comprou esta casa. A Casa (o próprio nome o divertia) — pé-direito baixo, quadrada, construída em 1961 em madeira, concreto e vidro, por um arquiteto local obcecado pela obra de Frank Lloyd Wright — ficava estranhamente no alto de um penhasco, como um barco encalhado. O vilarejo mais próximo estava a treze quilômetros dali, e Jim, desfrutando da solidão, ficou feliz ao ter noção daquela distância.

Agora, depois de terminar o café, leva o bule e a caneca de volta para a cozinha e a mala para o andar superior. No quarto, se despe e entra no chuveiro. O que foi mesmo que aquele homem do Tate — David Jenson, bajulador e cortês — disse na noite passada? *Um espetáculo marcante, unindo pai e filho pela primeira vez. Uma grande coleção britânica de retratos que se estende por duas gerações.*

Jim não imaginou que aquilo poderia acontecer. Assim como Stephen, ele pensava que a diretoria da galeria estava apenas considerando a possibilidade de acrescentar uma nova pintura à coleção. O choque que sentiu foi tão grande que, durante vários segundos, não conseguiu falar; assim, Stephen interveio.

— Que ideia maravilhosa, David. Vamos marcar uma data para que você vá até a Cornualha e veja os trabalhos. Pode começar a preparar as coisas. — Foi nesse momento que Jenson pediu o champanhe.

No chuveiro, Jim pensa no pai. Há poucas coisas a respeito dele de que consegue se lembrar com clareza: o rosto disforme, caricato; o cheiro de aguarrás e tabaco de cachimbo. A maneira que se enrijecia quando Vivian gritava; Lewis raramente gritava com ela, mas, quando o fazia, sua voz era ensurdecedora, e Jim fugia correndo para o quarto. O dia em que a sra. Dawes foi buscar Jim na escola — Vivian estava viajando, visitando seus pais — e ele encontrou uma mulher estranha na cozinha, nua sob o robe azul de seda da sua mãe, passando camadas de geleia e manteiga numa fatia de pão. Lewis preparou chá para todos. Jim se lembra dos cabelos negros da mulher e do seu pescoço esguio, a textura untuosa da sua pele. Não se lembra do nome daquela mulher, mas se lembra de Sonia: lembra-se de observar seu pai fazendo as malas enquanto ela esperava no carro, e Vivian gritava, e as peças de porcelana chinesa se estraçalhavam no chão.

As pinturas do pai formaram a paisagem de sua infância — seus azuis e cinza discretos, as mulheres de olhos amistosos, as pinceladas suaves representando o céu inglês. Mas, desde que seu pai morreu, ele só as viu em livros e reproduções em cartões-postais; Vivian vendeu tudo, cada um dos quadros. Agora esse camarada chamado David Jenson vai procurá-las e reuni-las, como parentes que mal se conhecem, em uma reunião de família. Colocá-las junto com os quadros do próprio Jim. Pedir às pessoas que compareçam e as admirem, avaliando quanto do pai restou no filho.

Vestindo-se, ele pensa: *Sou mais velho hoje do que o meu pai era quando morreu.* Cinquenta e dois anos: ele celebrou o quinquagésimo aniversário nesta casa, com champanhe e margaritas e uma banda que tocou covers dos Rolling Stones até as quatro horas da manhã. Solteiro (mais ou menos) há uma década. Uma ex-companheira lésbica, que passava os dias criando peças de cerâmica com sua parceira na ilha de Skye. Um filho de vinte e um anos que estudava processos gráficos em Edimburgo, e bem mais maduro do que seus pais quando tinham aquela idade, ou mesmo — e Jim ri quando pensa nisso — em qualquer outro momento depois.

Dylan veio para a festa de Jim. Os dois ficaram juntos no jardim, tomando cervejas, e o rapaz disse:

— Sabe de uma coisa, pai? Estive pensando em como você agiu depois que a minha mãe e eu fomos embora. Você nunca tentou me colocar contra ela. Você podia ter dificultado bastante as coisas, mas não fez isso. Acho que isso foi algo maravilhoso. E eu me diverti bastante quando vim visitá-lo nas férias. Ainda me divirto. Olhando você trabalhar no estúdio. É muito legal.

Jim, olhando para o filho bonito e bem-apessoado — ele tem a pele clara da mãe e os seus olhos azuis, e essa combinação, na opinião do próprio Jim, o torna muito mais bonito do que ele mesmo jamais foi —, sentiu-se tão cheio de orgulho e amor que, por um momento, não conseguiu falar. Então, passou o braço ao redor dos ombros de Dylan, pensando que nunca havia imaginado que as coisas aconteceriam desse jeito; mesmo assim, ele havia vivido o bastante para compreender a futilidade de ter expectativas sobre qualquer coisa.

Sobre qualquer coisa ou qualquer pessoa. Nos anos seguintes à partida de Helena, Jim viu que a sua imaginação sempre se fixava em um rosto em particular. Seu primo Toby também veio para a sua festa de aniversário; ficou hospedado na Casa por alguns dias após o evento, com a sua elegante esposa francesa, Marie. Jim decidiu, certa noite, perguntar por Eva. Viu quando Marie e Toby se entreolharam.

— Ela está passando por um período complicado — disse Toby. — Ted Simpson não está nada bem. Está com mal de Parkinson, eu acho. Eles saíram de Roma. Ele não consegue mais trabalhar. Ela cuida dele em período integral.

Jim sentiu dificuldade para verbalizar o que sentia: tristeza por Eva, imaginou, sobrepujada por uma sensação de que não devia se sentir triste. Como poderia realmente dizer que a conhecia? Ele sempre a vê em sua mente, com seus olhos grandes e tranquilos, seu sorriso inteligente;

mas não pinta a imagem dela há anos, desde o tríptico. Recentemente, começou a se perguntar se aquela pintura não foi uma espécie de exorcismo; um fim colocado na possibilidade de um relacionamento entre eles; o relacionamento que ele intuiu ao conhecê-la, mas que morreu antes mesmo de poder se enraizar. Eva Katz — Simpson — era a parceira que não foi; aquela com a qual, existindo somente na imaginação de Jim, nenhuma outra mulher poderia se comparar. Helena sentia isso, ele tinha certeza. Mas Caitlin... bem, Caitlin era diferente.

Sua assistente de estúdio, sua secretária, ocasionalmente sua modelo, e então, discreta e silenciosamente, um pouco mais. Trinta e oito anos de idade; uma pintora mais do que competente; o corpo magro e em forma. (Ela começa todas as manhãs com uma corrida ao longo da baía de Carbis.) Já havia passado por um casamento precoce e breve. Sem filhos e sem exigências.

Jim consegue ouvir Caitlin agora, caminhando pelo piso térreo; fazendo mais café, sem dúvida. Ela tem sua própria chave, mas só fica na casa durante o horário comercial — a menos que, por acordo mútuo, ambos decidam que ela deve ficar até um pouco mais tarde. Mas nunca passou a noite ali. É um acordo delicado e frágil, cuidadosamente calibrado de acordo com as respectivas necessidades.

— Café? — pergunta ela, redundantemente, para o alto da escada. Já encheu o bule.

— Sim, por favor — responde ele. E em seguida ele segue a própria voz até o andar de baixo, onde Caitlin o espera, e, do lado de fora, no estúdio, já há um cavalete, uma tela nova e um novo dia de trabalho.

Versão 3

Hamlet
Londres, setembro de 1995

David está diante do bar, conversando com Harry, usando um cachecol xadrez sobre um casaco preto elegante.

Por um momento, Eva tem a estranha sensação de observar os anos passando de trás para a frente — quase quatro décadas completas — até que consegue vê-los claramente como eram no bar do ADC: jovens, viçosos, cheios de planos grandiosos. Em seguida, com a mesma velocidade, aqueles garotos desaparecem, e aqui, diante dela, estão dois homens no fim da meia-idade: grisalhos, autoconfiantes, satisfeitos. Fica impressionada ao se dar conta de que nenhum daqueles homens jamais demonstrou a menor dúvida de que seus planos seriam realizados exatamente da maneira em que os dois pensaram.

— Eva. — O charme de David não se apagou com a idade; ele se aproxima para beijá-la como se ela fosse a única mulher responsável pela sua felicidade. Eva imagina que, em algum momento, ela foi, mas sabe identificar exatamente esse talento de David: uma ação reflexa, o produto da sua necessidade infatigável de ser adorado. Muitas mulheres se deixaram seduzir por aquilo — inclusive ela mesma. Um espetáculo em Cambridge; um verão; aquelas tardes estonteantes em lençóis amarrotados que os forçaram a se tornar algo muito maior do que deviam ter sido. Eram felizes naquele tempo; e tentaram, por muito tempo, recapturar aquela felicidade. O que foi que ele disse no carro, naquela noite em Los Angeles, quando os dois decidiram parar de fingir? *Nós simplesmente não damos certo, não é mesmo?* Foi por causa de Jim, é claro — sua segunda chance —, que Eva sabe o quanto isso é verdade.

— David. — Ela oferece o rosto para que ele a beije. Para Harry, ela pergunta: — Está animado?

Ele acena afirmativamente com a cabeça.

— Nervoso. É a pré-estreia para a imprensa e tudo mais. Mas Rebecca foi uma *graça*, é claro, do começo ao fim.

— É claro. — Eva o observa com um olhar avaliador. Harry engordou, e seus cabelos ralos estão armados por trás das suas orelhas, deixando-o parecido com uma coruja. Rebecca disse que ele se casou outra vez: com uma mulher muito mais jovem, saída da adolescência há pouco tempo. Uma atriz, naturalmente. Sua mais recente Ofélia.

— Até que ele se cansa, naturalmente — disse Eva, e Rebecca franziu a testa.

— Harry é legal, mãe. Não sei por que você sempre implica com ele.

Agora, Harry está agitado, sentindo-se desconfortável sob os olhares de Eva.

— Bem, é melhor eu voltar para lá e juntar a tropa. Vejo vocês na festa, e aproveitem.

David dá um tapa firme nos ombros do amigo.

— Vá lá. Deseje boa sorte a todos. E dê um abraço forte na minha filha por mim. — Quando Harry se vai, ele diz para Eva: — Eu lhe trouxe um gim-tônica. Vamos nos sentar?

Eles encontram uma mesa perto da janela. Começa a escurecer: o muro de concreto que se estende até o Tâmisa está rajado pelas sombras, e a calçada ao longo do rio está movimentada com casais, as silhuetas vagueando sob a luz mortiça. No interior, o saguão está se enchendo; Eva percebe os olhares, os cutucões discretos. Eles acabaram de se sentar quando uma mulher com uma jaqueta escarlate — da mesma idade de Eva; sorridente, os lábios pintados de vermelho — se aproxima da mesa, com um dos programas do teatro na mão.

— Desculpem por incomodá-los. — A mulher enrubesce a ponto de ficar da mesma cor da jaqueta. — Mas será que você se importaria de...?

Ela tira uma caneta do bolso. David dá a ela seu sorriso profissional.

— De maneira alguma. A quem devo dedicar?

Eva desvia o olhar. Faz muito tempo desde a última vez que saiu sozinha com David; já havia se esquecido dos pequenos incômodos que a presença dele frequentemente causa. Certa vez — em meados da década de 1960, no auge da fama de David, Rebecca devia ter seis ou sete anos, e Eva ainda não estava grávida de Sam —, uma mulher seguiu os três até o apartamento em Regent's Park. Ficou plantada na porta, tocando a campainha sem parar, até que eles chamaram a polícia. David simplesmente riu daquilo — "Faz parte do trabalho, Eva. Pare de se preocupar tanto" —, mas ela ainda se lembrava do medo e da confusão no rosto da filha. Ainda assim, parece que aquilo não causou nenhum mal a Rebecca, pois acabou escolhendo o mesmo tipo de vida do pai. O que foi que Garth — o marido de Rebecca, escritor de peças de teatro e companheiro perfeito, discreto e reservado, para a exuberância natural da esposa — disse no ano passado, quando o empresário de Rebecca telefonou para falar que agora ela tinha o seu próprio fã-clube? "Finalmente, um monte de pessoas que vão amá-la quase tanto quanto ela ama a si mesma." Garth ria ao falar isso, é claro. Rebecca lhe deu uma bronca, mas em seguida suavizou o tom e sorriu.

— É ótimo ver você — diz David quando a mulher com a jaqueta vermelha se afasta, relutantemente. — Está muito bem.

— Estou? — Eva está nos estertores de um resfriado de verão: o nariz rosado, os olhos lacrimejantes, que sem dúvida estão borrando a maquiagem; terá de retocá-la antes da festa. Mas, sem querer parecer ingrata, ela emenda: — Obrigada. Belo casaco.

— É lindo, não é? — diz ele, deslizando a mão por uma das lapelas engomadas. — Burberry. Jacquetta o escolheu.

— Como está Jacquetta?

— Bem. Ele bebe o seu gim-tônica. — Muito bem.

— E as garotas?

Ele sorri. Um sorriso sincero, desta vez.

— Perfeitas.

Foi Rebecca, novamente, quem disse a Eva que David e Juliet iriam se divorciar. O casamento foi um evento bastante público — uma cerimônia à beira da piscina no Chateau Marmont; uma cobertura exclusiva do evento publicada na revista *People* — e o divórcio não foi nada discreto. Cada golpe e cada contragolpe foram desferidos dolorosamente pelos jornais; David havia se afastado dos Estados Unidos e se mudado para a casa dos pais em Hampstead. Eva sentiu tanta pena dele que, apesar de tudo, se apanhou convidando-o para passar um fim de semana em Sussex.

Não foi um sucesso. David bebeu todo o vinho bom que eles tinham; disse várias vezes a Jim que nunca deveria ter deixado Eva ir embora (e ela achou que essa parte da apresentação de David foi pouco convincente); derramou uma caneca de café sobre o novo carpete da sala. Desde então, Eva restringiu seus contatos a encontros familiares: os casamentos dos filhos; as consagrações dos netos; uma ou outra noite de estreia para a imprensa. Na última consagração — de Miriam, a filha mais nova de Sam; a menina tem o mesmo nome da mãe de Eva, um gesto que a emocionou profundamente —, David trouxe uma mulher que nenhum deles havia visto antes. Tinha mais de um metro e oitenta de altura, com uma cabeleira loira que mais parecia uma juba de leão e uma gravidez incipiente que marcava as linhas austeras do seu corpo.

— Esta é Jacquetta — disse David à família, com um toque de orgulho. — Ela vai ter gêmeos.

Agora, ele fala:

— E Jim? Como vão as coisas no rancho?

Eva assente.

— Está tudo bem.

Não é realmente verdade, mas ela não quer falar sobre o tamanho da decepção de Jim com sua última exposição de esculturas. (Nenhuma foi vendida, e não houve nenhuma resenha em nível nacional.) Ou sobre a ansiedade constante que sentem por Sophie, que agora está com vinte e cinco anos e vive uma vida caótica em Brighton, trocando de emprego e namorados com a mesma lassidão implacável que eles passaram tanto tempo tentando abordar. Ou sobre o luto prolongado da própria Eva por Jakob, que faleceu há dois anos, e de quem ela ainda sente saudades, todas as horas, todos os dias.

E, de qualquer maneira, como Eva poderia explicar a David o fato de que, por mais difíceis que sejam, esses problemas não chegam a abalar os alicerces daquilo que ela e Jim construíram juntos? Os cafés da manhã compartilhados num companheirismo silencioso, as vozes falando mansamente no rádio. As manhãs passadas em separado — ele no estúdio, ela no escritório, mas sempre sintonizados. As noites nas quais cozinham, comem, assistem à televisão, visitam amigos; todas as permutações minúsculas da vida a dois.

— Rebecca me disse que você está trabalhando em algo novo — comenta ele. — É um livro?

Ela faz um gesto afirmativo com a cabeça.

— Talvez. São contos, mas acho que eles funcionam bem juntos. — Eva não consegue disfarçar a empolgação na voz; redigir seus textos depois de tanto tempo e gostar do que escreve, esperar que possa até mesmo ser bom. E foi Jim, é claro, quem fez tudo acontecer: Jim e sua intolerância absoluta a todas as desculpas esfarrapadas que ela inventava. *Você é uma escritora, Eva. Sempre foi uma escritora. Então, suba lá e escreva.*

David coloca a mão em seu braço.

— Eva, isso é maravilhoso. Sempre disse que você não devia desistir de escrever. — Ela sorri. Isso é típico de David. — Escreveu alguma coisa sobre mim?

Ela ri.

— Oh, é claro que sim. Se eu fosse você, avisaria o seu advogado assim que possível.

— Vou avisar mesmo. — Ele se recosta na cadeira, com os olhos brilhando. — Eu mereço. Mas, falando sério... as histórias falam sobre o quê?

— Oh... — Como responder àquela pergunta? Como reduzir meses de trabalho, pensando, preocupando-se e refinando seus textos, em uma única sentença? — Sobre o amor, eu suponho. Uma mulher e os homens que ela amou. Cada história é sobre um momento em particular, que ela passou com um homem em particular. — Ao ver que as sobrancelhas dele se erguem, ela acrescenta: — Não me olhe desse jeito. Não houve *tantos* homens assim. A maioria das histórias é sobre o homem que ela mais ama.

— O Jim da protagonista, então. — Ela o encara fixamente, e o sinal dos três minutos ecoa pelo *foyer*. Ao redor deles, as pessoas começam a se agitar. O clima entre os dois se quebra, perde a intensidade.

— É melhor entrarmos — diz Eva.

— Sim, vamos lá.

Eles têm os ingressos para os assentos preferenciais habituais: a fileira F da plateia. Na fileira H, David para e cumprimenta um homem. Ela sorri discretamente na direção deles e se acomoda, tirando o casaco e guardando a bolsa debaixo do assento. O cenário está bastante iluminado: paredes altas de tijolos falsos, nuances violentas de artes conceituais tenebrosas, um balcão metálico de cozinha bastante surrado. Nova York, 1974; Hamlet é retratado como um artista preguiçoso e exagerado que fuma um cigarro atrás do outro, um protegido ocasional de Andy Warhol; Gertrude — Rebecca; um pouco jovem para o papel, realmente, aos trinta e seis anos de idade, mas o fiel Harry calou as reclamações do diretor de elenco — como uma alcoólatra incurável.

Rebecca descreveu o conceito de Harry para a produção longamente à mãe, e Eva não sabe realmente se gosta daquilo. Mas sabe, por mais bizarro que o espetáculo venha a ser, que Rebecca brilhará: sua filha tem três prêmios Olivier! E, mesmo assim, a velha e familiar ansiedade de Rebecca — vestida, nervosa, esperando nas coxias — ainda está lá, como sempre esteve para David. Eva consegue ver claramente a si mesma e Penélope, sentadas na plateia do ADC, repassando silenciosamente as falas conforme David e Gerald as recitam em voz alta; seus olhos correndo pelas fileiras, procurando qualquer pessoa que se atrevesse a criticá-los.

David chega e senta-se ao seu lado, e Eva diz:

— Lembra-se daquela produção de *Édipo Rei* de que você participou em Cambridge?

— Sim. O que tem ela?

— Vocês realmente estavam bem assustados, não é?

Ele a encara fixamente e, por um momento, Eva acha que ele não vai entender a piada; David nunca conseguiu rir de si mesmo com facilidade. Mas, desta vez, ele ri.

— Mas que diabos! Você tem razão. Estávamos mesmo. Juventude inexperiente, não é? Nem imaginávamos o que aconteceria.

E então Eva percebe que está rindo também. Os dois ainda estão gargalhando quando as luzes da plateia se apagam, e Francisco e Bernardo entram no palco, com suas botas de motoqueiro e os cabelos armados em moicanos *punk*. David se aproxima e sussurra:

— Mas não estávamos tão assustados quanto esses aí, não é?

Ela precisa sufocar o riso com a manga da blusa. A senhora idosa no assento ao lado os encara com um olhar severo, e Eva fica em silêncio, assistindo à apresentação, imaginando como foi que todo o seu grandioso espetáculo dramático — um casamento devido à conveniência e ao desejo; um divórcio que demorou demais para chegar — se transformou apenas em risos, e no resíduo sutil das lembranças compartilhadas.

Versão 1

Bola de neve
Londres, janeiro de 1997

— Você não está olhando, pai.

Tarde de terça-feira, quinze para as quatro da tarde; Jim está voltando da escola com a filha. Faz alguns dias que não neva, mas as últimas camadas ainda estão acumuladas na beirada da calçada em montes misturados com a fuligem; onde a calçada encontra a rua, a neve se transformou numa massa pegajosa e suja. Robyn pegou um punhado de neve mais fresca e mais branca do alto do muro de um jardim. Jim olha para aquela mão pequena e enluvada, para a bola disforme que lentamente se derrete na lã rosada e roxa.

— Estou sim, querida. É muito boa. Mas solte isso, está bem?

Robyn faz que não com a cabeça, e o pompom da sua touca se move de um lado para outro.

— Não, pai. A gente não solta uma bola de neve. A gente *joga*.

Ela solta a mão de Jim e faz pontaria: ele tenta impedi-la, mas é tarde demais. A bola de neve faz um arco baixo no ar, ameaçando acertar um cachorro que passa por ali.

— Robyn — diz Jim, rispidamente. — Não faça isso.

Por sorte, a menina não tem uma mira muito boa. A bola de neve se estatela contra o meio-fio, a uma boa distância do cachorro. Ainda assim, o olhar de Jim encontra os olhos do dono do cão quando ele passa.

— Desculpe.

O homem sorri por baixo do chapéu de copa achatada, mostrando três dentes de ouro.

— Não se preocupe, cara. Criança é assim mesmo.

— É, sim — concorda Jim.

Robyn fica imóvel, chupando a lã úmida da luva, observando o dono do cão enquanto ele passa.

— Papai — diz ela em alto e bom som, enquanto o estranho ainda está perto o suficiente para ouvi-la. — Você viu os dentes daquele homem? Eram feitos de *ouro*.

— Venha, senhorita. — Ele a puxa pela outra mão. — Vamos levar você para casa.

A casa em questão é uma construção do início do período vitoriano em Hackney: dois andares, com a fachada achatada e discreta, contornos pintados de branco e um portão alto de ferro fundido que a separa da propriedade vizinha, que é idêntica. A casa estava vazia já há alguns anos antes que ele e Bella se mudassem para lá — mas não iriam simplesmente invadir o imóvel para morar nele; Jim estabeleceu alguns limites e não aceitaria algo assim. Ele comprou o lugar com uma porção da herança que recebeu após a morte de Sinclair. O papel de parede no quarto dos fundos era um mapa-múndi de mofo, fios desencapados pendiam perigosamente do teto em vários lugares e as tábuas do piso estavam apodrecendo. Mas Bella se apaixonou pelo lugar, e, como foi Jim que insistiu para saírem da casa em New Cross (nos fins de semana, as paredes velhas vibravam com os sons graves enquanto ele se escondia no andar de cima com tampões nas orelhas, tentando ler), ele achava que não devia se opor.

Bella começou imediatamente a restaurar a casa raspando o reboco úmido, arrancando o papel de parede, pintando o teto da sala no alto de uma escada mesmo quando já estava no oitavo mês da gravidez, e teimosamente ignorando os pedidos de Jim para que tomasse cuidado. Ele se lembrou, inevitavelmente, do verão de 1962 (sua mente tinha dificuldade para computar o quanto aquela época estava distante agora), quando ele e Eva se mudaram para a casa em Gipsy Hill, com o estuque rosa-salmão e o velho depósito do artista no qual Jim esperava conquistar grandes coisas. Ele viveu naquela casa por quase trinta anos; não conseguia simplesmente se livrar de todas as lembranças do lugar. Ele e Eva trabalharam duramente, juntos, para transformá-lo no seu lar; ela voltava do *Courier* no final da tarde, vestia uma das velhas camisas de Jim e começava a pintar.

Ele cometeu o grave erro de, certo dia, ao descer para o térreo e ver Bella no alto da escada — estava de costas para ele, com os cachos negros envoltos em um lenço —, chamá-la de Eva. Bella passou quatro dias sem falar com ele. Ficar sem falar com ele — Jim acredita que a expressão moderna é "dar um gelo" — é algo que Bella faz com uma frequência que chega a ser irritante. Ele não sabia disso quando se apaixonou por ela, mas agora sabe.

No corredor de entrada, Jim tira a mochila da filha, a touca, as luvas e a jaqueta grande e forrada. Ela bate os pés com as galochas listradas, espalhando flocos de neve suja pelas tábuas do piso. Muitas das características de Robyn — seus olhos azuis límpidos (ela não herdou as cores diferentes da mãe), as orelhas rosadas em forma de concha, sua expressão comicamente intensa quando está pensando — o fazem se lembrar de Jennifer, e até mesmo de Daniel. E ainda assim ele evita fazer muitas comparações: Bella esbravejou com ele na primeira vez que Jim viu Robyn sorrir e disse — com toda a sua alegria paternal — que era o mesmo sorriso com o qual Jennifer o olhava.

— Não faça com que eu me sinta como se tudo o que fazemos juntos deve ser comparado com a vida que você tinha com ela.

Depois, Bella se desculpou e falou que a reação exagerada era consequência da exaustão pós-parto. Mas ele permaneceu inquieto, pois aquela definitivamente não era a mulher — a garota — que entrou na sala de artes da escola naquele dia de setembro, que conversou com ele durante horas e horas no pub, no estúdio, até mesmo durante aquele jantar fatídico com Eva, sobre arte, liberdade e uma vida que não seria delimitada por quaisquer convenções. O tempo que Jim passou em companhia de Bella foi tão reenergizante quanto um copo de água fresca para uma pessoa muito sedenta: sua juventude, sua beleza, a incrível *facilidade* de estar com ela, sem nenhuma das responsabilidades e expectativas de um casamento longo.

Durante vários meses, ele não conseguiu acreditar que a fascinação que sentia pudesse ser recíproca: e mesmo assim, para a sua enorme alegria, parecia que era. Numa tarde de sábado, enquanto trabalhavam no estúdio — era início de primavera; a primeira vez que abriam as janelas em muitos meses. Colocaram um CD para tocar (uma música alta e irritante; algo que Bella escolheu) —, ela saiu da sala que ocupava e veio até a dele, e ficou em silêncio por algum tempo atrás de Jim, observando-o pintar. Jim não disse nada, mas percebeu instintivamente que algo estava prestes a mudar. Ela se aproximou ainda mais e ele conseguiu sentir a respiração de Bella em sua nuca. Em seguida, em sua orelha direita, ela sussurrou:

— Acho que eu amo você, Jim Taylor. Você acha que pode me amar?
— Virando-se, trazendo-a para dentro do círculo dos seus braços, ele lhe deu a resposta.

Naquela época, Jim não achou que Bella fosse do tipo que teria ataques bobos de ciúmes, especialmente durante os primeiros e delirantes meses do seu caso. E, quando ele foi até Bella — quando chegou na casa de New Cross com sua mala, o casamento acabado e a escolha feita —, ela lhe deu as boas-vindas, envolveu-o em seus braços e lhe disse na manhã seguinte — durante um café da manhã gorduroso em um restaurante sujo nas redondezas — que nunca se sentiu tão feliz quanto naquele momento.

Ele não consegue definir o momento em que as coisas mudaram. Talvez, ele pensa agora, nunca tenha chegado realmente a conhecer Bella, enxergado claramente quem ela é, em vez de quem ele quer que ela seja: sua salvadora, a mulher que restaurou sua fé na arte, e em seu próprio talento para criar; que o curou da necessidade de beber — ele parou de beber excessivamente desde que a conheceu, temendo perder até mesmo um segundo da sua companhia. Ou talvez simplesmente houve uma mudança nela, causada pela maternidade, ou pela pressão do fim do casamento de Jim. Seja lá qual tenha sido a fonte, o resultado ainda é o mesmo.

A noite em que ele voltou de Roma e viu Eva sentada na cozinha, com um olhar feroz e um cartão-postal de Man Ray sobre a mesa diante de si, pegou Jim inteiramente desprevenido. Ele não reconheceu o cartão de imediato; foi somente quando Eva virou o lado da foto para baixo que ele sentiu o estômago se revirar. Ele simplesmente não havia, durante os fins de tarde roubados que passava com Bella (em geral, ele ia à casa de New Cross, dizendo a Eva que estava ocupado em alguma reunião com a direção da escola), permitido que a sua visão fantástica de um futuro colidisse com o presente como realmente era. Ele se imaginava criando grandes obras, com Bella ao seu lado; imaginou-se até mesmo dizendo a Alan Dunn onde o homem poderia enfiar o emprego. Mas não havia se preparado para esse momento — e, assim, ficou olhando fixamente para a esposa, com o som do seu coração tão alto quanto a arrebentação das ondas do mar.

Eva não queria saber de explicações. Aparentemente, havia entrado no carro e foi até o estúdio para confrontar Bella pessoalmente. Ao saber disso, Jim sentiu uma náusea tão forte que teve certeza de que ia vomitar. Naquele momento, Eva nem mesmo parecia estar irritada; queria apenas saber o que ele iria fazer.

— Fazer? — repetiu ele, estupidamente.

Eva o fuzilou com os mesmos olhos que o fitaram naquela primeira vez, naquela trilha, enquanto ela estava agachada ao lado da bicicleta caída. Os olhos que o observaram durante trinta e um anos — sábios, perscrutadores, quase tão familiares para ele quanto os seus próprios.

— Só há uma única coisa que você me deve agora, Jim — disse ela, quebrando o silêncio, o tom de voz cuidadosamente calculado, como se a sua compostura dependesse de escolher as palavras corretas e de colocá-las na ordem certa. — Diga-me se está planejando ir embora.

Ele saiu de casa imediatamente. Parecia ser a coisa mais gentil a se fazer. Jim se virou, disse a Eva que sentia muito e que a amava — que sempre a amou. Ela estava chorando, e ele queria muito poder se aproximar dela, reconfortá-la — mas não podia, é claro. E deu-se conta de que talvez nunca mais voltasse a tê-la novamente em seus braços. E, assim, forçou-se a virar as costas e ir embora, e pegou a mala do armário do corredor. Foi somente depois de fechar a porta que lembrou que não havia pegado as chaves do carro — e, logo em seguida, que não tinha mais direito de usar o carro. Foi Eva quem o comprou. Eva comprou muitas das coisas que eram deles.

Ele puxou a mala pela calçada, procurando a luz amarela de algum táxi, sentindo-se totalmente vazio, exausto; e ainda assim percebia — não podia negar — que começava a ser tomado por uma lenta sensação de euforia. Bella agora era sua: não havia como voltar atrás. Estava virando a página, abrindo um novo capítulo em sua vida. Na casa de New Cross, um dos amigos de Bella que moravam ali abriu a porta; disse, com um desinteresse marcado por um olhar de tédio, que ela estava dormindo no andar de cima. Ele subiu com a mala, abriu a porta cuidadosamente e procurou o calor daquele corpo pequeno e esguio.

Agora, na cozinha de Hackney, Jim prepara um sanduíche para Robyn: pão integral e geleia de morango, sem a casca. Senta-se à mesa com ela enquanto a filha come e se agita na cadeira, parando para lhe oferecer *flashes* crípticos do seu dia na escola:

— Nós desenhamos a Austrália, pai. Harry vomitou na hora do recreio. A srta. Smith tem um buraco na blusa. Debaixo do braço.

Jim não se lembra de muitos desses momentos — os detalhes do dia a dia com uma criança pequena — da infância de Jennifer e de Daniel. Percebeu que raramente ficava sozinho com eles nos seus primeiros anos: Eva, e depois a *au pair* Juliane, cuidou dos seus filhos e testemunhou aqueles momentos. Ele se pergunta como Eva conseguiu dar conta — estava tão ocupada quanto ele, com o seu emprego no *Courier* e escrevendo suas próprias obras. E ainda assim ela conseguiu; Jim não se lembra de uma única ocasião em que ela o repreendeu por não se envolver. Não, o ressentimento vinha todo do que *ele* sentia, e saber disso o envergonha agora, somando-se à sua enorme dívida, a dívida da qual seus filhos mais velhos não deixarão que ele se esqueça facilmente. Jennifer, informada da sua traição, retirou Jim da lista de convidados para o seu casamento; ao telefone, com a voz gelada e remota, disse que nunca mais queria vê-lo outra vez. (Isso não durou muito; atualmente eles se veem de tempos em tempos, mas ela se manteve firme por um ano.) Daniel foi menos enfático, mas nem por isso ficou menos irritado.

— Minha mãe está em pedaços, pai — disse ele a Jim durante um almoço desolado em uma churrascaria perto de Gipsy Hill. — Por que você não pode simplesmente voltar para casa?

Impossível explicar ao filho de dezesseis anos por que motivo não podia voltar para casa; por que motivo — apesar do arrependimento de magoar Eva e seus filhos — ele estava mais feliz com Bella do que jamais se sentiu em anos. Já havia saído da escola nessa época; havia entregado a carta de demissão antes do fim do bimestre da primavera, e não pediram que voltasse depois do verão. A desaprovação de Alan estava marcada em seu rosto quando ele aceitou o pedido de demissão, e Jim não encontrou coragem para dizer nada do que havia imaginado. Mas aí descobriram que Bella estava grávida, e, imediatamente, o futuro dos dois teve de começar a tomar forma. No hospital, para fazer o primeiro exame de ultrassom, Bella segurou firme na mão de Jim, observando a pequena imagem do bebê aparecer na tela.

— Eu sabia, Jim — disse ela mais tarde. — Desde o primeiro momento em que o vi, eu sabia que queria ter um filho seu. Ele, ou ela, vai ser muito bonito. Nossa própria obra de arte.

Após o lanche, é hora de brincar: Jim deixa Robyn em seu quarto, cercada por suas bonecas. No alto da escada, ele para diante da porta do quarto de hóspedes. É aqui, entre caixas, guarda-chuvas quebrados e brinquedos velhos de Robyn que ele colocou seu cavalete, dispôs suas tintas, seus pincéis e seus trapos ensopados em aguarrás.

Era para ser uma solução temporária, a princípio: o novo estúdio que eles alugaram em Dalston era menor do que o de Peckham, e Bella começou a trabalhar em uma escala maior — sua obra mais recente, uma reconstrução minuciosa do seu quarto de infância, ocupava todo o espaço. Não havia lugar para que os dois trabalhassem lado a lado, e, se Jim trabalhasse em casa, Bella teria liberdade para passar mais tempo no estúdio.

Jim sentia-se diminuído pelo trabalho dela: a escala, o impacto ameaçavam esmagar seus esforços mais discretos e sutis. As esculturas que ele havia tentado criar no estúdio de Peckham, juntamente às primeiras ondas de energia que vieram com o afloramento da paixão por Bella, com tudo o que pensava que ela representava, não chegaram a ganhar vida, e, com uma sensação silenciosa de culpa, ele voltou a se dedicar à pintura. Contudo, mesmo aqui, em casa, a sensação de diminuição continuou — seu trabalho parece ser pequeno demais, um sussurro inaudível ao lado dos brados a plenos pulmões de Bella. Ele ainda pinta regularmente nos dias em que não está substituindo algum professor ou cuidando de Robyn, mas sabe exatamente o que é isso: uma obrigação. Uma obrigação que tem com suas antigas ambições; com Bella; com a versão de si mesmo que ofereceu a ela: o artista derrotado pela paternidade, pelo casamento, pela responsabilidade, que está buscando uma chance de recomeçar.

No alto da escada, ele se afasta do quarto de hóspedes e volta a descer as escadas. Já são quatro e meia, ainda faltam algumas horas até o jantar, que ele prometeu preparar (isso se Bella chegar a voltar para casa; ela começou a passar várias noites da semana dormindo no estúdio). Na cozinha, Jim prepara uma xícara de chá, leva-a até a sala e se senta. Uma sensação enorme de cansaço toma conta dele, e sente subitamente que não vai conseguir se levantar. Seus olhos se fecham e ele não percebe mais nada, até que uma pequena mão começa a puxar a manga da sua camisa, e uma voz alta e estridente grita:

— Papai, acorde! Por que você está dormindo?

Despertando lentamente de um sonho, ele diz:

— Estou indo, Jennifer. O papai está indo.

Quando abre os olhos, ele fica surpreso ao ver que não é Jennifer que está lá. Ele pisca os olhos diante dessa menininha, seus olhos de um azul puro e límpido por baixo da cabeleira de cachos escuros, e, por alguns segundos, não faz a menor ideia de quem ela seja.

Versão 2

Conselho
Londres, julho de 1998

Ela leva o almoço de Ted numa bandeja — sopa de batata e alho-poró, batida até se transformar num purê fino, e uma fatia de pão com manteiga que ela vai partir em pedaços pequenos e umedecer com a sopa.

— Pronto para o almoço, querido? — Eva coloca a bandeja no suporte de metal ao lado da cama, sobre rodas, como os que se usam nos hospitais; feio, mas funcional. Não espera que ele responda, mas, quando se vira, nota que ele adormeceu.

Ela fica parada por um momento, observando o subir e descer espasmódico do peito do marido. Ele encostou o lado direito do rosto contra o travesseiro, de modo que somente o lado esquerdo — o lado bom — está visível. Com os olhos fechados e a boca entreaberta, parece exatamente como sempre foi. Ela se lembra da primeira manhã em que acordou ao lado dele, na cama que não lhe era familiar. Quando acordou, ele disse:

— Por favor, me diga que você realmente está aqui, Eva. Que eu não estou sonhando.

Ela sorriu e deslizou o dedo suavemente pelo rosto de Ted.

— Estou aqui, Ted. E não vou a lugar nenhum.

Na cozinha, ela coloca a bandeja outra vez sobre o balcão; vai verificar novamente como ele está dali a meia hora e esquentar a sopa. Ou talvez ele prefira tomá-la fria. O dia está bonito, quente, mas sem exagero. Eva abriu as janelas, pendurou as roupas recém-lavadas — os lençóis de Ted, lavados à exaustão; seus pijamas listrados; suas meias de compressão — para secar. Agora, ela leva sua própria tigela de sopa para o jardim e põe a mesa do terraço com uma peça do jogo americano, uma colher e um guardanapo dobrado cuidadosamente.

Eva fez questão de mencionar essa rotina no livro. *Na maior parte das vezes, você vai fazer as refeições sozinho, mas não ignore os pequenos rituais que tornam uma refeição especial. Era o que você faria quando o seu marido, sua esposa ou seu pai estava bem, então por que não fazer isso por você mesmo agora?* Daphne ficou preocupada com a possibilidade de o livro ficar instrutivo demais.

— Você acha que a maioria dos cuidadores realmente vai querer dobrar guardanapos, Eva? — perguntou ela ao telefone. Estavam trabalhando em ajustes na segunda versão do manuscrito. — Não acha que está colocando ainda mais pressão sobre essas pessoas?

Mas Eva não cedeu.

— São as pequenas coisas como essas, Daphne, que fazem com que você não enlouqueça. Pelo menos essa é a minha experiência. E é sobre isso que estou escrevendo, não é mesmo?

Eva falava com uma certeza maior do que aquela que sentia; sua maior preocupação era o fato de que estava realmente escrevendo o livro — cujo título provisório era *Cuide com carinho*. Foi apanhada completamente desprevenida quando Emma Harrison — uma mulher jovem que havia assumido os clientes de Jasper, a amiga e ex-agente de Eva — veio com a ideia. Fazia apenas seis meses que Sarah tinha comprado um *laptop* para Eva e configurou um programa chamado Outlook Express. (O nome fez Eva rir. "Parece o nome de um filme de Sergio Leone", disse ela na ocasião.) Apenas um punhado de pessoas tinha o e-mail de Eva, mas a esforçada Emma Harrison conseguiu descobri-lo. Explicou, cuidadosamente, que havia começado a trabalhar na agência logo depois da morte de Jasper. *Espero que não se importe com o fato de que estou entrando em contato com você sem qualquer aviso,* explicou ela. *Mas queria saber se gostaria de sair para almoçar um dia desses. Gostaria de lhe contar sobre uma ideia que tive.*

Elas se encontraram no Vasco & Piero no Soho, o restaurante preferido de Jasper. (Eva teve de admitir que a garota fez um belo trabalho de pesquisa.) Emma pediu um Sancerre caro e disse que sua ideia era simples:

— Um livro sobre cuidar de pessoas. Uma mescla de livro de memórias com guia prático. Deve ser *muito* difícil fazer o que você está fazendo, Eva. E há milhares de esposas, maridos e crianças espalhados por todo o país fazendo exatamente a mesma coisa. Silenciosamente, nobremente, sem ganhar nada por isso. Esta seria uma chance de falar com esse público. De oferecer apoio.

Eva estabeleceu o limite em "nobremente". Disse, com certo orgulho, que não era "nenhuma Florence Nightingale", mas prometeu pensar no assunto. Naquela noite, depois do banho de Ted — Carole, a enfermeira noturna, veio para ajudar a levantá-lo e tirá-lo da banheira, e agora Eva estava esfregando o creme E45 em suas pernas —, Eva disse a ele:

— Querido, estão me pedindo para escrever um livro sobre você. Sobre como é cuidar de você. Não tenho certeza se é uma boa ideia. O que acha?

Ted ficou bastante agitado naquele momento; os sons inarticulados que haviam se tornado seu único modo de expressão aumentaram em volume. (Ela pretendia começar o livro assim: *O terrível fato de que um homem que baseou toda a sua carreira no talento de se comunicar acabou impossibilitado de falar.*) Seus olhos se moviam rapidamente de um lado a outro, no movimento de piscar que ela veio a associar com a concordância.

— Você acha que eu devo? — disse ela. As piscadas continuaram. — Bem... — Ela deslizou a mão até o alto do seu corpo e começou a massagear o braço direito de Ted com o creme. — Veremos, então.

Agora, no jardim, ela toma a sopa. Deixou o rádio ligado e as notícias vêm suavemente pela janela da cozinha: três crianças mortas em um ataque com bombas incendiárias na Irlanda do Norte; fome no Sudão; Brasil e França vão se enfrentar na final da Copa do Mundo. (*Não perca o interesse pelo que acontece no mundo, escreveu ela no capítulo três. Ouça o rádio, assista à televisão, assine um jornal. É importante lembrar que você e a pessoa de quem você cuida não são as únicas pessoas que existem no mundo, e certamente não são as únicas pessoas que estão passando por esse sofrimento.*)

Ela pensa nas pobres crianças da Irlanda e do Sudão; em Pierre, o filho de Sarah, que agora é um garoto brilhante e bilíngue de sete anos; na mulher assustada que entrou em contato há um mês, dizendo que seu marido havia retornado ao Paquistão com os dois filhos do casal e que acreditava que nunca mais voltaria a vê-los. Eva não escolheu aquela carta para a sua coluna. Em vez disso, de acordo com as regras de conduta que desenvolveu com os advogados do *Daily Courier*, ela respondeu à carta da mãe dizendo que ela devia denunciar o caso à polícia. A resposta da mulher chegou ontem. *Obrigada pelo conselho, sra. Simpson. Não há como descrever o quanto isso significa para mim. Mas não posso fazer isso. Ele diz que vai matar as crianças se eu for atrás dele. E eu realmente acho que ele é capaz disso.*

Conselhos. É isso que Eva dá atualmente, embora sinta, no fundo, que não sabe mais do que ninguém sobre qualquer coisa; menos ainda do que sabia quando tinha vinte anos e tudo parecia tão tranquilo, claro e simples. Foi *Cuide com carinho* que fez isso, é claro: o sucesso do livro excedeu até mesmo as expectativas de Emma Harrison. Os críticos adoraram a obra (pelo menos a maior parte deles); os leitores a amaram. Eva foi convidada a aparecer na televisão e a participar do conselho de três organizações de caridade. A "questão dos cuidadores" foi debatida no Parlamento. Até mesmo Judith Katz — que agora já estava com noventa anos e passava seus dias em uma comunidade elegante para idosos nos subúrbios de Hampstead Garden — telefonou para lhe dar parabéns. E em seguida o *Daily Courier* entrou em contato, representado por Jessamy Cooper, de trinta e quatro anos, a editora da nova revista de sábado. Eva não conseguia parar de pensar consigo mesma: *Quando foi que o mundo ficou tão absurdamente jovem?*

Durante outro almoço caro, Jessamy disse:

— O que acha de ser nossa nova colunista especializada em conselhos?

Eva pensou naquilo por um momento.

— A Tia da Agonia, você diz?

— Se quiser chamar assim — disse Jessamy, sorrindo. — Mas "agonia" é uma palavra meio forte, não acha?

A ironia, Eva pensa enquanto termina a sua sopa, é que, quanto mais tempo ela passa dando conselhos e falando sobre cuidados, menos tempo ela passa *cuidando*. Atualmente, eles empregam Carole em período integral durante três dias por semana, e também para ajudar Eva a dar banho em Ted. Quando ele está numa fase particularmente ruim — houve uma crise de pneumonia logo após o Natal —, eles a chamam para passar a noite também e ela dorme no quarto de hóspedes.

Isso foi possível graças ao livro — ao livro e à pensão que Ted recebe do *Daily Courier*, que foi bastante generosa. Eva foi convidada para conhecer o novo editor, que veio do *Telegraph*, e com quem Eva nunca havia conversado; ela se sentou a uma distância cautelosa de sua mesa, observando os olhos pequenos e lacrimejantes do homem indo desconfortavelmente de um lado da sala a outro.

— Um grande homem, Ted Simpson. Faz muita falta.

Mas você nem chegou a conhecê-lo, Eva se conteve para não dizer, resistindo à tentação. *O que você sabe sobre a falta que ele faz?*

Parecia, entretanto, que até mesmo Ted gostava que Eva se ocupasse escrevendo seus textos. Chegou a dizer a ela, quando ainda era capaz de falar, que seu maior medo não era por si mesmo, mas pelo fato de que ela poderia ser forçada a se dedicar a cuidar dele. Houve um incidente terrível — Eva o relatou no livro — algumas semanas depois que voltaram de Roma: eles haviam tomado um trem até King's Cross certa manhã, e ele perdeu o controle dos movimentos enquanto atravessavam a plataforma. Ela sabia exatamente o que devia fazer — agarrar-lhe o braço com firmeza enquanto o ajudava a voltar, pouco a pouco, pelo terminal, e encontrar um lugar para que ele pudesse se sentar; acima de tudo, tentar mantê-lo calmo. Mas uma empresária — Eva ainda consegue visualizá-la em seu terninho preto elegante e os sapatos de salto agulha — fez um muxoxo ao passar por eles; disse em voz alta:

— Imagine só, ficar bêbado a essa hora do dia. Que desgraça.

Ted recuou ao ouvir a voz da mulher, como se houvesse sido golpeado fisicamente. Quando finalmente encontraram um lugar onde ele pudesse se sentar, ele apoiou a cabeça nas mãos e disse:

— Seria melhor você me deixar, Eva. Não sou mais nada para você. Estou acabando com a sua vida.

Eva afastou as mãos de Ted, que ele havia levado ao rosto; estavam frias e pálidas, e assim ela as aqueceu com as suas próprias mãos.

— Ted, eu disse que não iria a lugar nenhum. E não vou. Você não vai se livrar de mim, entendeu?

E mesmo assim Eva não conseguia fingir, na parte mais profunda do seu coração, que a ideia de deixar Ted não havia lhe ocorrido. Certa tarde, algumas semanas mais tarde, ela conseguiu algumas horas para si mesma e percorreu o longo caminho que levava até o alto de Alexandra Palace. Sentou-se em um banco sob um enorme plátano que a fez pensar em Paris, olhando para baixo e vendo a cidade. *Sou jovem demais para isso*, disse ela a si mesma. *Nunca pedi por algo assim. Não é justo.* E não era, é claro — mas, ainda assim, ela se obrigou a pensar no quanto aquilo tudo era ainda mais injusto para com Ted. Imaginou-se indo embora, delegando os cuidados a uma enfermeira, de quem não poderiam esperar nada além de uma gentileza distante e anônima; deixando-o em um hospital qualquer e reconfortando-se com aquele terrível eufemismo: "casa de repouso". Ted era filho único; seus pais estavam mortos e ele não teve filhos; ela e Sarah eram tudo o que ele tinha, e não o abandonariam. E Eva o amava; isso estava além de qualquer dúvida.

No rádio, começa a tocar a música *The archers*. Eva presta atenção, fecha os olhos e aproveita o calor do sol em seu rosto, com os sons suaves do campo preenchendo o verão em Ambridge. Quando os abre, ela vê Umberto — um venerável ancião agora, magricela e plácido como um *nonno* italiano — se espreguiçar e rolar em seu lugar favorito sob a sombra da trepadeira. Vai até ele e faz cócegas sob o queixo do gato.

— O que me diz, *caro mio*? Acha que é hora de eu subir para dar uma olhada no seu *papà*?

Ele está acordado. Ela recoloca a bandeja com o almoço no carrinho e lhe toca o rosto com a mão.

— Meu Deus, querido, você está ardendo. Quer que eu abra a janela?

Ele pisca os olhos rapidamente para ela. Eva vai até a janela, deixa que os sons da rua entrem no quarto, a promessa sutil de ar mais fresco. Volta a olhar para ele, para o lado que está paralisado, onde, desde o último derrame, suas feições parecem ter se rearranjado, se transformado. Seus olhos a observam com uma tristeza inexpressível. Ela diz:

— Meu querido, por favor, não me olhe desse jeito. Não consigo aguentar.

Ele pisca novamente e fecha os olhos.

Versão 3

Desaparecida
Sussex, abril de 2000

Já faz seis semanas desde a última vez que tiveram notícias de Sophie quando Jim chega do estúdio e diz:

— Acho que devíamos ir até lá e procurar por ela.

É terça-feira, pouco depois das onze horas. Eva está diante da janela da cozinha com uma caneca de café na mão; sua pausa habitual da escrita no meio da manhã. Está quase no fim daquilo que, após todos esses anos, espera ser a versão final da sua coleção de contos.

— Tem certeza de que isso é uma boa ideia, querido?

— Não. — Ele coloca a mão no batente da porta, apoiando-se ali. — Não tenho certeza nenhuma de que isso é uma boa ideia. Mas é a única ideia que tenho.

Eva dirige. A manhã está clara, e o vento é constante; as árvores que ladeiam as ruas estreitas se curvam e balançam quando eles passam, e as flores estão caindo das cercas vivas. Jim pensa na última vez que viu Sophie, pouco antes do Natal. Ela resistiu a todas as tentativas de ser convidada para passar o dia de Natal — seu celular parecia nunca estar ligado — e ele decidiu agir para resolver aquele problema. Decidiu ir a Brighton sozinho — Eva estava passando o fim de semana em Londres com Sam e os netos, e Jim ficou em casa para terminar um trabalho que lhe havia sido encomendado e que deveria enviar ao cliente na semana seguinte. Seguiu as mesmas estradas que, na ocasião, estavam cobertas por uma fina e escorregadia camada de gelo.

O endereço que tinha da filha ficava em uma via chamada Quebec Street; um sobrado pequeno, com a fachada azul envelhecida onde a tinta descascava. Durante um bom tempo, não houve resposta. Jim começou a imaginar se ela tinha se mudado sem contar a eles; não seria a primeira vez. Mas, em seguida, ali estava ela — ou uma sombra dela, bastante magra e tremendo, vestindo uma camiseta de mangas longas.

— Pai — disse a sombra. — Você não entendeu o recado? Não quero ver você. — E, depois, fechou a porta na cara dele.

Agora, quando viram em London Road, Eva diz:

— Quebec Street, então?

— É o único lugar que falta olharmos, não é?

Ela estende o braço para segurar sua mão.

— Querido, por favor, não espere algo muito maior do que isso.

Jim segura na mão de Eva com força.

— Eu sei.

Eles estacionam na extremidade mais distante da rua, diante de uma casa branca e bonita, com dois navios em miniatura ancorados na janela da sala. Durante a curta caminhada pela calçada, Jim sente as pernas ficarem pesadas; duas portas mais adiante ele para, temendo subitamente que elas acabem fraquejando. Eva segura seu braço.

— Quer se sentar um pouco? Voltar mais tarde?

Jim faz que não com a cabeça. Não vai ter medo da própria filha.

— Não. Vamos lá. Tenho que tentar.

Pela segunda vez, então, ele toca a campainha. Uma garota que passa do outro lado da rua — com uma jaqueta de couro, os cabelos tingidos de um tom luminoso de verde — os observa sem sorrir.

Ele aperta o botão da campainha outra vez e espera. Então, finalmente, ouve o som de passos nas escadas e uma forma que se ergue no hall através do vidro translúcido. Jim prende a respiração. A porta se abre. Surge um homem que ele não conhece — um homem que veste uma camiseta preta e jeans sujos, com a pele exageradamente pálida.

— O que foi? — diz o homem.

Jim encara o estranho; tenta, sem conseguir, avaliá-lo.

— Sou o pai de Sophie. Ela está?

— Está na casa errada, cara. — O homem tem um forte sotaque londrino e um leve sorriso torto no rosto. — Não tem ninguém chamada Sophie aqui.

— Não acredito em você. — Jim dá um passo adiante, mas o homem bloqueia a sua passagem.

— Cara, nem pense nisso. Estou lhe dizendo, você veio até o lugar errado.

Eva coloca a mão sobre braço de Jim e o puxa para trás.

— Neste caso, nós sentimos muito por incomodá-lo — diz ela. — Mas estamos confusos, entende? Minha enteada morava aqui. Meu marido a viu aqui há poucos meses.

O homem a encara agora, sorrindo abertamente. Jim sente vontade de avançar sobre o homem e socá-lo, sentir seus ossos e dentes rachando e se quebrando sob seus punhos. Mas a mão firme de Eva continua em seu braço.

— Bem, entendo que isso possa ser bastante confuso. Mas ela não está morando aqui agora.

Eva continua com o mesmo tom razoável.

— Se importaria se entrássemos para ver com nossos próprios olhos?

— Esqueça. De jeito nenhum. Por que vocês dois não voltam correndo para a sua vidinha linda e confortável de classe média? — E a porta se fecha.

Jim mal consegue ouvir o homem. Ele está olhando para Eva, tão corajosa, tão preciosa para ele. Subitamente, tudo parece finalmente se encaixar: ele escolheu Eva — a certeza da felicidade com ela — em vez da filha. Foi ele mesmo que fez esse momento terrível acontecer para todos eles; é a conclusão lógica. Não devia ter abandonado Helena. Nunca devia ter tentado voltar no tempo, ao momento em que ele e Eva tinham a vida inteira pela frente. Decidiu ir contra a lei natural das coisas: a lei que diz que você tem uma chance de ser feliz com uma pessoa, e, se isso não se concretizar, a oportunidade não volta a acontecer.

Em sua mente, ele volta pelos anos, até a festa de aniversário de Anton, no momento em que viu Eva na cozinha com seu vestido longo, os ombros expostos, os cabelos presos na nuca. Devia ter dado as costas a ela naquele momento, voltado para Helena, para a filha que ainda era um bebê, para a vida que havia criado para si. Mas Jim sabe que não podia ter feito isso. Jamais poderia ter virado as costas para Eva como fez naquela ocasião em Cambridge, diante da livraria Heffers: ela estava grávida de Rebecca, olhando fixamente para ele, observando a parte de trás de sua cabeça enquanto ele ia embora. Precisou de toda a sua força de vontade para não olhar para trás. Jim nunca conseguiria ser tão forte outra vez.

— Jim? Querido? Você está bem?

Ele não diz nada. Suas pernas fraquejam e Eva o apanha.

— Venha. Vamos voltar para o carro.

Ela guia até o calçadão da praia e estaciona em Brunswick Square; segura-o pelo braço, como um inválido, e o conduz até diante da praia. Desce pelas escadas até chegar a uma cafeteria; uma cadeira de metal duro, peixe e batatas fritas em uma caixa de isopor amarelo. A praia está deserta, exceto por uma pessoa que passeia com seu cão, jogando um graveto; o giro ágil do cachorro; o mar, amplo, cinzento e furioso.

— Onde ela está? — pergunta ele.

— Em algum lugar para onde não podemos ir.

— Drogas! — É a primeira vez que Jim diz aquela palavra em voz alta, mas o termo paira entre eles há meses. Talvez anos. O comportamento errático de Sophie. Sua perda de peso. O tom pálido e amarelado de sua pele.

Eva concorda com um aceno de cabeça.

— Acho que sim.

— A culpa é minha — diz ele.

— Não é.

— É, sim. Por tudo. Sophie. Minha mãe... decepcionei a todos, Eva. Não estava por perto quando precisaram de mim. Nunca me importei com ninguém além de mim mesmo.

— E de mim.

Ele a observa. O vento esvoaça os cabelos dela. Eva é tudo para ele: todo o seu mundo, ou a melhor versão dele. É claro que ele nunca teve escolha.

— E de você.

Os dois ficam em silêncio por um momento. Eva pega as caixas vazias e as leva até uma lixeira na beira do calçadão. Ele observa aqueles movimentos curtos e ágeis. De costas, ainda podia ter vinte anos; mesmo quando se vira, ela não demonstra já ter chegado aos sessenta e um.

Sentando-se outra vez, ela diz:

— Jim, você não pode se culpar por tudo o que acontece. Não pode ser assim.

— Devia ter colocado Sophie em primeiro lugar — declara ele em voz baixa. — Devia ter sido um pai melhor.

— Querido... — Eva fica de frente para ele e toca-lhe o queixo com a palma da mão. — Eu duvido que haja um pai, ou mãe, vivo, que não sinta a mesma coisa. Você fez o melhor que pôde.

— Queria ter agido melhor. — Ele se levanta, e ela faz o mesmo. A mão de Eva se afasta do rosto de Jim, e ele a busca outra vez. — Desculpe, estou muito preocupado com ela.

— É claro que está. E faremos tudo o que pudermos para encontrá-la. Quando voltarmos para casa, vamos ligar para todas as pessoas que pudermos. Helena. O navio; era lá que ela estava trabalhando, não é? Sam pode ter algumas ideias também. Todos vão ajudar, está bem? Vamos encontrar Sophie e vamos trazê-la para casa.

O alívio toma conta dele: alívio por ter Eva, por amá-la, por compartilhar a vida. Ele inspira uma enorme quantidade de ar.

— Vamos até o mar — diz ele. E a leva pelos pedriscos da praia, onde caminham a passos trôpegos, desajeitados como bebês ensaiando os primeiros passos.

Versão 1

Aos sessenta
Londres, julho de 2001

— Está pronta para o grande discurso?

— Nunca estive tão pronta. — Eva toma um gole do champanhe. — Tenho cartões com os pontos importantes na minha bolsa.

— Garota esperta. — Penélope ergue a taça e a toca na de Eva. — Você já encarou plateias menos amistosas, de qualquer maneira.

As duas estão no convés superior do navio, na proa. Ao redor delas passam homens em smokings elegantes — homens da mesma idade que elas, em sua maioria, com cabelos grisalhos penteados com gel (pelo menos, aqueles que ainda têm cabelos para se aplicar gel) e rostos confortáveis, avermelhados — e mulheres com vestidos de noite, com o colo discretamente exposto. Observando uma mulher que está do outro lado do convés — com os cabelos brancos armados em um coque *chignon* elaborado, e o decote do seu vestido vermelho deixando entrever a pele fina dos seios —, Eva sente uma mistura estranha de pena e admiração. Ela e Penélope estão sob um cuidadoso autocontrole; Pen, agora resignadamente acima do peso, está elegantemente envolta num vestido preto com detalhes em dourado. Eva usa um vestido de seda verde-escura, que foi caro: um presente para si mesma, comprado por impulso.

— Belo vestido. Você parece bem magra. Pro inferno com você.

— Acho difícil. Mas obrigada, Pen.

Penélope sorri. Observa Eva por um momento, com a cabeça discretamente inclinada, considerando. Mais seriamente, ela acrescenta:

— Você está linda, querida. A idade não vai ser cruel com você. Talvez tenha atingido o restante de nós, mas deixou você em paz. Lembre-se disso.

— Tudo bem, Pen. Vou tentar. — Eva pousa uma mão agradecida sobre o braço da amiga. Penélope sempre esteve ao seu lado quando Eva precisou; e quantas vezes, nos anos recentes, Eva teve motivos para se sentir grata por isso? — É melhor eu dar uma passadinha no banheiro antes do jantar. Vejo você lá embaixo, está bem?

— Certo. Boa sorte com o discurso. Imagine que todos estão nus. — Elas trocam um olhar. Penélope é a primeira a rir. — Pensando bem, é melhor não fazer isso.

Os sanitários ficam no convés inferior, ao lado do salão de baile, onde garçons com paletós brancos estão circulando entre as mesas redondas cheias de copos e taças; no centro de cada mesa se ergue um lírio solitário, dentro de um vaso branco e alto. Pelas vidraças amplas das janelas, a chaminé do novo museu Tate Modern se levanta contra o céu que escurece; do outro lado do rio, a cúpula da Catedral de St. Paul responde imponente, brilhando com uma luz pálida. Eva fica sob o vão da porta por um momento, observando a cidade; admirando-a.

— Eva. Aí está você. Graças a Deus.

Thea; os cabelos grisalhos discretamente disfarçados pelas luzes, as alças finas do vestido expondo os contornos fortes da parte superior dos braços. Cinquenta e oito anos e ela ainda malha todas as manhãs na academia que montou no porão da casa em Pimlico. Depois que Jim saiu de casa — naqueles primeiros dias terríveis, quando o tempo parecia ter desabado e Eva não sentia vontade nem mesmo de trocar de roupa —, Thea tentou instilar uma disciplina similar na cunhada. Três vezes por semana, toda manhã, vinha buscar Eva, colocava-a no MG e depois num aparelho de remo.

— O exercício cura *tudo* — garantiu ela, com a voz sucinta e clara, típica dos noruegueses. Mas não era verdade: Eva não foi curada. Simplesmente redistribuiu a dor por todo o seu corpo.

— Tudo parece estar maravilhoso — diz Eva agora.

— Você acha? Isso me deixa feliz. — Thea se aproxima e coloca a mão no ombro de Eva. É normalmente dada a gestos súbitos de afeição como esse. No início, Eva achava aquilo um pouco desconcertante (não era algo muito britânico, e certamente não era muito austríaco), mas acabou se acostumando e até mesmo apreciando essas gentilezas. — Há uma pessoa na nossa mesa que gostaríamos que você conhecesse.

Eva recua um passo, amedrontada.

— Oh, Thea, você não...

— Não me olhe desse jeito. Basta manter a mente aberta. — Thea levanta o elegante arco de uma sobrancelha. — Já está quase na hora do jantar. Quer vir ajudar a reunir a tropa?

A família está sentada à mesa mais alta, como em um casamento: Anton e Thea; Jennifer e Henry; Daniel e a sua nova namorada, Hattie, uma estudante de moda com um pequeno chapéu de renda que ela mesma criou, equilibrado elegantemente sobre os cabelos com tranças afro. A mãe de Thea, Bente — uma neurocirurgiã aposentada que já passa dos oitenta anos, com a excelente estrutura óssea e a formidável inteligência da filha —, conseguiu empreender a jornada desde Oslo. Ela está sentada ao lado de Hanna, a sobrinha de Eva, que agora está com vinte e seis anos e no último ano da residência em medicina. Do outro lado de Bente estão Ian Liebnitz, colega de Anton dos tempos da escola primária, e sua esposa Angela; como acontece com muitos casais que estão juntos há bastante tempo, os dois acabaram ficando levemente parecidos um com o outro. Entre Angela e Eva há uma cadeira vazia e um nome que Eva reconhece, desenhado com uma caligrafia cuidadosa: *Carl Friedlander*. O novo sócio de Anton em sua empresa, o homem que, se Eva se lembra corretamente, perdeu a esposa para o câncer há menos de um ano.

Do outro lado da mesa, seu olhar cruza com o de Anton, que observa a cadeira vazia de Carl com uma expressão de cumplicidade.

— Espere até eu fazer o meu discurso — sussurra Eva para ele. Ela está mais irritada do que deixa transparecer; irritada porque, em vez de simplesmente se divertir na festa do sexagésimo aniversário do próprio irmão, ela será forçada a passar pela agonia de um encontro armado bem diante dos olhos dos filhos, e de praticamente todos os amigos dela e de Anton. (Com exceção de Jim, é claro. Jim não foi convidado.) Mas Anton sorri para ela e dá de ombros. De repente, ele volta a ser tão parecido com o garotinho de antigamente — gorducho e de bochechas vermelhas, sempre procurando alguma nova traquinagem para fazer — que Eva não consegue resistir ao impulso de retribuir o sorriso.

Carl Friedlander chega no momento em que a entrada está sendo servida. É extremamente alto — mais de um metro e oitenta, Eva calcula, enquanto ele pede desculpas a todos na mesa, resfolegante. Estava vindo da casa da filha em Guildford, e o trem simplesmente ficou parado antes de chegar a Waterloo. Um rosto magro, descarnado, quase esquálido; uma grossa cabeleira branca. Apertando-lhe a mão, Eva se lembra de uma fotografia de Samuel Beckett que costumava observar no escritório do *Daily Courier*, acima da mesa de Bob Masters: uma composição cubista de planos monocromáticos, hachurada com blocos de sombra. Mas, com alívio, ela percebe que a expressão de Carl Friedlander não é tão severa.

Sentando-se, ele diz:

— Encantado em conhecê-la. — Carl se acomoda em sua cadeira e alisa uma dobra no seu paletó. — Eu a conheço, é claro. Digo, eu já tinha ouvido falar de você antes de conhecer Anton. Minha esposa leu todos os seus livros.

Ele se retesa um pouco quando diz a palavra "esposa", e, para poupá-lo do constrangimento, Eva diz rapidamente:

— É muita gentileza sua dizer isso. E você, chegou a ler algum deles? Os homens também podem lê-los, como deve saber.

Carl olha para Eva, julgando seu tom de voz. E retruca com uma risada curta e seca.

— É mesmo? Seria bom saber disso antes. Eu escondi *Impresso* embaixo de um exemplar da *Playboy* enquanto o lia. Só para o caso de alguém me ver.

Agora é a vez de Eva rir. Consegue sentir que Jennifer, sempre antenada com as nuances do humor da mãe, os observa do outro lado da mesa.

— Bem, agora que sabe, pode lê-lo novamente em público sempre que quiser.

Entre a entrada e o prato principal, Eva descobre que Carl Friedlander nasceu e cresceu em Whitechapel e que seus pais eram alemães (ele não precisa mencionar que a família era judia). Que se alistou na marinha mercante em 1956 e trabalhou ali durante trinta anos, até que saiu para montar sua própria empresa de despachos aduaneiros. Que, quando a empresa de Anton comprou aquela empresa há dois anos, ele pensou que iria se aposentar, mas Anton o pressionou para que continuasse no cargo. Que adora Wagner, embora saiba que provavelmente não devesse. Que sua neta se chama Holly e que ela é a coisa mais brilhante e preciosa em sua vida. E que ele é profundamente solitário.

Essa última característica, é claro, só é perceptível a quem consiga ler os sinais, a quem sabe como é alcançar a porção final da vida (é mórbido pensar desse jeito, mas as coisas são assim mesmo) e perceber que está subitamente, inesperadamente sozinho. Eva sabe que isso é absurdo, e que acaba sendo sentido como um choque; estamos sozinhos quando chegamos ao mundo e sozinhos quando o deixamos. Mas o casamento — um bom casamento, de qualquer maneira — acaba encobrindo essa verdade básica. E o casamento de Eva e Jim *foi* bom: ela consegue perceber isso agora, a distância, mais de dez anos após o seu final inglório.

Nos meses que se seguiram à partida de Jim, Eva passou por uma experiência que hoje, talvez, chame relutantemente de colapso, embora tenha a sensação de que o termo é impreciso. Não foi exatamente a situação de desmoronar, e sim de ser partida em dois: ela teve a sensação surreal de que o curso da sua vida havia se bifurcado e de que se via presa na trilha errada, sem condições de voltar atrás. É fácil pensar em Dante — e ela pensou, especialmente na *via smarrita,* a estrada certa que não foi tomada. Não conseguiu trabalhar; sua editora foi forçada a publicar sua coletânea de escritoras sem uma única entrevista; praticamente incapacitada. Foram necessários os esforços combinados de Penélope, Anton, Thea e um psicoterapeuta bastante caro para conseguir tirar Eva daquele estado: lembrá-la de que havia coisas a fazer e decisões a tomar. Isso e a sua necessidade imperiosa de estar presente para os filhos; e sem mencionar a sua determinação de não permitir que Jim notasse que ela estava fracassando sem ele.

Ela decidiu que se pouparia dessa última indignidade. Assim, levantou-se do chão e colocou a casa cor-de-rosa que eles tanto amaram à venda; comprou um lugar menor em Wimbledon, perto da área de preservação, com um quarto reservado para Daniel, que havia acabado de partir para a universidade em York. Chegou até a enviar um cartão, quando foi necessário, a Jim e Bella, para marcar o nascimento da filha do casal, Robyn.

Durante mais ou menos um ano, Jim manteve-se a distância. Jennifer chegou até mesmo a cancelar o convite que havia feito ao pai para que comparecesse ao seu casamento. Mas depois, aos poucos, ele reapareceu: na formatura de Daniel (Bella estava em casa, cuidando de Robyn), Jim segurou na mão de Eva, aproximou-se e sussurrou em seu ouvido: "Obrigado, Eva. Obrigado por não fazer com que isso fosse mais difícil do que já é".

Ela sentiu uma onda de raiva tomar conta de si na ocasião, tão poderosa que sentiu vontade de gritar. *Você entrou na minha vida quando eu tinha dezenove anos. Você foi o único homem que eu amei — o único homem que espero amar. Você tirou tudo o que fizemos juntos, tudo o que éramos um para o outro, e queimou até não restar nada; transformou tudo em cinzas.* Mas não disse nada. Simplesmente apertou a mão de Jim e deixou aquilo passar.

Quando os garçons limpam as mesas após o prato principal estar terminado, Thea se levanta e o silêncio toma conta do lugar. Ela oferece um brinde a Anton, e o tilintar agudo das taças irrompe pelo salão, junto a um coro de gritos e aplausos. Em seguida, Thea olha para Eva. Ela se levanta, e todos os pensamentos relativos a Jim, à solidão, a esse estranho que está sentado ao seu lado — um companheiro de viagem pela mesma estrada errada —, desaparecem da sua mente conforme fala do irmão: o garoto, o homem, o pai, o filho. E dos seus pais, de quem sentem muitas saudades.

— Ótimo discurso — diz Carl quando Eva volta a se sentar; enquanto ela falava, os olhos dele não se desviaram do seu rosto nem por um momento.

Mais tarde, depois que a refeição estiver concluída, as mesas redondas forem removidas do salão de baile e todos já estiverem um pouco bêbados, Carl vai convidar Eva para dançar. Vai segurá-la com um pouco de timidez no começo, e depois trazê-la para mais perto de si, movendo-se com elegância e fluidez, de uma maneira que Eva pensará ser totalmente inesperada.

Depois, ela vai se afastar, percebendo os olhares curiosos do seu filho e da sua filha, e também da sobrinha; e Carl vai assentir, voltando a desaparecer por entre as pessoas da festa. Ela sentirá a ausência dele nesse momento e vai esquadrinhar o convés superior, esperando vislumbrá-lo por ali, mesmo fingindo que não o está procurando. Conforme a festa se aproxima do fim — os convidados descendo a passos cambaleantes de volta ao ancoradouro; as luzes do barco jogando pinceladas de cor sobre a superfície da água, tão negra quanto a noite —, Carl virá se despedir e dizer a ela que gostaria muito de vê-la outra vez.

E então Eva vai se apanhar dizendo: *Sim, por favor. Eu também gostaria.*

Versão 2

Desvio
Cornualha, julho de 2001

Na manhã do aniversário de sessenta anos de Anton, bem cedo, enquanto arruma a mala para uma viagem a Londres, Jim recebe uma ligação do filho.

Por alguns momentos antes de desligar, ele fica sentado em silêncio, com um sorriso se formando lentamente no rosto. Em seguida, liga para o número do seu primo Toby.

— Desculpe ligar tão cedo, mas o bebê nasceu — diz ele. — Sim, quinze dias antes do previsto. Peça desculpas a Thea e Anton por mim, por favor. E divirta-se.

Na estação, ele tenta trocar a passagem de trem para Londres por uma para Edimburgo, mas a funcionária da bilheteria franze os lábios.

— Essa é uma passagem de ida e volta já confirmada, senhor. Não é reembolsável nem pode ser trocada. O senhor vai precisar comprar outro bilhete. E temos apenas o carro-leito que sai de Penzance agora.

— Tudo bem. — Em meio à alegria, Jim nem fica irritado. — Então, faça uma reserva de uma passagem de Londres a Edimburgo, por favor. Na primeira classe. Preciso chegar lá ainda hoje. Meu filho e minha nora acabaram de ter um bebê. A primeira filha.

A expressão no rosto da bilheteira fica um pouco mais suave.

— Sua primeira neta?

Jim assente.

— Muito bem. — Ela digita as informações em seu teclado e espera enquanto a impressora de bilhetes vibra e expele a passagem. — Deve estar muito feliz, não é mesmo?

O próximo trem para Londres parte dali a meia hora. Jim compra um jornal no quiosque e pede um cappuccino grande com uma dose extra de café. A manhã está agradável, clara, e a promessa de calor é amortizada pela brisa gelada da Cornualha; na plataforma, com a mala e o café na mão, Jim sente uma onda de pura felicidade crescendo dentro de si. Sua neta Jessica. (Dylan e Maya escolheram o nome no sexto mês de gravidez, depois que viram uma produção de *O mercador de Veneza*.) Ele fecha os olhos, sentindo o vento no rosto, inalando os aromas da estação, de graxa dos motores, bacon e desinfetante. E pensa: *Vou me apegar a este momento e me lembrar dele. Agarrá-lo antes que desapareça.*

Ele se senta em um banco diante de uma mesa no trem: espaçoso e confortável. Aceita um café fresco do garçom, embora ainda não tenha acabado de tomar seu cappuccino, e pede um café da manhã inglês completo. É somente naquele momento, quando Jim se recosta no banco, abre o jornal, observa os arbustos, os chalés de ardósia e o mar verde e distante, que se dá conta de que não disse a Vanessa que ficará fora de casa por mais de uma noite. Ele tira da mala o seu novo celular (foi Vanessa que o convenceu a comprá-lo; Jim ainda não confia muito no aparelho, com suas teclas minúsculas e seus ruídos súbitos e inexplicáveis). Lenta e desajeitadamente, aperta as teclas para compor uma mensagem de texto. *Jessica nasceu duas semanas antes do previsto. Estou indo a Edimburgo. Não sei quando voltarei. Você pode cuidar da casa, não é? J.*

É claro que ela pode. Vanessa é incrivelmente eficiente; largou o emprego — o cargo de assistente pessoal do chefe de um banco de investimento em Londres — e mudou-se para a Cornualha em busca de "uma vida mais criativa". Jim não sabe ao certo como a administração do seu estúdio — comprar materiais, arquivar quadros e correspondências, impedir que a enorme quantidade de e-mails e documentos burocráticos o sufoque completamente — constitui uma "vida criativa", mas Vanessa parece muito feliz. Não é uma Caitlin, que foi embora abruptamente há dois anos, depois de anunciar que havia encontrado alguém que seria "dela e somente dela". Uma das diferenças é que Vanessa já é casada — e Jim não tentaria a sorte com ela, mesmo se não fosse. Mas ele gosta da companhia e é grato pela maneira incrível como ela administra e antecipa suas necessidades.

Aqui está ela agora, surgindo na tela do telefone, perguntando se gostaria que enviasse flores a Anton Edelstein. *Ótima ideia*, digita Jim em resposta. *Obrigado, V. Até mais.*

Anton Edelstein completa sessenta anos hoje. É estranho que Jim achasse isso tão difícil de assimilar, quando ele mesmo passou da marca dos sessenta há dois anos. (Caitlin havia acabado de deixá-lo; ele ainda estava lambendo as feridas e resolveu fazer uma celebração lúgubre em um restaurante indiano com Stephen Hargreaves.) Para Jim, Anton ainda é um homem de trinta anos, que usa calças com boca larga e uma camisa de seda estampada e distribui ponche de rum na cozinha de sua casa em Kennington.

Jim o viu poucas vezes nos anos seguintes — em uma ou outra festa na casa de Toby; na primeira exposição solo que fez no Tate. Lá, em meio ao ambiente escuro do *foyer* do subsolo da galeria, ele se viu perguntando de Eva.

E isso surpreendeu Anton.

— Não sabia que você conhecia a minha irmã.

— Não muito bem — emendou ele rapidamente. — Conversamos algumas vezes no decorrer dos anos.

— Ah, entendo. Imagino que sim. — O olhar de Anton apontou desconfortavelmente para o chão. — Bem, nesse caso, você deve saber que as coisas têm sido bem difíceis para ela. Realmente muito difíceis.

Jim concordou com um aceno de cabeça, embora mal pudesse imaginar o quanto as coisas estavam difíceis. A primeira vez que ouviu Eva no rádio foi há dois anos — ele costumava ouvir a Radio 4 enquanto pintava e mudou de estação certa manhã para ouvir a voz dela, clara, eloquente e totalmente inesperada. Estava falando de um livro que havia escrito: um livro sobre os cuidados que tinha de ter com o marido, Ted Simpson, o ex-correspondente estrangeiro, que agora estava bastante debilitado devido aos efeitos combinados do mal de Parkinson e vários derrames.

Jim ficou paralisado, esquecendo-se até mesmo de respirar, pensando no que Toby lhe disse na festa do seu quinquagésimo aniversário: *Ted Simpson não está nada bem.* Pensando no homem que viu tomar Eva nos braços na festa de aniversário de trinta anos de Anton, há tantos anos: grisalho, bonito e corpulento, com uma firmeza, uma solidez que até mesmo ele achou atraente. O pingente em forma de coração que ele teve a certeza de ser um presente de Ted, repousando friamente na pele morna de Eva.

Agora, no trem, tomando o café da manhã, pensa novamente em Eva e permite-se aceitar o fato de que estava ansioso por vê-la de novo na festa.

O convite não veio diretamente de Anton — afinal não o conhece tão bem assim —, mas de Toby: Marie iria levar a filha do casal, Delphine, para passar duas semanas na França, deixando Toby em Londres para terminar a edição do seu documentário mais recente.

— Venha comigo, meu velho — ordenou Toby pelo telefone. — Podemos ser dois velhos lobos juntos. Mostrar àquelas beldades do que somos feitos.

Enquanto concordava em ir, Jim pensou em Eva, cuja voz ele ouvia frequentemente no rádio, e cuja coluna de conselhos no *Daily Courier* ele passou a ler todas as semanas. Gostava da mulher que passou a conhecer por meio dos textos que escrevia: sábia, modesta, empática. Imaginou-se vendo-a na festa de Anton, que seria realizada num navio. Ted havia falecido há pouco mais de um ano: Jim viu o obituário. Queria dizer a Eva o quanto lamentava. Imaginou aqueles olhos sobre ele — castanhos, escuros, perspicazes — falando (e aqui, talvez, a sua imaginação tenha se descolado inteiramente da realidade, e mesmo assim ele se permitiu aquela indulgência) de um possível futuro.

Agora, porém, está viajando para o norte, rumo ao filho, à sua neta. Dylan insistiu que Jim não precisava ir imediatamente ("Estamos bem atarantados aqui. Você pode esperar alguns dias se quiser"), mas sua necessidade de partir foi imediata, instintiva. Ele adora o filho, que é sensível e inteligente, que já está conquistando sua própria reputação como gravurista; sente um orgulho enorme do seu talento e da sua visão; da maturidade precoce com a qual Dylan conseguiu, com tanta rapidez, se adaptar à separação dos pais e ao relacionamento da mãe com Iris, e por haver encontrado uma maneira de se manter próximo a todos eles. Gosta muito da nora também; ama o carinho de Maya, sua inteligência, as muitas pequenas maneiras — um olhar, uma palavra de estímulo, o leve toque da mão nas costas de Dylan — pelas quais mostra a Jim o quanto ama o seu filho. E quer ver sua neta *agora*: aquela pequena menina, a menina de Dylan, observando este mundo novo e estranho pela primeira vez.

E, assim, é em Jéssica — com os olhos azuis de Dylan e a pele escura de Maya, e com sua própria cabeleira espessa (Dylan mandou uma foto dela por e-mail, aninhada no braço de Maya) — que Jim pensa, neste momento, enquanto o trem o leva para o norte, passando por campos e pontes, contornando os limites efêmeros das cidades; seguindo seu caminho prateado pela vida que ele já está vivendo, e não aquela que poderia ter vivido.

Versão 3
❀ ❀ ❀

Aos sessenta
Londres, julho de 2001

Ela encontra Jim sozinho no convés superior, na proa.

— Querido, você vem? Thea está chamando todo mundo para o jantar.

Ele se vira, e Eva fica chocada por um momento ao ver o quanto parece cansado, o quanto parece derrotado. A situação com Sophie o envelheceu. Nas semanas após o desaparecimento, Eva viu as décadas devastarem seu rosto, o rosto de um homem de feições angulares, cabelos cacheados, impulsionado pela sua forma particular de energia interior. Puxando-a por aquela fenda na cerca viva ao redor de Clare; apertando os olhos enquanto a observava sob a meia-luz do alojamento no último andar, enquanto o lápis se movia com fluidez sobre o bloco. Traçando lentamente o contorno da sua clavícula com a mão.

— Só vim tomar um pouco de ar — diz ele. — Estou indo.

Eles descem juntos para o salão de baile. A família está sentada à mesa mais alta, como em um casamento: Anton e Thea; Rebecca e Garth; Sam e sua esposa, Kate, e as duas filhas do casal, Alona e Miriam, entre eles, agitadas em seus vestidinhos elegantes. Bente, a mãe de Thea, que chegou de Oslo para a festa, está sentada ao lado de Hanna, a sobrinha de Eva. Do outro lado de Bente, estão Ian e Angela Liebnitz; e, à direita de Eva, um homem chamado Carl Friedlander, o novo sócio de Anton na empresa. (Eva fica surpresa, a princípio, em vê-lo sentado com a família; depois, se lembra de que Anton falou que Carl havia perdido a esposa para um câncer, e admira o gesto.)

— Você tem uma família linda — diz Carl a ela, enquanto o vinho é servido, e Eva, agradecendo-o, observa as pessoas reunidas ao redor da mesa e pensa: *Tenho mesmo.* Rebecca está esplêndida em um vestido vermelho justo, com os cabelos escuros presos em um coque *chignon*; Garth está com o rosto próximo ao dela, compartilhando uma piada. Sam, mais quieto, mais reservado, como sempre foi. (Eva se lembra muito bem dele quando era garoto: com as pernas gorduchas e paciente; nunca tentava pegar as coisas que não eram suas nem fazia pedidos imperiosos como a irmã.) Mas Eva sabe que o caráter reservado de Sam é produto de certa timidez inata (ele certamente não herdou isso de David), que ele exibe apenas em público: com Kate e suas filhas, e com Sophie também, ele é tranquilo, aberto e afetuoso. Ali está ele agora, estendendo a mão firme e colocando-a sobre o ombro de Alona:

— Sente-se aí e fique quietinha, meu bem. — E ela, em vez de ficar emburrada ou reclamar, inclina a cabeça para encostá-la na mão do pai, esfregando a bochecha ali, um pequeno gesto que deixa Eva profundamente emocionada.

Sua família: a família que ela divide com Jim, que agora desliza as mãos dele nas dela. Todos estão aqui, com exceção de uma pessoa: Sophie. Não foi possível convencê-la, embora Sam tenha ido visitá-la em Hastings e lhe dissesse o quanto seria importante para ele — para toda a família — se ela viesse, e se trouxesse Alice consigo.

Foi Sam que encontrou Sophie. Ela lhe telefonou cerca de seis semanas depois da infrutífera viagem que Jim e Eva fizeram a Brighton e deu o endereço de onde estava vivendo, mas disse ao irmão para não contar a ninguém. Ele manteve a promessa.

— Que escolha eu tenho? — disse ele a Jim, que escondia a raiva da impotência sob uma máscara de frieza. — Se eu lhe disser, talvez ela nunca mais queira conversar com nenhum de nós. De que isso vai adiantar?

Por mais doloroso que fosse, Jim foi obrigado a aceitar o fato de que Sam tinha razão. Assim, Sam foi até lá — e levou Kate, Alona e Miriam a Hastings, como se fosse um típico passeio em família. Da praia, ele foi sozinho até o endereço que Sophie lhe deu. Era um pequeno apartamento no terceiro andar de um prédio de aparência suspeita.

— Mas era limpo — relatou Sam mais tarde. — Muito limpo.

Sophie também estava limpa, em todos os sentidos. E estava grávida de seis meses.

— Diga a eles que não estou usando nada — pediu ela a Sam, e ele o fez; mas ela não queria que soubessem mais nada além disso.

Quando a criança nasceu, Sophie lhe deu o nome de Alice e mandou uma fotografia a Sam. Isso era tudo o que Jim tinha da neta: uma imagem pequena e granulada de uma garotinha de dois anos, enrugada, levemente vesga. Sophie também não permitia que Helena a visitasse — havia cortado relações com os dois, como um galho podado de uma árvore. No início, Eva pensou que o fato de Sophie não querer ver seus pais — que o ódio que sentia não era apenas por Jim — serviria de consolo a ele, mas não foi o que aconteceu.

O jantar é excelente: coquetel de lagosta, carne assada e torta de limão.

— A refeição do corredor da morte para Anton — explica Thea, colocando uma mão carinhosa na nuca do marido. Ela ainda é magra, elegante, com um vestido justo de seda cinzenta fina. — Meu marido realmente devia ter nascido nos Estados Unidos.

Anton sorri e acaricia o braço da esposa. É a imagem de um empresário de sucesso, ao fim da meia-idade; elegante, com um anel de sinete no dedo, começando a engordar. Eva tem de se esforçar um pouco para se lembrar do garoto que ele já foi, no hall da casa de Highgate com o uniforme do time de críquete; recitando desafinadamente a Torá em seu *bar mitzvah*. Às vezes, o irmão olha para ela e Eva vê que o garoto ainda está ali: irrequieto, peralta, pronto para qualquer coisa.

— Ela é uma cozinheira de mão cheia — comenta Anton agora. — Não consigo não ganhar peso desse jeito.

Jim passa boa parte da refeição conversando com Angela sobre a última exposição dele: uma coletânea pequena e estritamente comercial dos seus quadros na galeria de Stephen, na qual foi impossível fingir que a obra de Jim ainda inspirava o mesmo interesse de antigamente.

— *Como* você decide o que vai pintar? — Eva ouve Angela perguntar quando se volta para Carl; um homem alto de aparência austera, com um ar perceptível de tristeza. Ele pergunta se não está enganado de que ela acabou de publicar um romance (um curto aceno de cabeça de Eva ao ouvir aquilo; ela mal consegue acreditar que seja verdade); imagina se era casada com o ator David Curtis. Acostumada com a pergunta, Eva diz que sim, que realmente foi; escolhe algumas das histórias mais comuns a respeito de Oliver Reed ("encantador"), Los Angeles ("desolada, de certa forma") e David Lean ("realmente brilhante").

Eva pergunta a Carl como estão os negócios, e ele lhe fala da época em que serviu na marinha mercante; sua família alemã (eles trocam algumas piadas trazidas das profundezas da infância de cada um; o alemão dele não é tão fluente quanto o dela, mas Eva ri do mesmo jeito); a esposa Frances, com quem passou vinte e sete anos casado.

— Você deve sentir muito a falta dela — diz Eva enquanto os pratos de sobremesa são retirados.

— Sinto, sim. — Carl se vira para agradecer ao garçom que está do outro lado. — Mas quem está vivo tem que viver, não é mesmo? Todos nós precisamos encontrar uma maneira de seguir em frente.

Depois do café, os discursos. Thea é a primeira a se levantar, propondo um brinde. Em seguida, é a vez de Eva. Ela se ergue, repentinamente nervosa. Do outro lado da sala, seu olhar cruza com o de Penélope; a amiga sorri para encorajá-la, e Jim, ao seu lado, segura sua mão. É o bastante; as palavras retornam. Em seguida, Eva ergue a taça para o irmão, e toda a sala faz a mesma coisa.

De volta ao convés externo, Eva e Jim dividem um cigarro. Está ficando tarde: a banda está tocando músicas mais lentas e o ancoradouro está deserto, iluminado pelos faróis piscantes dos carros que passam. Atrás deles, a estibordo do barco, ergue-se a enorme torre da velha usina de energia de Bankside, que hoje é a nova galeria Tate Modern. Eva gostaria de ficar ali e admirá-la, este símbolo grandioso da Londres transformada, mas Jim está olhando resolutamente para o outro lado.

— Foi um belo discurso — diz ele.

— Obrigada.

Ela entrega o cigarro a Jim.

— Não acredito que Anton tenha feito sessenta anos. Não acredito que *nós* estamos com sessenta.

— Eu sei.

Ela observa o perfil de Jim: os cílios finos que emolduram seus olhos azuis, os contornos do queixo e do pescoço que estão mais suaves.

— Não parece real, não é mesmo?

Eles ficam em silêncio por um momento. Do salão de baile vem uma música de Paul Weller — *You Do Something to Me* — flutuando até o convés superior.

— Sinto saudades dela, Eva — diz Jim. — Sinto saudades demais.

Ela pensa em Carl Friedlander, sozinho pela primeira vez em quase trinta anos. Em Jakob e Miriam. Em Vivian e Sinclair. No pai de Jim. Nas ausências, nas pessoas arrancadas do curso da vida deles.

— Sei que sente.

Ele passa o cigarro que já está quase no fim para Eva.

— Você acha que Sophie vai mudar de ideia algum dia?

Eva dá a última tragada no cigarro. Reluta em ser a portadora da falsa esperança.

— Acho que sim. Algum dia.

— Ela estava tão furiosa comigo. — Jim se vira para olhar para Eva, e o rosto dele, iluminado pelos faróis dos carros, parece esvaziado, sem forma. — E com Helena. Fizemos tudo errado, não é mesmo? Helena e eu? Vivemos naquela comunidade hippie absurda, com as pessoas entrando e saindo toda hora, e todas as regras ridículas de Howard. Eu ficava o dia inteiro no estúdio e nunca passava muito tempo com ela.

Eva esmaga o cigarro em um cinzeiro acoplado ao corrimão. Na margem do rio, um jovem casal passa devagar; o homem com jeans de cós baixo e boné de beisebol; a mulher equilibrando-se sobre os saltos altos. Ela olha na direção do barco — observando os dois, no alto do convés superior, com um olhar forte e inquisitivo —, e Eva se lembra da época em que Sophie estava sob o batente da porta do quarto deles na casa de Sussex, observando Eva se maquiar antes de uma festa. Eva se virou e fez um sinal para que ela entrasse, imaginando que a garota gostaria de experimentar o batom. Mas Sophie fez que não com a cabeça.

— Minha mãe diz que usar maquiagem é coisa de piranha — disse ela, com a voz monótona e sem alarde. — Acho que isso quer dizer que você é uma piranha.

Em seguida, ela deu meia-volta e desapareceu em seu quarto antes que Eva pudesse encontrar uma resposta. Na verdade, Eva não apenas não respondeu, como nunca comentou o incidente com Jim. Foi uma das poucas vezes que Sophie lhe mostrou, abertamente, que não gostava dela — e, embora Eva tenha feito tudo o que podia para, no decorrer do tempo, transformar a enteada em sua aliada (e ainda acredita que isso seja possível), a lembrança daquele episódio nunca chegou a se apagar.

— Jim, ela era só um bebê naquela época — diz Eva. — Provavelmente mal se lembra dessas coisas. E, de qualquer maneira, você estava trabalhando bastante em algo em que acreditava. Ela devia sentir orgulho de você. Do pai, o artista.

Isso também é um erro: Eva percebe que ele geme.

— Bem, nós dois sabemos qual foi o resultado disso. — A voz de Jim está tomada por uma emoção contida.

Ela segura na mão dele. Ele a toma com uma pegada firme e diz com uma intensidade ainda maior:

— Às vezes eu desejo muito, Eva, que estivéssemos de volta em Ely, naquele dia em que pegamos o ônibus em Cambridge. Você se lembra?

Ela faz um gesto afirmativo com a cabeça. É claro que se lembra.

— Tenho essa sensação terrível de que tudo o que aconteceu desde então foi errado, de algum jeito. De que nada disso devia ter acontecido.

— Você não acredita realmente que as coisas estão destinadas a acontecer, não é? — pergunta Eva em voz baixa, de modo que apenas ele possa ouvir.

— Não. Talvez, não. Quem sabe?

Eva coloca os braços ao redor dele. Ele cheira a creme de barbear, pasta de dente e, levemente, à quantidade generosa de uísque que bebeu após o jantar.

— Nada de arrependimentos, Jim. Está bem?

Com a boca em meio aos cabelos dela, ele diz:

— Nada de arrependimentos, Eva. Nem agora, nem nunca.

Versão 1

Resgate
Londres, novembro de 2005

Um disparo de arma de fogo o acorda.

Jim fica deitado, imóvel, escutando as batidas fortes do seu coração. Estava em um estacionamento subterrâneo, cheio de sombras; alguém o perseguia — uma figura sem rosto que vestia um blusão negro com capuz, e o cano duplo da escopeta reluzia na escuridão...

Mais tiros: dois disparos, em rápida sucessão. Uma voz.

— Pai. *Pai.* Sou eu, Daniel. Abra a porta.

Ele abre a boca para falar, mas não consegue emitir nenhum som. Jim fica onde está, respirando, deixando a pulsação diminuir. A persiana aberta joga enormes faixas de luz e sombra pelo chão da sala. Jim começa a imaginar por que não está no seu quarto. Se o filho perdeu a chave, por que Eva não abre a porta para ele?

— *Pai.* — A voz está mais alta agora: Daniel deve ter vindo até a janela da sala. — Você está aí? Deixe-me entrar, por favor.

A consciência está retornando lentamente à mente de Jim, em pedaços, como o desenho de uma criança sendo colorido de maneira descuidada. Ele percebe a textura áspera do tecido do sofá e, em seguida, uma pequena poça de saliva que parece ter se acumulado pegajosamente no braço, ao lado da sua boca aberta. Depois, a enorme quantidade de garrafas ao redor do sofá, sombreadas à meia-luz como uma natureza-morta, desenhada a lápis. E, logo depois, o fato de que esta não é a sua casa.

— Pai, ande logo com isso. Estou preocupado com você.

Mas esta deve ser a sua casa. Por que outro motivo ele estaria aqui? E, nesse caso, onde está Eva?

Esta é a sua casa, mas não a de Eva. É a casa que ele divide com Bella e Robyn. Então, onde elas estão?

— Pai. — Uma baque surdo: alguém está batendo na janela. — Por favor. Você tem que me deixar entrar.

Bella não está aqui. Nem Robyn. Jim está sozinho.

— Estou falando sério, pai. Se você não me deixar entrar, vou voltar com a polícia e mandar que arrombem a porta.

— *Está bem.* — A voz de Jim surge num grunhido baixo. A voz de um velho. A voz de um homem que ele não conhece. — Estou indo.

Do outro lado da janela, ele ouve Daniel suspirar.

— Pai, você está aí. Pelo amor de Deus!

Levantando-se do sofá, Jim percebe a dor: o estrondo ensurdecedor que ela causa. Ele fica sentado por um momento, concentrando-se em permanecer ereto. Sua respiração está fraca, entrecortada, e ele parece estar nu, com exceção da cueca e do roupão, no qual uma mancha grande e marrom parece ter surgido. Quando consegue se levantar, sente a cabeça girar loucamente, e a dor acelera o ritmo infernal.

Ele cambaleia pela sala de estar até o hall e abre a porta. Ali, sob o batente, está o seu filho de jaqueta de couro marrom, cabelos escuros cuidadosamente penteados. Atrás dele, uma manhã luminosa do inverno de Hackney. O sol se reflete no estuque que descasca. O passadiço que leva até a calçada coberto por várias camadas de folhas mortas e úmidas.

— Meu Deus, pai.

Jim se esforça para enxergar o filho, mas a luz agride seus olhos e, então, se dá conta de que não é capaz de olhar para ele.

— Vamos, vou preparar um café para você.

Ele sente que Daniel está se esforçando para não dizer apenas isso. Abre espaço para deixar o filho entrar em casa e o segue pelo corredor.

A cozinha não está tão ruim quanto Jim temia. Pratos sujos empilhados ao lado da pia, os restos da comida indiana que ele pediu por telefone na noite passada — ou teria sido há duas noites? — criando crostas em embalagens plásticas. Garrafas enfileiradas no beiral da janela. Isso deixa Jim confuso; ele se lembra claramente de haver colocado as garrafas na lixeira dos recicláveis, uma por uma, e de gemer quando elas caíam e se estilhaçavam. É estranho como as garrafas sempre reaparecem.

Daniel entrega uma caneca de café quente a Jim — é claro que não há leite — e uma embalagem de Nurofen, e depois se senta do outro lado da mesa. Jim toma dois comprimidos com o café. O estrondo dentro da sua cabeça está arrefecendo um pouco, e as cores estão lentamente voltando a tingir o dia. Com elas vêm os pedaços de algumas memórias. O olhar vazio no rosto de Bella na manhã em que ela foi embora, como se estivesse olhando para um homem que mal conhecia. Robyn brincando com o cabelo (Jim a levou para comer pizza há alguns dias) enquanto ele perguntava sobre a escola, suas amigas, suas aulas de dança, com dificuldade para encontrar as palavras certas para tratar com a própria filha. Ele se lembra, dolorosamente, daquele almoço horrível no pub com Daniel, há tantos anos, depois de sair da casa de Eva, deixando Gipsy Hill para trás: frango assado ressecado, rúgbi na televisão e o filho adolescente que não compreendia o que estava acontecendo. *Minha mãe está em pedaços, pai*. Mas Bella não estava, não é mesmo? Estava ótima; era ele quem estava caindo aos pedaços. Havia levado Robyn para casa — "casa": a elegante casa em Ilsington em uma rua apenas para pedestres que ela e Bella estavam dividindo com aquele homem — e, em seguida, voltou para Hackney. Ali, Jim ouviu o canto das sereias entoado pelas garrafas estocadas na banca da esquina. A doce sensação de que tudo estava ficando bem, de que o mundo estava voltando ao prumo, que veio com o primeiro gole.

— Pai, você está com uma aparência horrível.

— Estou? — Já faz algum tempo que Jim se olhou no espelho. Está tendo alguns problemas, ultimamente, com o próprio reflexo; uma sensação enervante de que não reconhece a si mesmo. — Acho que devo estar.

— Quando foi a última vez que tomou um banho?

Que absurdo um filho perguntar uma coisa dessas ao pai. Jim sente um nó se formar na garganta.

— Deixe disso, Daniel. As coisas não estão tão ruins assim.

Ele consegue sentir que o filho o observa. Daniel tem os olhos de Eva, aquele olhar direto e inabalável. O que ele herdou de Jim? Nada, Jim espera, pelo bem do garoto.

— Hattie e eu queremos que você venha passar algum tempo em nossa casa. Não achamos que é bom você ficar sozinho.

Hattie: a garota bonita e de rosto doce e um sorriso enorme, o riso fácil. Como Jim pode levar a sua cara feia para a casa dela, deixar que a escuridão que o cerca invada aquele apartamento bonito e iluminado, com suas paredes brancas, pisos polidos e flores secas em potes de vidro?

Ele faz que não com a cabeça.

— Não acho que seja uma boa ideia. Estou bem onde estou.

— Você não está bem de verdade, não é mesmo, pai? Não está nada bem.

Jim não diz nada. Pela janela dos fundos, ele observa um pardal pousar num galho.

Bella e Robyn foram embora depois do café da manhã, num dia em que ele saiu para comprar o jornal. Ela devia ter colocado as malas no quarto de hóspedes; como foi que ele não percebeu? Jim ficou com aquela pergunta na cabeça durante várias semanas. O bilhete que ela deixou estava sobre a mesa da cozinha — a caligrafia, quase ilegível — no verso de um envelope usado; mais tarde, Jim chegou a imaginar até mesmo se Bella tinha planos de lhe deixar um bilhete. *Nós dois sabemos que está tudo acabado. Desconfio que não devíamos nem mesmo ter começado. Mas foi o que fizemos, e foi bom enquanto durou. Estamos nos mudando para a casa de Andrew. Você pode ver Robyn sempre que quiser.*

"Andrew" referia-se a Andrew Sullivan, é claro. Jim sabia quem ele era; o homem colecionava os trabalhos de Bella há anos, e ela foi aberta com Jim, dizendo que estava dormindo com ele. Quando lhe falou, estava estendida, como uma gata, na cama deles; Jim estava em pé, dobrando as roupas recém-lavadas, sentindo que ocupava uma posição desvantajosa. Ela dormia com Andrew há meses, disse Bella. Mas ele já sabia disso, não?

Não, ele não sabia.

— Oh! — Bella parecia estar genuinamente perplexa. — Tenho certeza de que nunca lhe fiz promessas falsas, Jim. Prometemos fazer um ao outro felizes, não foi? Bem, isso me faz feliz.

— Vamos lá, pai — diz Daniel agora. — Não faz bem você ficar enfurnado sozinho nesta casa. — Ele não precisa acrescentar *cercado por lembranças daquela mulher*. Ele e Jennifer fizeram questão de revelar o que sentiam por Bella: Jennifer claramente (ela e Henry planejavam suas visitas infrequentes com cuidado, escolhendo os horários nos quais Bella dificilmente estaria em casa), e Daniel com um pouco mais de tato. Chegaram até mesmo a jantar juntos certa vez, numa ocasião agradável

— ele, Bella, Robyn, Daniel e Hattie — no último aniversário de Jim. Mas isso foi num restaurante italiano no Soho; pensando nisso, agora, Jim não consegue se lembrar da última vez que seu filho esteve em sua casa.

— Vá tomar um banho. Deixe que eu coloco algumas coisas numa bolsa para você.

— Daniel... — Jim olha diretamente para o filho pela primeira vez. O rosto aberto e sem rugas de Daniel (sua compaixão, sua juventude, todo aquele maldito *otimismo*) faz com que Jim sinta vontade de chorar. — Eu sei o que você está fazendo, e sou grato por isso. Mas, honestamente, não acho que devo ir com você. Olhe para mim. Estou um desastre. Não posso trazer toda essa porcaria para a sua casa. Não é justo com Hattie.

— Na verdade, foi Hattie quem deu a ideia. Ela e a minha mãe.

Talvez seja a menção do nome de Eva que faz com que Jim mude de ideia: isso, ou a simples exaustão. Desapegar-se. De qualquer maneira, ele permite que Daniel o leve até o banheiro e o deixe ali tomando um banho enquanto o rapaz prepara uma bolsa com algumas coisas. E em seguida estão no velho Fiat de Daniel, com o aquecedor soltando aquele calor quente e massudo enquanto as lojas de bebidas com suas janelas escuras e os restaurantes de frango frito da zona leste de Londres abrem caminho para os enormes prédios de vidro e concreto da região central; o enorme rio prateado se transforma nas rotatórias retorcidas e nos prédios altos de fachadas insossas da zona sul.

Hattie e Daniel moram numa bela casa em estilo eduardiano em Southfields. O reboco foi pintado recentemente, e a cerca viva do jardim está aparada. Hattie, que os espera no hall, cheira a creme para o rosto e a amaciante de roupa, tão limpa e pura que Jim sente que não deveria tocá-la. Mas ela o puxa para um abraço.

— Que bom que você está aqui. Estávamos muito preocupados.

É nesse momento que Jim começa a chorar, enquanto Daniel tira a mala do carro e a leva para dentro, e a namorada do filho o ampara nos braços.

— Eu estraguei tudo, Hattie — diz Jim, em voz baixa. — Estraguei tudo, tudo mesmo. Sinto muitas saudades dela.

— É claro que sente — diz ela. — É claro que você sente saudades de Bella.

Não, ele sente vontade de dizer, percebendo a verdade que está apenas começando a reconhecer. *Não de Bella. De Eva.*

Mas não diz nada daquilo em voz alta. Em vez disso, agradece a Hattie e se afasta, enxugando os olhos com a manga do blusão.

— Desculpe, Hattie. Não sei o que deu em mim.

Daniel, voltando da cozinha, coloca a mão no braço do pai.

— Venha, pai. Vamos colocar a chaleira para ferver.

Versão 2

Pinheiros
Roma e Lazio, julho de 2007

— Está com fome? — diz Eva depois de abraçar Sarah e após observá-la de perto por um momento, percebendo sua forma e sua cor. A filha está com um novo corte de cabelo, curto e elegante. Na década de sessenta, o termo para ela seria "cocota". Perdeu peso também; nos braços de Eva, parece estar menor do que o habitual, e Eva se lembra, com certo pesar, dos anos precários da filha em Paris, quando teve de observá-la emagrecer até ficar esquelética, vivendo à base de café, cigarros e sabe-se lá do que mais. Ela e Ted telefonavam de Roma sempre que podiam, perguntando se podiam enviar dinheiro; e se Sarah — e, mais tarde, Pierre — estava comendo o suficiente. É esse velho hábito que faz com que ela formule essa pergunta agora.

Sarah, sabendo disso, oferece à mãe um sorriso torto.

— Estou bem, mãe. Comemos no avião. Mas eu podia matar alguém por uma xícara de café. Pierre?

O neto de Eva está um pouco distante: tem quinze anos, pernas magrelas e feições bastante angulares, com dois fios brancos pendendo das orelhas. Ele tira um dos fios para ouvir o que a mãe está lhe perguntando.

— O que foi?

— Tire esses fones de ouvido, por favor, e venha cumprimentar a sua avó.

Pierre revira os olhos, enfia os fios no bolso com um gesto exagerado. Contudo, quando Eva o abraça, ele se transforma em um garotinho outra vez, de olhos grandes e sorridente, perseguindo o gato de pelo avermelhado pelo minúsculo apartamento do quinto andar do prédio de Belleville, onde nasceu.

— Oi, vovó — diz ele no ouvido de Eva.

— Oi, querido. Bem-vindo a Roma.

Eles param para tomar café no bar do aeroporto, e o barista observa Sarah com um interesse preguiçoso. Sarah admira a fluência com a qual Eva faz o pedido e pergunta como foi o dia do homem.

— Não está tão enferrujada, então?

— Parece que as palavras estão voltando. Como o seu francês, não é? Depois que você mora em um lugar, acho que a linguagem nunca chega a desaparecer.

Eva receava, no início, que aquilo pudesse acontecer; que não somente o seu italiano, que ela não tinha motivo para usar há vários anos, pudesse ter desaparecido, mas também o seu amor pela Itália, a facilidade com que ela e Ted navegaram pelos complexos meandros e canais da vida romana. E, mais do que isso, temia não ser capaz de navegar por eles sem Ted.

Por todas essas razões, Eva disse a si mesma para sair da frente da vitrine da *agenzia immobiliare* — ela e Penélope foram passar uma semana em Roma, para "exorcizar demônios", nas palavras da amiga. Alugaram um carro e viajaram até Bracciano para passar o dia. Mas ela não saiu dali; entrou no escritório e pediu para visitar a casa nas colinas que ficavam ao sul da cidade, com a pequena piscina e os limoeiros que se erguiam como sentinelas em vasos no terraço ensolarado. Mais tarde, naquele mesmo dia, estavam ao lado dos limoeiros, inalando a doçura resinosa dos pinheiros que dividiam a propriedade da casa vizinha.

— Você tem que fazer isso — disse Penélope. Alguns dias depois, Eva o fez.

Agora ela dirige rumo ao norte, passando pelos campos de mato alto nos arredores de Roma; por outdoors nos quais mulheres esbeltas fazem poses provocantes e biquinhos com os lábios; por *casali* caindo aos pedaços, velhas máquinas agrícolas que enferrujam nos jardins das casas; por muros pichados com motivos políticos obscuros: *Berlusconi boia!*, *Onore al Duce*. Para Eva, aquela é a melhor hora do dia — quando o sol está se dissolvendo em sombras e a luz é suave; o céu, riscado de rosa e laranja. Eles abrem todas as janelas e sentem a brisa morna no rosto, e o ar traz consigo calor, fumaça de diesel e o som das buzinas.

Sarah está se espreguiçando no banco do passageiro, arqueando as costas como um gato.

— Meu Deus, é ótimo estar aqui.

— A semana foi movimentada?

— O ano *inteiro* foi movimentado, mãe.

— As coisas ainda estão complicadas no conselho?

— Você nem faz ideia. — Após um momento, ela estende a mão e toca Eva levemente no braço: um pedido de desculpas. — Não quis falar de forma grosseira. Vou lhe contar tudo mais tarde. Deixe-me apenas fechar os olhos por um minuto.

— É claro. Temos a semana inteira, não é?

Eles passam o resto da jornada em silêncio: Sarah dormindo tranquilamente no banco da frente, Pierre entretido com sua música outra vez, os minutos se passando ao som da sua própria trilha sonora particular. Quando chegam em casa, já está quase escuro. Eva é a primeira a entrar, acendendo as luzes, enquanto Sarah e Pierre ficam no terraço, bocejando e admirando a vista.

— Uau, vovó! — Pierre tirou os fones de ouvido. Está olhando fixamente para a piscina, boquiaberto. — Você não me disse que tinha uma piscina.

— Não falei? Espero que tenha trazido um calção.

— Não se preocupe — diz Sarah, cutucando o filho no ombro. — Sua velha mãe fez a sua mala.

Para o jantar, Eva enche pratos com queijo, pão, tomates e fatias finas de *prosciutto*. Saiu para fazer compras no mercado ao ar livre de Bracciano naquela manhã, aproveitando as discussões amistosas com os donos das barracas sobre qualidade e preço; pensando no mercado em Trastevere e na gentil *signora* que encontrou na sala de espera do hospital do *pronto soccorso*, informando-a de que devia fazer suas compras em outro lugar.

A tristeza está por toda parte, é claro — tristeza e lembranças, o eco da voz de Ted em sua cabeça, a lembrança da pressão daquela mão ao redor da sua. Mas há também alegria: a sensação — embora Eva suspeite que isso seja algo exageradamente sentimental — de que ela está mais próxima de Ted aqui na Itália, de algum modo, do que na casa de Londres, onde ele adoeceu e definhou; onde ela o observou lentamente se esvair e esmaecer. Ele adoraria este lugar. Às vezes — embora não tenha falado a ninguém sobre isso —, ela até mesmo acha que o vê, percebendo-o rapidamente pelo canto do olho: um borrão rápido e escuro caminhando pelo terraço; o lampejo brilhante da sua camisa branca. Eva interrompe o que está fazendo e fica imóvel, como se o menor movimento pudesse assustá-lo. Mas ela nunca consegue resistir à tentação de se virar e olhar; e, é claro, quando faz isso, nunca há ninguém ali.

Eles bebem vinho enquanto comem — a bebida rústica produzida naquela região, à qual acrescentam água para Pierre — e falam sobre o caso mais recente de Sarah. (Ela é uma agente do serviço social em Tower Hamlets; mudou-se para Londres para se aperfeiçoar depois que tudo deu errado em Paris com a banda e com Julien.) O vinho faz Pierre soltar a língua. Ele descreve seus planos para o verão — um curso de bateria, um fim de semana em um festival de música com amigos. Sarah pergunta como está indo o livro novo e Eva lhe diz:

— Devagar.

Mais tarde, depois que já escureceu completamente, Pierre vai para a cama, e Eva acende as velas que colocou por todo o terraço em vasos de terracota.

— Este lugar é bonito, mãe. Dá para perceber por que você se apaixonou por ele.

— Sim. Foi o que aconteceu. Sei que você pensou que eu estava biruta.

Sarah observa a mãe por cima da borda da taça de vinho.

— Não. Biruta, não. Fiquei preocupada porque você poderia acabar se sentindo solitária.

Eva demora um momento para responder.

— Às vezes. Mas não mais do que eu me sentiria em qualquer lugar. É difícil, é claro. Sem ele.

— É claro. Sinto saudades dele também. — Mais um silêncio curto. Em seguida: — Meu pai ligou há alguns dias.

— É mesmo? — Pensando em David, Eva percebe que está sorrindo. Depois de todos esses anos, o sentimento que ela tinha por ele acabou ficando mais gentil; hoje ela é capaz de ver David da maneira como sempre foi: egocêntrico, absurdamente vaidoso, mas talentoso também, e impulsionado pela sua necessidade de fazer valer aquele talento. Tiveram momentos muito bons; o fato de que o casamento com ele não durou, certamente, e Eva agora pode admitir, decorreu tanto por culpa dele como dela também. Os dois haviam se casado com a pessoa errada. Se há alguma coisa que os anos ensinaram a Eva é que essa história dificilmente pode ser considerada incomum.

— Ele está entediado — diz Sarah. — Ninguém mais lhe envia roteiros. Está sentindo pena de si mesmo. "Sou um homem velho e solitário, Sarah." Eu disse a ele para tentar viver sozinho com dez libras por semana, sem ver uma viva alma da manhã até a noite, e depois me dizer que está se sentindo sozinho. Isso o fez ficar quieto.

— Imagino! — Eva toma o vinho. Está familiarizada com as batalhas sutis que persistem entre a filha e o pai: muito mais gentis agora do que durante os anos complicados que Sarah passou em Paris, quando se recusou a falar com David, insistindo que seu único pai verdadeiro era Ted. — Ele mencionou Lear da última vez que conversamos. Disse que Harry estava tentando convencer o National.

— Sim, ele espera que eles possam dar o sinal verde para o próximo ano.

— Bem, isso vai deixá-lo ocupado por algum tempo, não é? E ainda não vai precisar passar as noites tomando sopa em albergues para indigentes.

Sarah solta uma risada seca e curta.

— Acho que não.

Alguns minutos de silêncio — a luz das velas se agita e pisca, e os filtros da piscina funcionam com um zunido baixo. De algum ponto além dos pinheiros, ouve-se o choro de uma criança, e a mãe chamando em resposta.

— Mais alguma coisa que você queira me contar, querida?

Sarah olha para a mãe; intensamente a princípio e depois com mais suavidade.

— Mãe, você é completamente transparente.

— Sou? — Eva arregala os olhos. — Sempre achei que eu fosse a discrição em pessoa.

— Certo. Existe uma pessoa.

— Eu já sabia.

— Como?

— Esse corte de cabelo.

Sarah sorri.

— Não tem nada a ver com ele. Mas ele gosta.

— Pierre já o conhece?

— Ainda não. Tudo ainda é muito recente. Mas estamos indo bem. O nome dele é Stuart. Veio de Edimburgo. Mora em Stoke Newington. E trabalha na Age Concern.

Eva espeta uma fatia de *prosciutto* com o garfo, ganhando tempo. Depois de comer, ela pergunta:

— Casado?

— Divorciado. Dois filhos, mais novos do que Pierre. Por isso, precisamos ir com calma.

— Muito sensato.

Sarah concorda com um aceno de cabeça.

— Prometo que você vai conhecê-lo quando estivermos prontos. Mas isso significa que você terá que voltar a Londres.

— Vou voltar. Em outubro, provavelmente. Os invernos daqui são bastante rigorosos.

— Não podem ser tão ruins quanto os de Londres. — Sarah ergue a garrafa de vinho e volta a encher os dois copos. Em seguida, recostando-se em sua cadeira, ela pergunta: — E você?

— O que você quer saber sobre mim?

— Nenhum romance à vista? Olhares longos e lânguidos de um lado a outro da *piazza*?

Eva ri.

— Romance? Você acha que eu sou uma daquelas divorciadas com os hormônios à flor da pele.

Sarah não ri. Está séria, com uma expressão sisuda. Olhando para a filha, Eva se lembra das noites que ela e Ted passaram ao telefone — de Roma a Paris; foram eles que pagaram pelas ligações, é claro — enquanto Sarah chorava sem parar do outro lado. A pior noite de todas, quando Sarah lhes disse que iria deixar Julien, levando Pierre, e os dois entraram no carro e passaram a noite inteira viajando. A autoestrada vazia, infinita. Os Alpes brilhando, brancos, no alvorecer pálido.

— Deixe disso, mãe. Você fez tudo o que podia pelo Ted. Não precisa ficar sozinha para sempre.

— Eu sei. — Eva pega o guardanapo e o pressiona suavemente contra um respingo de vinho que caiu na gola da sua camisa. — Mas não estou procurando ninguém, Sarah. Acho que essa parte da minha vida terminou.

Eva percebe que os olhos da filha a observam por mais alguns momentos, mas ela não diz mais nada. As duas ficam em silêncio outra vez, sentindo o adensamento da noite italiana, bebendo o vinho até que a garrafa esteja vazia e chegue a hora de ir para a cama.

Mais tarde, sem conseguir dormir, Eva fica deitada e observa as sombras no teto, pensando se o que disse para a filha era verdade; pensando por que motivos é aqui, na Itália, que ela encontra um rosto em particular retornando com tanta frequência aos seus pensamentos. Um rosto pálido e estreito, salpicado de sardas. Olhos de um azul vívido, quase violeta.

Nos últimos meses, ela vem tendo um sonho recorrente: um lugar com o pé-direito alto, a luz iluminando o espaço através de janelas empoeiradas. Um homem diante de um cavalete, pintando. Ele está de costas para ela; não se vira quando ela o chama, nem mesmo quando se aproxima dele, atraída pelo desejo de ver no que ele está trabalhando. A cada vez, Eva tem uma forte sensação de que ele a está retratando. No entanto, quando fica atrás dele — tão perto a ponto de poder estender a mão e tocá-lo, embora não o faça —, percebe que não há nada na tela além do espaço em branco.

No sonho, o artista nunca se vira, nunca mostra o rosto. Mas, a cada manhã, ao acordar, Eva sabe quem ele é, e isso a deixa com uma sensação sutil e peculiar de saudade; peculiar porque sente aquilo por um homem, uma vida, que nunca chegou a conhecer e que certamente nunca conhecerá.

Versão 3
🌸 🌸 🌸

Praia
Cornualha, outubro de 2008

Para o aniversário de setenta anos de Jim, Penélope e Gerald organizam um piquenique na praia ao lado da casa onde moram.

É mais do que um piquenique: um verdadeiro banquete, encomendado em um restaurante de St. Ives. Quatro cestas de vime cheias com lagostas, tortas e salgados assados; maravilhosas azeitonas gregas e pedaços de queijo feta que se esfarelavam; um enorme queijo embolorado que Gerald batiza como "o bispo fedido" e faz as crianças mais novas torcerem o nariz. Vinho branco em baldes de gelo. Almofadas e várias camadas de cobertores estendidos sobre os pedriscos da praia; uma mesa e cadeiras trazidas da casa. O iPod de Gerald tocando músicas suaves em caixas de som portáteis; Muddy Waters, Bob Dylan, Rolling Stones. Um calor fora de época; algo que chamam de "verão indiano". O céu está iluminado e limpo, um azul pálido e diluído.

São três da tarde e Jim está sentado em uma cadeira dobrável, conversando com Howard. Está chegando a um estado delicioso de embriaguez; não conseguiu realmente acreditar, quando Howard surgiu como um fantasma por trás do seu ombro, que o seu velho amigo e nêmesis estava ali. Estava muito mais magro agora e caminhava apoiado em uma bengala; mas ali estavam as mesmas feições relaxadas, os mesmos olhos negros por baixo de grossas sobrancelhas brancas.

No início, Jim chegou a perder a voz. Depois de alguns momentos, conseguiu dizer apenas:

— Mas como?

— Eva — disse Howard. Por cima do ombro dele, Jim percebeu que Eva os observava. Sorriu para ela, indicando que ela havia feito a coisa certa; algo bonito e inesperado. Em seguida, puxou Howard para um abraço, sentiu o corpanzil do homem ainda forte e firme; inspirou o aroma de tabaco artesanal e lã velha. Com isso, vieram vários outros cheiros: a doçura enjoativa da maconha, a pujança do ar frio do mar, o aroma amadeirado e intenso do estúdio compartilhado, abastecido com pilhas de madeira recém-cortada.

Ainda com os braços ao redor do amigo, Jim perguntou:

— Cath?

Howard fez um gesto negativo com a cabeça

— Faleceu há cinco anos. Câncer.

Agora eles estão definindo os contornos das últimas três décadas. O fracasso gradual da Casa Trelawney. Jim e Helena ouviram algo a respeito por meio de Josie, e os residentes acabaram se espalhando. A mudança de Howard e Cath para um sobrado em St. Agnes. Jim deixando Helena para ficar com Eva; para a enorme sensação de liberdade que sentia com ela. Seus anos vigorosos e produtivos — as exposições, os artigos nos jornais, o dinheiro — lentamente acabando, um fogo se transformando em brasas.

— Trabalhei com esculturas por um tempo — diz Jim. — E me pegava pensando em você, Howard. O que você costumava dizer mesmo? Que não estava criando algo novo, estava simplesmente tirando o excesso para mostrar o que já estava lá.

Howard ri.

— Eu disse isso? Aposto que não admiti que foi Michelangelo quem disse isso antes de mim.

— Não. — Jim sorri. Por cima do ombro de Howard, ele vê a sua neta, Alice, brincando na água. Ela se aproxima da água cautelosamente, andando de lado, como um caranguejo; suas primas mais velhas, Alona e Miriam, a levam pela mão, brincando de serem adultas. — Você tinha que controlar aquele lugar, não é mesmo, Howard? Sempre teve que mostrar a nós que sabia o que era melhor para todos.

As sobrancelhas do velho Howard se agitam.

— Nunca vi as coisas dessa maneira. Só queria que todos nós pudéssemos produzir bons trabalhos. Algo em que todos pudessem acreditar. — Após um momento, ele acrescenta: — E aquela entrevista? Você fez todos acreditarem que éramos um bando de vagabundos e imprestáveis. Mostrou os quartos a ela, pelo amor de Deus! O que deu na sua cabeça?

— Não sei exatamente o que deu em mim. — O rosto de Howard na manhã em que a entrevista foi publicada. O jornal aberto sobre a mesa da cozinha. Cath chorando discretamente em um canto. Sophie aos prantos, inconsolável. Helena com uma expressão séria e silenciosa no carro. — Ela distorceu tudo o que eu disse. Você sabe como são essas coisas. Já deve saber o que houve agora.

Howard, observando o horizonte, assente lentamente.

— Sim, eu sei. Já faz bastante tempo.

Jim gostaria de dizer a ele que sempre o admirou muito; que sempre sentiu, no fundo do coração, que Howard era um artista melhor. Mas não consegue dar forma às palavras.

— Você ainda está trabalhando?

— Oh, não. Já faz anos. — Um sorriso enruga os lábios de Howard. — Botei fogo em tudo, não soube? Fiquei irritado com Cath uma noite, bebi uma garrafa inteira de uísque e queimei tudo. Cath chamou os bombeiros. Quase incendiei a rua toda.

— Meu Deus, Howard! — Jim está rindo, embora a imagem em sua mente, baseada no artigo de jornal que leu a respeito, e sem dúvida sensacionalizada pela memória, seja terrível. A fumaça se erguendo acima de uma fileira de casas. Howard descalço diante da casa, observando a obra da sua vida se consumir em chamas. — Eu vi a notícia. Devia ter lhe escrito. Devia ter perguntado como você estava.

— Oh, não era nada de importante, na verdade. Nada que pudesse incomodar um verdadeiro artista como você.

— Howard... — Jim começa, mas é impedido de continuar falando por Alice, que agora se afasta da beira da água, chamando por ele, com a arrebentação molhando seus pés.

— Pode ir — diz Howard. — Vou procurar Eva. Agradecer a ela por me arrastar para fora da minha caverna.

Jim levanta-se e segura na mão do outro homem.

— Fico feliz por você ter vindo. É bom ver você. E eu sinto muito. Por Cath. Eu gostava muito dela, você sabe. Todos nós gostávamos.

— Eu sei. — Howard assente lentamente. — Feliz aniversário, Jim. Você tem uma bela família. Não dê importância aos percalços do caminho.

Na beira da água, Jim coloca as mãos sobre os ombros de Alice para lhe dar firmeza. Ela é uma criança pequena e trêmula, gritando mais uma vez ao sentir o choque súbito da água fria em sua pele. Alice é mais preciosa para ele — embora nunca venha a admitir isso para ninguém — do que Alona e Miriam; não somente pelo sangue que os liga (é estranho que isso faça diferença, quando é certo que a mulher que ele mais ama em todo o mundo não tem o seu sangue), mas também pelo fato de que levou muito tempo até que pudesse vê-la.

Alice tinha dois anos quando Jim finalmente a conheceu: Sophie simplesmente apareceu na porta da casa deles uma tarde, com o rosto lívido e tremendo. Um homem que eles não conheciam estava esperando em um carro diante da calçada; mais tarde, eles se lembrariam de que ele nem chegou a desligar o motor.

— Podem ficar um pouco com ela? — pediu Sophie. E depois ela se foi, correndo, batendo a porta do carro antes que pudessem responder.

A menininha não chorou quando a mãe foi embora. Ela olhou enquanto o carro dava a volta, espalhando os cascalhos, até desaparecer. Em seguida, Alice buscou a mão de Jim e disse, com bastante calma:

— Fome.

Nos anos seguintes, Alice ficou com eles várias vezes, e o desespero que sentiam por Sophie tingia cada dia. E, então, antes de Alice iniciar os estudos — eles haviam encontrado uma vaga na escola primária do vilarejo, presumindo que Sophie não havia matriculado a menina em Hastings —, ela reapareceu subitamente para levar a filha de volta para casa.

— Terminou, pai — disse Sophie. — Desta vez, terminou de verdade. Garanto.

E, até onde Jim e Eva sabem, Sophie cumpriu com a palavra: encontrou um emprego como assistente pedagógica na escola de Alice e frequenta as reuniões dos Narcóticos Anônimos quatro vezes por semana. Foi lá que conheceu Pete. Ele está aqui agora; um homem discreto, de aparência trivial, alguém que ninguém identificaria como viciado em drogas. Mas se há algo que Jim aprendeu foi nunca confiar em aparências.

Sempre sentiu que tinha o potencial de se entregar ao vício; um desejo rudimentar de perder o controle. Se as coisas tivessem acontecido de outra maneira, pensa Jim, ele poderia ter permitido que esse desejo o sobrepujasse facilmente.

Ele é grato a Pete, também, pela influência tranquilizante que ele parece exercer na vida de Sophie. E Alice o adora: ela está se desvencilhando das mãos de Jim agora e chamando o nome do rapaz.

— Pete! Eu e o vovô fomos para o mar! O mar *mordeu* a gente...

Jim segue Alice num ritmo mais tranquilo, sentindo as pedrinhas lisas e duras contra a sola dos sapatos. Volta a se juntar ao grupo que está ao redor da mesa: Penélope e Gerald, Anton e Thea, Toby; Eva, enchendo as taças de todos com vinho outra vez. Ao perceber que ele se aproxima, ela sorri e lhe dá uma taça nova:

— Está se divertindo?

— Nunca me diverti tanto.

Jim se senta em uma cadeira vazia, ao lado de Penélope.

— Muito obrigado por isso, Pen. Impossível celebrar de uma maneira melhor.

Penélope, envolta em um cafetã azul, com um lenço de seda branco enrolado no pescoço, faz um gesto negativo com a cabeça.

— Foi Eva quem cuidou de tudo, eu juro. Tudo o que fiz foi abrir caminho e deixar as coisas acontecerem.

Eva chega por trás de Jim e coloca a mão em sua nuca.

— Como foram as coisas com Howard?

— Ótimas. — Ele se vira para olhar em seus olhos. — Como você o encontrou?

Ela sorri.

— Por meio de Helena, você acredita? Entrei em contato por e-mail. Ela disse que Howard e Cath haviam se mudado para St. Agnes. Em seguida, fiz uma pesquisa simples no Google. Howard é o presidente da Associação dos Residentes de St. Agnes.

— É mesmo? Bem, ele *realmente* parece ter se endireitado depois de velho...

— Ei — diz Toby. — Pare de falar sobre velhice. Alguns de nós ainda não chegaram aos setenta.

— Tudo bem. Chega de velhice.

Setenta: uma idade que antigamente parecia inconcebível para Jim, a de um velho corcunda, que anda arrastando os pés, esperando pelo momento de sair discretamente do quarto. Mas Jim não está corcunda e não arrasta os pés; alguns quilos a mais ao redor da cintura, talvez, com o rosto marcado pelas rugas e pela flacidez — mas ainda está alerta e vigoroso, vivo e sabendo o quanto cada momento que passa é precioso.

Ele ergue o braço para tocar a mão de Eva; segura-a com força, como se a pressão da sua mão na dela pudesse comunicar essa gratidão. E talvez possa; Eva retribui o gesto, segurando firme; os dois olhando para o horizonte, onde as enormes ondas estão arrebentando, trazendo consigo a solidão profunda e não correspondida do mar aberto.

Versão 1

Kaddish
Londres, janeiro de 2012

Um dia desbotado de inverno em Londres — úmido, com vento forte, as calçadas encharcadas pela chuva intermitente. Na entrada do crematório, os familiares e amigos se amontoam, as mulheres mais velhas seguram o tecido das saias esvoaçantes. Um grupo de fumantes está ali perto, protegendo as chamas dos isqueiros com as mãos.

Eva observa a tudo pela janela do lado do passageiro do carro da família. Está segurando a mão de Thea com força e pensando em outros funerais — o de Vivian, em Bristol, com a geada cobrindo a grama ao lado da sepultura; o de Miriam, numa quinta-feira fresca de primavera, com narcisos espalhados em vasos ao redor da sinagoga; o de Jakob, austero e simples, como ele desejava que fosse. Qualquer coisa é motivo para não pensar no carro fúnebre, que para diante deles; nas flores — lírios brancos, as favoritas de Anton, disse Thea, com uma certeza que Eva não ousou questionar — dispostas ao redor do caixão. Uma peça simples de carvalho com alças de latão. Haviam concordado que Anton não iria querer nada mais elegante do que aquilo.

O irmão não havia feito nenhum preparativo para o funeral. Um testamento, sim; haviam elaborado o documento logo depois do casamento, disse Thea, durante uma das noites insones que as cunhadas passaram diante da mesa da cozinha nos dias após a morte de Anton, esperando até que o alvorecer se transformasse no próximo dia interminável. Mas ele era supersticioso em relação a funerais: não queria pensar no seu, com medo de provocar o destino. Eva — irritada, exausta, terminando de tomar sua sexta caneca de café — achou difícil reconciliar aquela informação com o homem que Anton havia se tornado: um avô, um despachante aduaneiro, um homem de substância. Para ela, era difícil de acreditar que o garoto que ele foi um dia — caótico e cheio de peraltices — continuava a viver nessa relutância infantil a admitir os processos administrativos da morte.

Sem instruções, portanto, Eva e Thea colocaram seus planos em ação. Uma cremação, nada que seguisse alguma doutrina específica, Thea insistiu; e Eva — embora pensando reservadamente nos gestos rituais apaziguadores das cerimônias judaicas dos seus pais — não discordou. Thea, alerta aos sentimentos da cunhada, sugeriu que alguém (Ian Leibnitz, talvez?) pudesse recitar o kadish. Nas primeiras horas após o ataque cardíaco de Anton — ele e Thea estavam em uma festa de Ano-Novo; no hospital, a família ficou cercada por pessoas entristecidas em trajes de festa —, as cunhadas perceberam que o carinho mútuo que sentiam há muito tempo estava se transformando em algo sem palavras, a terrível intimidade da dor. Decidiram que escreveriam a eulogia juntas, para ser lida pela mestre de cerimônias; nenhuma das duas achava que teria força suficiente para falar com as próprias palavras. Hanna leria um trecho de Dylan Thomas. A gravação de Jakob da "Sonata a Kreutzer" iria tocar quando as cortinas de veludo se fechassem.

Houve certa satisfação na condução desses preparativos: uma lista de tarefas cumprida com bastante eficiência. Mas nenhum preparativo foi capaz de preparar Eva para a sensação de estar no carro que seguia o corpo do irmão, ou de passar pela entrada coberta do crematório, sentindo Thea encolher e fraquejar ao seu lado.

Hanna, saindo do banco traseiro com o marido, Jeremy, se aproxima para segurar o braço de Thea. Eva aperta o ombro da sobrinha em sinal de gratidão e depois passa por entre as pessoas que vieram se despedir de Anton, agradecendo-as; aceitando abraços, pêsames e lágrimas. Jennifer se aproxima e acompanha a mãe; Susannah (uma menina temporã, concebida após muitas tentativas infrutíferas de fertilização *in vitro*, e que hoje é uma garota discreta e observadora de quatro anos de idade) está ao lado do pai, Henry. Ao lado deles estão Daniel e Hattie; esta última usa um cachecol *vintage* de pele e um vestido azul-escuro que envolve os contornos de sua gravidez. Ao lado de Hattie está Jim, uma figura magra e de cabelos brancos com um paletó preto. Ele perdeu peso desde que parou de beber; parece estar diminuído, de alguma forma, embora ninguém considere que essa seja uma mudança para pior.

— Eva. — Jim se aproxima e coloca as mãos enluvadas nos braços dela. — Eu lamento muito.

Ela assente.

— Eu sei. Obrigada por ter vindo.

A mestre de cerimônias está pedindo educadamente a todos que entrem; na porta, Eva sente uma mão segurar a sua: Carl. Ele chegou sozinho ao crematório; manteve-se distante enquanto ela cumprimentava os presentes, permitiu que tivesse o espaço de que precisava, como é de sua índole. Eva fica grata a ele agora, pela pressão reconfortante da mão, pelo vulto alto, esbelto e sólido como um veleiro.

— Fico feliz por você estar aqui — sussurra ela.

— Eu também.

Todos concordarão, depois, que a cerimônia foi bonita. A florista colocou três enormes arranjos de lírios e íris ao redor do pedestal central. Ian Liebnitz recita o kadish num barítono forte e elegante. A eulogia é ao mesmo tempo informal e dignificada, com um punhado respeitoso de piadas, e a mestre de cerimônias não comete nenhum erro. Hanna sente a voz ficar embargada num dos trechos do poema, mas consegue recuperar a compostura após alguns momentos e prosseguir. O som do violino de Jakob — arrebatador, vibrante, como se escavasse um veio profundo e atavístico de tristeza — enche a sala enquanto as cortinas se fecham lentamente.

A vigília ocorre na casa de Pimlico, onde os funcionários do restaurante contratado para a ocasião prepararam um bufê com frango assado e salada de batatas, almôndegas norueguesas e salmão grelhado. Os garçons passam silenciosamente, oferecendo bebidas. Eva aceita uma taça de vinho branco e pensa nas inúmeras vezes que ergueu um copo como esse para brindar à saúde do irmão; na festa de aniversário dos sessenta anos dele, há mais de uma década, quando ele e Thea astutamente a colocaram sentada ao lado de Carl Friedlander.

Carl — discretamente, sem alarde — entrou na vida de Eva com uma velocidade e facilidade que pegou os dois de surpresa. Haviam começado com um café, depois com um show de música, e depois com uma visita ao Tate Modern numa tarde de sábado que se transformou em um convite para um jantar; alguns dias depois, um jantar na casa de Eva em Wimbledon se transformou num convite para que ele passasse a noite ali. Ele a levou para um passeio de barco no fim de semana, saindo de Cowes. Ela pediu que ele viesse passar o Natal; ele a convidou para celebrar o aniversário em Guildford com a filha, Diana — uma mulher amistosa e de conversa tranquila, a quem Eva imediatamente se afeiçoou —, e a neta Holly. No ano seguinte, no início de dezembro, Carl lhe deu um presente inesperado: passagens de avião para Viena e três noites em um bom hotel. Eles se esconderam do frio dentro de cafeterias com paredes revestidas de madeira, comendo o delicioso bolo de chocolate *Sachertorte* (delicioso, mas que não chegava nem aos pés do que a mãe dela fazia) e tomando café com leite. Assistiram a *Die Fledermaus*. Encontraram o apartamento onde Miriam nasceu — um prédio alto e sem grandes atrativos, cujo piso térreo agora era ocupado por uma loja de sapatos — e foram até a plataforma da estação de trens onde ela se despediu da mãe e do irmão, sem saber se chegaria a vê-los outra vez. Eva chorou naquele momento, e Carl a amparou, sem qualquer constrangimento, até que ela não chorasse mais.

Ele é um homem inteligente, carinhoso e, essencialmente, uma pessoa com o coração leve; a tristeza que Eva sentiu na primeira vez que se encontraram arrefeceu com o tempo e com essa nova possibilidade de amor. Mesmo sem querer, ela compara Carl com Jim, com a inquietação que sempre existiu no coração do pintor. Ela amava aquela característica, assim como cada parte dele; encarou-a como o impulso natural da sua necessidade de desenhar, de pintar, de moldar o mundo para poder compreendê-lo. E talvez fosse isso mesmo; talvez, se a vida não os houvesse conduzido pelo caminho que conduziu, essa inquietude o tivesse levado a se tornar um artista melhor, como o seu pai.

Ela não sentiu qualquer satisfação ao saber que o fato de Jim tê-la trocado por Bella acabou se voltando contra ele, e que aquilo não lhe deu a nova injeção de energia (pela arte, pelo amor, pela vida) que ele acreditava conseguir. A raiva de Eva já havia passado há muito tempo. Jim era uma parte dela, sempre seria. Quando pensava nisso, lembrava-se de uma música de Paul Simon que ouviu várias e várias vezes no início da década de 1980, como se pudesse conter a resposta para a pergunta que ela não havia formulado: "You take two bodies and you twirl them into one. Their hearts and their bones. And they won't come undone."[1]

Eva sentiu a verdade da letra naquele momento, e ainda sente, embora ela e Jim agora não sejam nada um em relação ao outro além de ex-amantes, pais e avós; sobreviventes banhados nas águas mais calmas da velhice. Ainda que o garoto que ele foi há tantos anos em Cambridge, abaixando-se para ajudá-la à beira do caminho, tenha se transformado num homem pálido, magro, quase um idoso. E embora a garota que Eva foi agora esteja escondida lá no fundo de si mesma, sob uma pele mais flácida e cabelos grisalhos, por baixo de todos os detritos acumulados pelo tempo.

Em algum ponto da tarde, Eva sai para o jardim dos fundos para fumar um cigarro. (Sua incapacidade de largar o vício é o único tópico de discordância entre ela e Carl.) É lá que Jim a encontra.

— Não parou de fumar ainda?

Ela faz que não com a cabeça e lhe oferece o maço.

— Eu sei que *você* não parou.

— Todo mundo tem direito a ter alguns vícios. — Jim pega um cigarro e aceita o isqueiro que ela lhe estende. — Mas diminuí, pelo menos. Cinco por dia.

— Achei que isso era a recomendação para o consumo de legumes.

Ele sorri. É o mesmo sorriso de sempre, embora a pele ao redor da boca tenha se enrugado e murchado, assim como aconteceu com ela. Quantas vezes eles ficaram frente a frente, fumando, conversando, fazendo planos? Mais do que se podia se lembrar.

— Sim, pois é. Estou fazendo o que posso nesse aspecto também.

Os dois ficam algum tempo em silêncio, contemplando a grama fria e úmida, as árvores desfolhadas. Acima deles, as nuvens estão se acumulando, escurecendo: o dia mal se incomodou em trazer alguma luz, e logo a noite voltará a cair também.

— Não parece certo, um mundo sem Anton — diz Jim. — Ele sempre parecia ser tão cheio de vida. Maior do que tudo. Lembra-se de quando ele fez trinta anos? Aquele ponche horrível e todo mundo passando mal de tanto fumar maconha.

---

1. Em português: "Você pega dois corpos e os transforma em um. Seus corações e seus ossos. E eles não vão se separar".

Ela fecha os olhos. Consegue ver a velha casa em Kennington; a mobília branca, o jardim murado, as luzes penduradas nas árvores. Com a clareza trazida pelo tempo, Eva consegue perceber que as coisas estavam começando a dar errado ainda naquela época, consegue se lembrar de Jim segurando-a nos braços enquanto dançavam e consegue se lembrar de querer que as coisas dessem uma guinada para melhor. E foi assim que aconteceu, por algum tempo. As coisas realmente melhoraram.

— É claro que me lembro. Meu Deus, trinta anos parecia ser uma idade bem avançada na época, não foi? Não fazíamos a mínima ideia.

— Eva... — Ela abre os olhos e vê que Jim a observa com uma nova intensidade. Ela engole em seco.

— Não, Jim. Por favor, não faça isso. Não agora.

Ele pisca os olhos.

— Não. Eu não... não quero pedir perdão. Não hoje. Não outra vez. Sei que você está feliz com Carl. Ele é um bom homem.

— É, sim. — Ela dá uma longa tragada. Ao seu lado, Jim está inquieto, apoiando o peso do corpo em um pé, depois noutro. Sente uma pontada de medo começando a se formar dentro de si. — Jim? O que foi?

Ele hesita por um momento e solta uma pequena nuvem de fumaça pela boca. E diz em seguida:

— Não posso lhe dizer hoje. Não no dia de Anton. Talvez você possa vir me visitar na próxima semana? Aí podemos conversar.

Eva terminou o cigarro. Solta a bituca e a esmaga com o pé.

— Parece que o assunto é sério.

Ele olha para ela outra vez e não desvia os olhos.

— Sim, Eva. Mas não hoje. Venha me visitar. Por favor.

A pontada de medo se espalhou pelo corpo dela; cresceu e serpenteou até chegar ao seu peito, à garganta. Jim não precisa dizer mais nada. Ela irá até a casa dele: vai ouvir o que os médicos disseram, quanto tempo ele ainda tem. Vai ajudá-lo a fazer seus planos; acalmá-lo, se puder. *Corações e ossos.* Uma mulher jovem com uma bicicleta quebrada. O homem que ela poderia facilmente não ter percebido; sem parar, passando por ela, levando com ele uma vida inteira, uma vida que poderia nunca ter sido dela.

— É claro que irei — diz ela.

Versão 2

Kaddish
Londres, janeiro de 2012

— Cigarro? — pergunta Toby. — Acho que ainda dá tempo.

Jim faz que não com a cabeça.

— Parei de fumar.

— Você nunca parou de verdade. — Toby o observa, impressionado.

— Bem, meu velho, as coisas mudam, não é?

Ele fica ao lado de Toby enquanto o primo acende o cigarro, inalando a primeira tragada relaxante. Há alguns outros fumantes que ficam mais afastados, reconhecendo uns aos outros com uma expressão que não é realmente um sorriso. Não é um dia para sorrisos, embora não seja assim que Jim vá se lembrar de Anton Edelstein para sempre: vigoroso, expansivo, sorridente.

Já faz muitos anos que Jim viu Anton pela última vez, mas, nos meses mais recentes, viu alguns retratos dele no Facebook: Toby, Anton e o amigo Ian Liebnitz em um *tour* pelas destilarias de uísque em Speyside; Anton, passando as férias na Grécia com a esposa Thea; Dylan havia aberto uma conta no Facebook para Jim durante a última visita a Edimburgo.

— É bom para manter contato com a sua galera, não é? — disse ele, e Jim assentiu para o filho, sem querer trair sua relutância; o fato de que a maior parte dele não consegue entender como e quando o mundo decidiu derrubar as paredes que, até algum tempo atrás, impediam discretamente que a vida privada fosse observada publicamente.

Os únicos "amigos" do Facebook que ele tem são Dylan, Maya, Toby e Helena. (Ela é dada a postar mensagens motivacionais fajutas na linha do tempo de Jim, sabendo que isso o irrita profundamente. *Toda vez que você encontra um pouco de humor em uma situação difícil, é sinal de que teve sucesso. Não deixe as decepções de ontem dominarem os sonhos de amanhã.)* Ele hesitou em pedir a Anton Edelstein que o adicionasse como amigo, justificado pela ideia — provavelmente anacrônica — de que uma amizade virtual devia surgir de algo mais do que um contato distante, embora cordial. Mesmo assim, ele chegou a se flagrar navegando pelas fotografias de Anton, procurando um rosto em particular.

Não demorou muito tempo até que encontrasse Eva. Ela estava sentada a uma mesa em um terraço ensolarado; atrás dela se erguiam as plumas distantes de pinheiros, e uma faixa reluzente de água — uma piscina — era visível ao lado do braço esquerdo. As mudanças que o tempo trouxe a ela o chocaram por um momento. (Ele frequentemente tinha a mesma sensação quando olhava para o próprio reflexo no espelho.) Contudo, fundamentalmente, ela quase não havia mudado; ainda era magra, com feições delicadas; ainda estava completamente viva. Jim percebeu que o luto não a destruiu e, por isso, sentiu uma espécie de gratidão.

O cortejo fúnebre está se aproximando; o rabecão se aproxima lenta e respeitosamente até parar. Os fumantes se agitam, como se tivessem sido apanhados em algum ato ilícito. Jim, virando-se, vê as portas do carro da família se abrindo, Eva descendo, segurando firmemente a mão da cunhada. Parece estar menor do que na fotografia, do que nas muitas imagens dela que Jim reteve em sua mente. Os pés, em um par de sapatos pretos elegantes, parecem minúsculos; o corpo, encerrado graciosamente em um casaco escuro de lã cinza com um cinto, é esbelto como o de um pássaro. Ela não o percebe. Sua atenção está concentrada na entrada coberta da funerária, onde as outras pessoas estão se reunindo. Ao seu lado, Thea Edelstein é o espectro pálido de uma mulher, os olhos marcados pelas veias vermelhas; até mesmo olhar para ela parece invasivo. A filha, Hanna, desce do banco traseiro, com um homem bonito e loiro que Jim imagina ser seu marido.

Ele é tomado subitamente pela certeza de que não devia ter vindo. Sente dificuldade para respirar; diz a Toby, entre golfadas de ar, que vai esperar ali fora por alguns minutos e entrará em seguida. Toby o encara.

— Está tudo bem com você?

— Sim. Preciso só tomar um pouco de ar.

Jim fica sozinho até que todas as outras pessoas tenham entrado; a parede de tijolos é áspera sob a sua mão. É o pior dos dias de inverno de

Londres — monocromático, sem qualquer alegria, pancadas de chuva levadas por um vento gelado —, mas ele não sente o frio. Está pensando no consultório médico do hospital. Não chegava a ser um consultório de verdade, somente uma sala sem janelas. Uma mesa, um computador, um leito coberto com uma folha fina de papel. Conforme o médico falava, Jim lia um pôster que estava na parede. *Já lavou as mãos? Todos podem contribuir para evitar que a bactéria SARM se espalhe.*

Durante vários dias, foi aquilo que ficou registrado na mente de Jim, e não o que o médico lhe disse, embora as palavras também tivessem se fixado, é claro. Esperando a ocasião propícia chegar. Esperando, como minas terrestres, para explodir a certeza casual de que a sua vida continuaria a ser como sempre foi.

— Vai entrar, senhor? — O coveiro está sombrio com o seu terno e chapéu. — Vou chamar as pessoas para carregar o caixão.

No interior do salão, três enormes arranjos de flores azuis e brancas estão dispostos ao redor do palanque central. Ian Liebnitz recita o kadish, que Jim conhece apenas de passagem, por meio de um poema de Allen Ginsberg; não está preparado para aquela tristeza nua e explícita. A mestre de cerimônias entoa a eulogia — escrita, diz ela, pela viúva de Anton e pela irmã. (Na primeira fileira, Jim vê Eva baixando a cabeça.) Hanna Edelstein lê o poema de Dylan Thomas, uma presença familiar em muitos funerais, mas que se transforma em algo único em sua voz potente e determinada, que vacila apenas nas últimas linhas. As cortinas se fecham lentamente ao som de um violino solitário. Mais tarde, Jim vai identificar a música como o primeiro movimento da "Sonata a Kreutzer" de Beethoven.

Ele pensa, é claro, no funeral da mãe; na terra gelada de Bristol, nas vigas de sustentação do teto da igreja, bem altas; em sua raiva, que ainda ardia naquela época. Passou muito tempo sentindo raiva: raiva por Vivian, por forçá-lo a carregar o fardo da sua doença, e depois por permitir que ela a dominasse. Raiva por seu pai, por não lhe mostrar como amar uma mulher, e apenas essa mulher — e por ser, Jim sabe bem disso, um artista melhor do que ele. Raiva por si mesmo por não permitir que ninguém — nem Helena, e certamente não Caitlin — o conhecesse verdadeiramente. Conseguiu, durante muitos anos, canalizar essa raiva para o seu trabalho, mas hoje ele sabe que a raiva é algo para homens jovens.

Não sente mais raiva; não conseguiu encontrar a raiva nem mesmo no médico, ou nos fatos graves que ele dispôs para que Jim inspecionasse. Fatos dos quais era impossível discordar.

Depois da cerimônia, as pessoas vão até o jardim, caminhando lentamente por entre os tributos floridos. Jim lê o cartão que está preso a um buquê de rosas brancas. *Para um estimado colaborador e amigo. Muitas saudades. Carl Friedlander.*

— Jim Taylor.

Ele ergue o rosto. Ela está com os olhos úmidos, tentando sorrir.

— Eva. Eu sinto muito.

— Obrigada. — Ela se aproxima e coloca a mão em seu braço.

Cheira a pó de arroz e a algum perfume adocicado. Por que ele sempre sonhou com ela, essa mulher que mal conhece, desenhou sua imagem com o lápis, misturou tintas a óleo para conseguir o tom exato da sua pele, dos seus cabelos, dos seus olhos? Jim nunca conseguiu responder a essa pergunta. Agora, percebe que a presença dela é a única resposta.

— Foi muita gentileza sua vir até aqui. — Ele percebe intensamente a leve pressão que a mão de Eva exerce em seu braço. — Acompanhei a sua carreira durante os anos. Você conquistou muitas coisas.

— Conquistei? — Jim não consegue evitar. A atitude defensiva é a arma que utiliza com mais frequência atualmente. Mas ela parece estar fragilizada, e, assim, ele decide não confrontá-la. — Obrigado. Gentileza sua dizer isso. E você... bem. Eu li todos os seus livros.

— É mesmo? — Aquele meio sorriso brinca novamente nos lábios dela. — Você deve gostar de sofrer.

Ele gostaria de dar uma resposta, mas Eva está olhando por cima dos seus ombros.

— David — diz ela ao homem que está atrás dele: David Katz, percebe Jim quando se vira. Um homem idoso agora, com uma cabeleira branca e um paletó preto que parece ser bem caro.

Eva está se afastando de Jim.

— Você vai para a casa do meu irmão, não é? Lupus Street, vinte e cinco. Por favor, venha.

Ele não tinha planos de participar da vigília, mas acaba mudando de ideia. Fica junto de Toby, um pouco constrangido, pegando uma taça de vinho tinto da bandeja de um garçom. É uma linda casa: estilo georgiano, com pilares; o interior é decorado numa paleta discreta de tons marítimos, cinza, branco e azul. Jim pensa, com uma saudade súbita e profunda que chega até a surpreendê-lo, na Casa: sua amada residência na Cornualha, feita de concreto e vidro, com a enorme vidraça emoldurando pedras, mar e céu.

A casa, é claro, ficará para Dylan, junto a todo o resto. Jim já instruiu seu advogado e pediu que verificasse o testamento. Ele vai jantar com Stephen esta noite. Vai contar tudo ao amigo, começar a fazer os preparativos para o seu legado (uma palavra que dá à obra da sua vida uma importância maior do que Jim suspeita que realmente mereça). Amanhã, vai fazer a jornada para o norte, para falar com Dylan, Maya e Jessica. Pensar no rosto de Dylan quando lhe der a notícia faz com que a visão de Jim fique enevoada, como se a neve estivesse caindo.

Cerca de uma hora depois — é o meio da tarde, e a noite já está chegando —, Eva vai até onde ele está. Ela tirou o casaco; seu vestido de lã preta é elegante e bem cortado. Jim a observou durante todo o tempo enquanto ela andava entre os convidados, agradecendo-os por virem, com a voz leve e solícita; se não fosse pela rigidez ao redor dos olhos, ela poderia ser uma anfitriã qualquer oferecendo uma festa comum. Jim sente uma onda de admiração por ela — pelos sacrifícios que fez, pelos anos que deve ter perdido enquanto cuidava de Ted. Mas talvez Eva não veja as coisas dessa maneira; talvez seja uma daquelas pessoas para quem o desapego ocorra com facilidade. Ele conhece a si mesmo suficientemente bem para admitir que essa característica nunca fez parte de sua personalidade.

— Desculpe por não ter mais tempo para conversar — diz ela. Os dois estão sozinhos diante da janela do jardim; mais adiante, os contornos das árvores estão começando a esmaecer. — É estranho que os funerais exijam que uma pessoa seja sociável, quando isso é a última coisa que ela quer ser.

Jim olha para os pés, pensando que talvez ela esteja se referindo a ele; que a presença de alguém como ele — um mero conhecido — seja exatamente o estorvo no qual ele temia se transformar.

— Oh, eu não estava falando de você — acrescenta ela rapidamente, como se Jim houvesse se expressado em voz alta. — Estou contente por estar aqui. Eu sempre... — Eva hesita, e ele observa o contorno do queixo da mulher. Mais abaixo, entre os ombros, há um coração prateado. — Sempre senti que eu o conhecia melhor do que realmente conheço. É engraçado. Recebi o cartão que você mandou. Guardei-o por vários anos. O Hepworth.

— *Oval nº 2*. — Jim sentiu raiva de si mesmo depois de enviá-lo; esperou uma resposta durante semanas, embora soubesse que havia composto a mensagem de modo a não deixar brecha para que ela respondesse.

— Isso mesmo. *Oval nº 2*. Passei um bom tempo olhando para ela, tentando entender se havia alguma mensagem escondida.

Havia. *Deixe-o para trás. Volte para a Inglaterra. Ame-me.* Ele havia escondido a mensagem bem demais.

— Nenhuma, além de lhe desejar felicidades. — Ele a olha nos olhos, esperando que ela compreenda o verdadeiro significado.

— Sim. Foi o que eu imaginei. — Um silêncio curto e carregado. Em seguida: — Também escrevi um cartão-postal para você.

— É mesmo?

— Sim, quando soube do falecimento da sua mãe. Mas não o mandei. Decidi que não havia nada que eu pudesse dizer que alguém já não tivesse dito.

Ele não consegue evitar um leve sorriso.

— Sabe de uma coisa? Fiz exatamente o mesmo.

Olhando para ele. Com os olhos escuros como a noite, questionadores.

— É mesmo?

— Sim. Escrevi para você outra vez, depois que o seu marido morreu. Havia lido o seu livro e ouvido você falar no rádio. Sentia que conhecia muito a respeito de vocês dois... mas, depois que escrevi a carta, percebi que não conhecia nada, na verdade. Então, a rasguei.

— Nossa! — Uma mulher que Jim não reconhece se aproxima de Eva; alta, com um rosto gentil e de ossatura grande. Eva se vira para ela. — Daphne. Obrigada por vir. — A mulher a abraça e, em seguida, se afasta. A atenção de Eva está concentrada nele de novo, e Jim se dá conta, de uma forma que o surpreende, que deseja profundamente aquela atenção.

— Oportunidades perdidas, eu imagino — diz ela.

— Sim. Oportunidades perdidas.

Eva vira o rosto, olhando para o jardim. Ele sente a lenta ponderação de uma decisão.

— Este não é o lugar nem o melhor momento para conversar — diz ela. — Conversar apropriadamente, entende? Mas talvez possamos fazer isso. Que tal nos encontrarmos outro dia? — E, em seguida, acrescenta com um pouco de ansiedade. — Somente se você quiser, é claro. Sei que ainda mora na Cornualha. E passo bastante tempo na Itália. Mas estarei em Londres nos próximos meses. Talvez, se você vier à cidade...

Agora é a vez de Jim desviar o olhar. Ele tem uma visão estranha, na qual a vida deles passa como dois trilhos separados, que agora, súbita e inesperadamente, começam a convergir. Deveria dizer não. Ela só está propondo um café — ou chá, talvez em algum lugar seguro e sem nada de ameaçador: a Galeria Wallace, talvez, ou a cafeteria da Academia Real. E, ainda assim, certamente será mais do que isso. Ele sabe. Já sabia quando conversaram no Algonquin; sabia na festa de Anton, quando ela ficou ao seu lado nos degraus da galeria de Stephen. Nesses momentos, assim como agora, ela hesitou, prestes a tomar a decisão, e decidiu que ele não era a melhor escolha. Agora, talvez, ela tenha decidido que é.

Ele não devia dizer sim. Eva perdeu Ted; não devia ter de encarar a possibilidade de perder outra pessoa novamente. E, ainda assim, não consegue recusar o pedido. Não tem forças para isso. Ou talvez seja egoísta demais; mais tarde, não conseguirá decidir qual das duas opções é verdadeira. Mas haverá empolgação também — a possibilidade de que o próximo encontro possa aparar as arestas do seu medo quando viajar para o norte a fim de encarar Dylan, para a conversa que ensaiou tantas vezes, mas para cujo impacto não pode realmente se preparar.

— Eu adoraria muito — diz ele.

Versão 3

Kaddish
Londres, janeiro de 2012

— Está tudo bem? — pergunta ela.

Ele se vira para encará-la. Ela sente um enrijecimento nele; percebe que ele aspira o ar.

— Sim, tudo bem.

Ela se aproxima, segura em sua mão. Diante deles, as flores: crisântemos brancos, calêndulas alaranjadas, uma cascata de lírios e íris.

— Bonito, não é?

Jim não diz nada. Do outro lado do jardim, as pessoas que vieram para o funeral estão começando a se dispersar, indo até os carros estacionados.

— Podemos ir para casa agora — diz Eva. — Não precisamos participar da vigília.

— Não. — A mão dele aperta a de Eva com mais força. — Não, nós precisamos ir. Precisamos demonstrar respeito por Anton. E por Thea e Hanna. Não podemos ir embora por minha causa.

No carro da família, Eva se senta no banco traseiro, ao lado de Hanna, como ocorreu no trajeto até o crematório. Jim está no banco da frente, ao lado do motorista, com as costas rígidas, sem admitir nada. Está desse jeito há uma semana: distante, silencioso; desde o dia em que eles foram ao consultório do médico no hospital.

Eva soube, desde o momento em que o médico pediu — ou melhor, exigiu — a biópsia, que os resultados não seriam bons. Mas ainda teve dificuldade de absorver as palavras; ficou imaginando que estava escutando a notícia não em uma cadeira de plástico, disposta em um ângulo reto diante da mesa do médico, mas sim a uma distância enorme. *Por favor,* pediu ela silenciosamente, sem saber a quem estava se dirigindo. À sua mãe, talvez, ou a Jakob, com seu rosto gentil e sábio. *Acabei de perder o meu irmão. Não permita que eu perca o meu marido também.*

A voz do médico havia se reduzido a um eco frágil. E Jim, porém, estava escutando atentamente, inclinando-se para a frente, fazendo anotações cuidadosas no bloco que Eva sugeriu que ele trouxesse. Depois, ela repassou aquelas notas, preenchendo as lacunas com sua própria compreensão. *Com quimioterapia*, escreveu ele, de *12 a 18 meses. Sem, de 6 a 8 meses.* Havia sublinhado *de 6 a 8* três vezes.

Eles decidiram que só contariam à família após o funeral de Anton.

— Não podemos sobrecarregá-los com mais essa notícia, especialmente agora — disse Jim. — E eu preciso de um tempo para assimilar isso tudo. — Eva concordou; de qualquer maneira, não conseguia imaginar o que falar para dar uma notícia dessas.

E assim, por enquanto, é somente entre os dois e a gentil enfermeira do hospital Macmillan, que saiu de Brighton e foi até a casa deles há dois dias, se sentou no sofá, tomou o chá e lhes mostrou um folheto impresso com cores primárias bem alegres.

— A quimio vai lhe dar algum tempo extra, sr. Taylor — disse a enfermeira. — Vale a pena, não acha?

Eva esperou que Jim concordasse com ela, mas ele não respondeu.

Ele ainda não chorou; seus olhos permaneceram secos, mesmo durante a cerimônia de Anton, que ocorreu exatamente como ela e Thea haviam planejado. Ian Leibnitz recitou o kadish. A mestre de cerimônias leu a eulogia que Eva ajudou Thea a escrever. Hanna — a corajosa Hanna — leu o poema de Dylan Thomas. A gravação de Jakob da "Sonata a Kreutzer" encheu a sala quando as cortinas de veludo se fecharam. Foi nesse momento que Eva chorou; seus ombros tremeram e a respiração veio em arfadas curtas. Thea colocou o braço ao redor das costas da cunhada, e ela se sentiu envergonhada; era ela quem devia estar confortando Thea, pois já compreendia como era perder alguém muito próximo. Com um enorme esforço, obrigou-se a pensar em Anton como, sem dúvida, ele gostaria que fosse lembrado pela irmã — feliz, agradável, sorridente — e em Jim como está agora, sentado ao seu lado, e não em como estará em breve.

Thea contratou um bufê para a vigília. Colocaram travessas de comida na sala de jantar — frango assado e salada de batatas, almôndegas norueguesas e salmão grelhado. Os garçons passam silenciosamente oferecendo taças de vinho em bandejas de prata.

Ao sair do banheiro, Eva fica sozinha por um momento na entrada da sala, observando o movimento. Em um dos cantos, Penélope e Gerald estão conversando com David e Jacquetta, alta e impressionante em um vestido de veludo preto. Rebecca e Garth estão conversando com Ian e Angela Liebnitz, Toby, o primo de Jim, e o sócio de Anton na empresa, Carl Friedlander. Sophie e Pete estão diante das janelas que dão para o jardim. Mais adiante, na luz fraca da tarde — o dia estava frio, úmido, implacavelmente cinza —, Alice está brincando no jardim com Alona e Miriam; Hanna está no andar de cima com Thea, aproveitando para descansar por um momento. Atrás dela, Sam e Kate estão vindo da cozinha. Ela não sabe para onde Jim foi.

— Mãe. — Sam a toca no braço. — Você está bem?

Ela se vira e abre um pequeno sorriso.

— Sim, querido. Tão bem quanto posso estar. E você?

— Segurando as pontas. Venha comer alguma coisa.

Eva enche um prato que sabe que não conseguirá terminar de comer. Ela não come muito desde a véspera do Ano-Novo, quando recebeu a ligação de Thea. Estavam em uma festa quando Anton teve o ataque cardíaco; Eva, Jim, Hanna e Jeremy passaram o resto da noite no pronto-socorro. Eva comeu ainda menos nesses quatro dias, desde a consulta de Jim no hospital.

— Vovó Eva. — Essa é Alice, com o rosto sério, como se estivesse lhe trazendo uma notícia importante. — O vovô quer falar com você lá fora.

Eva ergue o rosto — ali, no jardim, está Jim, de costas para a casa, uma sutil nuvem de fumaça erguendo-se sobre sua cabeça.

— Obrigada, Alice, querida. Pode levar este prato para a cozinha para mim?

O frio é um choque depois do calor aconchegante do interior da casa. Devia ter vestido o casaco; ela aperta o cardigã com força ao redor do corpo quando se aproxima.

— Aí está você.

Ele faz um sinal afirmativo com a cabeça. O cigarro está quase no fim. (Ele havia parado de fumar, mas começou novamente durante a longa noite insone no hospital.) Jim o esmaga com a ponta do pé.

— Vou fazer a quimio — anuncia ele.

— Que bom. — A voz de Eva está firme, sem trair o alívio.

Ele a encara com os olhos azuis.

— Parecia não fazer sentido. Dezoito meses em vez de oito; qual é a diferença?

Ela se aproxima, ficando bem perto, sem que seus braços cheguem a se tocar. Os arbustos se agitam do lado mais distante do jardim: o velho gato de Anton e Thea, Mefistófeles, em meio a uma caçada.

— Uma diferença enorme.

— Sim, sei disso agora. — Jim coloca o braço ao redor dela e a puxa para si. — Vamos contar a eles juntos, não é? Não nesta semana. No domingo, talvez. Podíamos fazer uma espécie de festa. Bem, não uma festa, exatamente. Mas você sabe o que eu quero dizer.

— Sim, querido. Sei, sim.

Em meio ao silêncio, eles ouvem a porta da cozinha se abrir: um rapaz e uma moça que Eva não conhece — os colegas de Hanna do hospital, provavelmente — estão saindo, segurando maços de cigarro, com as vozes altas, sonoras e confiantes.

Ao ver o casal idoso em pé no pátio, com os braços um ao redor do outro, a mulher mais jovem hesita.

— Oh, desculpem por perturbá-los.

Eva faz que não com a cabeça.

— Vocês não estão perturbando.

O jovem casal vai até a parte mais distante do jardim, onde Mefistófeles está farejando o ar, com o rabo colocado diante das patas dianteiras.

— Você me trouxe uma felicidade muito maior do que eu pensei que fosse possível — sussurra Jim no ouvido de Eva, com o hálito morno.

— E você é um romântico incorrigível — diz ela suavemente, porque a alternativa é se desmanchar em lágrimas e perder a compostura. E continua após um momento: — O que seria da minha vida sem você?

Ele não responde, porque não há uma resposta para dar; nada além de ficarem juntos, um sentindo o calor do outro, olhando para onde as sombras estão crescendo e a noite que se aproxima.

2014

É assim que tudo termina.

Uma mulher está no quarto no andar superior de uma casa em Hackney, separando as roupas em sacos plásticos pretos. Ouve a filha andando pelos cômodos do térreo; de vez em quando, a voz de Jennifer ecoa pelos cômodos vazios.

— Mãe, não sei o que fazer com isso. Desça aqui e me diga o que acha. — Ou então: — Quer parar para tomarmos uma xícara de chá?

Esta casa não pertence a Eva, mas ainda assim ela anda pelo imóvel com bastante familiaridade; sabe onde encontrar as colheres, as canecas. Ela e Jennifer compraram o leite naquela manhã, com um pequeno pacote de biscoitos. A limpeza da casa podia ter ficado a cargo de Bella ou de Robyn, mas elas moram muito longe agora, em Nova York. E, de qualquer maneira, Eva não permitiria que nenhuma outra pessoa cuidasse daquilo.

Camisas, ternos, jeans — tudo vai nos sacos plásticos. Meias sem o par correspondente, um blusão marrom esburacado por traças, um macacão manchado com respingos de tinta. Segurando a peça, Eva para o que está fazendo. Aqui está a casa de Gipsy Hill: estuque rosa, piso de tábuas sem carpete, o teto de vidro imundo do estúdio dilapidado do artista. Aqui está Jim, com o pincel em punho, virando-se quando Eva, após chegar em casa do trabalho, entra em uma sala recém-pintada. "O que achou, Eva? Gostou?" Aqui estão os braços de Jim ao seu redor, com respingos de tinta branca nos cabelos. Aqui está a resposta dela. "Gostei, Jim. Gostei *muito*."

Eva dobra o macacão cuidadosamente, deslizando as mãos sobre as dobras marcadas no tecido azul, e o coloca de lado. Tem muito poucos objetos com os quais pode se lembrar de Jim: alguns móveis, como a poltrona que ele comprou em uma loja de antiguidades para presenteá-la no quadragésimo aniversário, que agora está reformada e coberta por um tecido acinzentado, e uma mesa que encontraram no mercado de Greenwich. Uma caixa de fotos de família. Seu antigo exemplar de *Admirável mundo novo*, com as páginas amareladas, algumas delas se soltando da lombada.

Jim havia lhe dado o livro na última vez que Eva esteve aqui com ele, nesta casa. Era julho e fazia calor; ficaram sentados no jardim — que agora está tomado pelo mato; mais tarde, Eva ligaria para Daniel e pediria a ele que passasse uma tarde para dar um jeito no lugar — comendo o almoço que ela havia preparado: frango frio, tomates, uma salada de macarrão. Jim comeu pouco naquele dia; já estava fraco, as roupas estavam frouxas em seu corpo, e, quando ela o ajudava a sair da casa e o acomodava gentilmente em uma cadeira no jardim, ele mantinha os olhos fechados com força, como se tivesse com medo de olhar para ela e ver que Eva sentia pena dele.

Eles comeram e conversaram. Ela preparou café e Jim pediu que pegasse o livro que estava na mesa, ao lado da poltrona.

— Talvez você o reconheça — disse ele pela janela, e ela reconheceu: um exemplar da Penguin impresso em papel-jornal, emoldurado por duas grossas linhas vermelhas. *Admirável mundo novo*.

Ela o levou até o jardim.

— Eu o encontrei quando estava arrumando algumas coisas — disse ele. — Você sabe. Os preparativos.

Ele não precisava mencionar o motivo. Eva observou aquele rosto querido e familiar e sentiu-se tão cheia de amor por ele que, por um momento, foi impossível dizer qualquer coisa. Em seguida, recuperando a compostura, ela disse:

— Fiquei impressionada quando percebi que você estava lendo Huxley.

— Ficou mesmo? — Ele sorriu, e Eva olhou para o livro em seu colo; sorrindo, o semblante de Jim lembrava muito o homem que ele era antigamente: o rapaz por quem se apaixonou; o marido com quem construiu uma vida. Não uma vida perfeita, mas uma vida que pertencia a eles, apenas a eles, por todo o tempo que durasse. — Eu pensava que andar por aí com o livro faria com que eu parecesse um intelectual. Uma maneira de mostrar ao mundo que era mais do que um simples aluno de direito.

— Oh, qualquer idiota podia ver que você era mais do que aquilo. — Eva falou em tom de gracejo, mas ele estendeu o braço sobre a mesa para segurar sua mão.

— Não, não qualquer idiota, Eva. Só você. Apenas você.

A mão de Jim na sua era leve, fria; a pele fina e com a textura de papel, quase transparente em alguns lugares. Naquela mão estava tudo o que ela amou, tudo em que acreditou. Eva a segurou, e não houve raiva, não houve dor, não houve perdão; apenas uma mulher segurando a mão de um homem, oferecendo-lhe qualquer conforto que pudesse dar.

— Estou com medo, Eva. — Ele disse aquilo sem qualquer emoção na voz; estava olhando para o fundo da xícara de café. — Estou com muito medo.

— Eu sei que está. — Ela segurou na mão dele com mais força. — Vamos estar ao seu lado, Jim. Todos nós.

Ele a olhou nos olhos.

— Não tenho palavras para agradecer. De verdade.

— Não precisamos de palavras — disse ela. E ficou sentada em silêncio, segurando na mão dele, até que Jim sentiu o sono chegar, com os olhos se fechando. Depois, carinhosamente, ela o ajudou a voltar para a cama no andar de cima da casa.

Três dias depois, Jim foi internado no hospital. Lâmpadas fluorescentes e piso de linóleo; Jim passando a maior parte do tempo dormindo, o rosto sereno e pálido contra o travesseiro. O oncologista os reuniu na sala destinada às famílias — Eva, Carl, Jennifer e Daniel; Robyn e Bella estavam preparadas para partir dos Estados Unidos — para dar a notícia com uma compaixão, e até mesmo uma consideração, pela qual todos ficaram gratos.

A casa de repouso. Paredes de alvenaria, chafarizes; uma enorme nogueira que largava seus frutos no gramado, diante do quarto de Jim. Seu corpo que parecia ficar mais leve a cada dia, até que, no fim, não pesava quase nada, mal chegando a afundar no colchão onde dormia.

O crematório. Um belo dia de outubro — o sol pálido, folhas empilhadas em montes ao lado de uma entrada de cascalhos, vitrais lançando fachos de luz colorida pelo chão encerado. Bella, com os cachos escuros sedosos e presos; um casaco roxo e de aparência cara. Robyn, alta e de olhos azuis: a imagem do pai. Na capela, Bella parou diante do primeiro banco. Eva olhou para ela, cumprimentou-a discretamente com um aceno de cabeça, e Bella o retribuiu, sentando-se no banco. Ficaram sentadas ali, com Robyn entre as duas; Daniel, Hattie e Carl à esquerda de Eva; Jennifer, Henry e Susannah na segunda fileira. Quando a mestre de cerimônias tomou seu lugar, Eva sentiu uma aura de paz se formar ao seu redor; uma aura que nasceu em meio à tristeza, sim, mas que também trazia consigo gratidão, alegria e lembranças. *Eu amei você*, ela disse a Jim silenciosamente. *E olhe quantas coisas surgiram desse amor.*

E agora isto: o quarto de Jim. A casa de Jim. Organizando o que restou dos seus pertences, tudo de efêmero com o qual ele havia, por algum tempo, garantido seu lugar nesta vida.

Eva deixou a primeira gaveta da cômoda por último. Nela, sob pilhas de coletes e roupas íntimas, ela encontra um rolo de papel de desenho grosso, enrolado com força. Sobre o rolo, um bilhete, preso com um elástico. *Para Eva. Com amor, sempre. Jim.*

Ela abre o papel sobre a cômoda e vê a própria imagem. Linhas suaves traçadas a lápis. Um livro sobre o colo. O cabelo cobrindo uma parte do rosto; atrás dela, os quadrados de vidro que formam a janela do prédio da faculdade. É ela, e não é ela. Uma versão dela. A versão de Jim, ou a versão que uma vez ela lhe ofereceu.

Eva observa o desenho em silêncio, até ouvir a voz de Jennifer chamando-a novamente, e então desce para encontrá-la.

***

A história também acaba aqui.

Uma mulher está diante da enorme vidraça de uma casa na Cornualha, olhando para fora pela janela. Uma faixa enorme de mar revolto. O céu imenso, ilimitado, cheio de nuvens cinzentas e pálidas.

— Então vocês se conheceram em Nova York em 1963 — diz a repórter. Seu nome é Amy Stanhope (ela deu o cartão a Eva quando chegou) e é jovem — não tem mais de trinta anos. Sentada no sofá, segurando a xícara de chá que Eva acabou de preparar. — Você tinha... — ela consulta um caderno — vinte e quatro anos na época, mas só se juntaram depois que os dois já haviam passado dos setenta?

Relutantemente, Eva volta a concentrar sua atenção na sala.

— Por favor, não escreva "se juntaram" na sua matéria. Vai dar a impressão de que somos adolescentes.

— Desculpe. — Amy está um pouco acuada diante dessa mulher magra e de aparência formal, com os cabelos brancos presos com força, os olhos castanhos intensos e perscrutadores. Amy leu somente um dos livros de Eva Edelstein (*Cuide com carinho*, o livro de memórias sobre os cuidados que dispensou ao segundo marido, Ted Simpson). Partindo daquilo, e também do fato de que Eva havia decidido se tornar uma cuidadora pela segunda vez, de um homem por quem se apaixonou num estado tão avançado da vida, ela imaginou que a mulher seria alguém menos severo. Uma senhora idosa e gentil, apagada, possivelmente uma espécie de mártir.

— Mas foi quando vocês... se tornaram mais próximos, não foi? Há dezoito meses, logo depois do diagnóstico?

Eva confirma com um aceno de cabeça. De algum modo ela sabia, desde o momento em que viu Jim no funeral de Anton. Viu que ele lutava consigo mesmo; quis dizer a ele: *Não faça a coisa certa. Tenho certeza de que você percebe que devemos agir rapidamente, antes que essa última oportunidade se perca.* Em vez disso, ela perguntou se ele gostaria de se encontrar em outra ocasião. E eles se encontraram, poucos dias depois. Jim parou em Londres quando voltava de Edimburgo. Sugeriu que fossem tomar chá na cafeteria da Galeria Wallace. Eva estava nervosa; passou boa parte do tempo decidindo o que iria vestir. Escolheu um vestido verde-escuro que havia comprado em Roma no inverno anterior. No entanto, quando viu Jim Taylor, sentado no jardim da galeria, trajando aquele sobretudo preto, seu nervosismo se evaporou. Ele ergueu o rosto ao vê-la se aproximar, e ela sentiu que o coração queria lhe subir pela garganta.

Os dois passaram o restante da tarde juntos; encontraram-se novamente no dia seguinte para almoçar, antes que Jim tomasse o trem de volta a St. Ives. Eva o acompanhou até Paddington; lá, na plataforma do trem, ele disse o mesmo que havia dito ao filho. Entenderia se ela não quisesse voltar a vê-lo, se aquilo fosse demais para suportar.

Em meio ao clamor e à escuridão, em meio à movimentação das pessoas que passavam pela estação e aos gritos estridentes de uma criança pequena, Eva estendeu a mão e tocou seu rosto.

— Não é demais, Jim. Não é demais.

Voltando à sala da casa na Cornualha, Amy está falando.

— E você se mudou para esta casa alguns meses depois disso?

— Sim. Seis semanas depois do nosso reencontro.

Amy sorri.

— Muito romântico.

— Alguns chamariam de imprudência. Mas essa não era a nossa opinião.

Sua primeira visita a St. Ives. Ao vê-lo novamente, esperando por ela no final da plataforma, a empolgação de Eva era tão pura, tão revitalizante, que ela se sentiu como se tivesse vinte anos outra vez. O percurso até a casa os fez passar por chalés com telhas de madeira e campânulas brancas que se curvavam sobre a estrada; era fevereiro e a paisagem era uma pintura impressionista de brancos e azuis reluzentes. Jim abriu as janelas do carro a pedido de Eva, e a brisa gelada em seu rosto tinha o sabor do mar. Ao se aproximar da casa, ele disse:

— Nem tenho como expressar o quanto estou feliz por você estar aqui. Vai passar algum tempo aqui, não é? Tanto quanto quiser?

Ela ficou; insistiu para que Sarah e Stuart ficassem com a casa de Londres e colocou a casa de campo da Itália para alugar. (Queria levar Jim até lá, para descansar algum tempo sob o sol, mas ele estava enfraquecendo e não queria nada além de ficar em casa, na sua amada Cornualha.) Eva passava as horas escrevendo, ou no jardim; nos melhores dias, Jim tinha ânimo para ir até o estúdio e pintar.

— Se Matisse era capaz de ficar deitado na cama criando obras-primas com recortes de papel, então eu posso ao menos tentar pegar um pincel — dizia ele.

Nos piores dias, Eva sentava-se com ele no sofá da sala, ouvindo o rádio, assistindo a filmes antigos. Com frequência, o sono o vencia — era comum Jim estar cansado —, e ele apoiava a cabeça no ombro de Eva. Certa vez, ele acordou no meio de um dos filmes de David — fazia anos que havia visto aquele filme, e ela observava o ex-marido, fascinada, como se estivesse examinando uma filmagem do seu próprio passado — e perguntou:

— Aquele ali não é David Katz?

Eva confirmou, e Jim soltou um som que era algo entre um gemido e uma tossida.

— Eu o detestei logo na primeira vez que o conheci. Detestava o fato de que ele foi o primeiro a encontrar você. Mas agora somos nós que estamos juntos, não é? Gostaria apenas de ter mais tempo.

A jornalista, Amy Stanhope, está sentada naquele mesmo sofá agora. *Tivemos tão pouco tempo*, pensa Eva, e sente um nó se formar em sua garganta. Por distração, ela oferece outra xícara de chá a Amy, e à moça diz que adoraria, embora a caneca que tenha nas mãos ainda esteja pela metade.

Na cozinha, Eva consegue ver Jim por toda parte: mexendo a panela com o molho à bolonhesa no fogão; servindo café; envolvendo-a com um abraço enquanto ela estava diante do balcão, cortando os legumes para fazer a sopa. *Nosso amor era bom*, Eva diz a Jim em pensamento. Não era o amor vertiginoso dos adolescentes, ou o de um casal de meia-idade, desgastado pelo trabalho, pelos filhos, pelos tons e problemas do dia a dia; mas algo único e puro, verdadeiro, que não devia nada a ninguém. Se os filhos ficaram intrigados (e foi o que realmente aconteceu), bem, eles tiveram de aceitar as coisas como aconteceram. Jim e Eva concordaram que esse novo amor não apagaria aqueles que vieram antes; e também que não se deixariam perder em meio à imaginação sobre como as coisas poderiam ter sido.

Na Páscoa mais recente, Sarah veio passar alguns dias, com Stuart e Pierre, e todos ficaram sentados na varanda diante da cozinha, comendo e observando o sol se pôr na baía de St. Ives. Jim havia acabado de passar pela última sessão de quimioterapia; estava magro e enjoado, mas parecia feliz, tranquilo, perguntando a Stuart e Sarah sobre o trabalho em Londres, e sobre a música de Pierre. Lavando a louça na pia diante da qual Eva está agora, enchendo o bule com o chá, Sarah colocou o braço ao redor da mãe e a trouxe para perto de si, dizendo em voz baixa:

— Eu entendo, mãe. Entendo por que você o ama. Desculpe por ter agido daquela forma.

E Eva, aceitando o abraço da filha, respondeu:

— Querida, você não precisa se desculpar por nada.

Alguns meses depois — era julho, fazia calor e o mar estava tingido de um azul-turquesa intenso, os penhascos salpicados de amarelo com as rubiáceas —, Jim foi internado no hospital em Truro, e Eva ligou para Dylan em Edimburgo, aconselhando-o a vir assim que pudesse. Quando setembro chegou, Jim estava em um lugar onde Eva começava a ter dificuldades para alcançá-lo. A casa de repouso era tão parecida com o lugar no qual ela passou suas últimas semanas com Ted que Eva, diante da porta no dia em que ele foi internado, sentiu as pernas fraquejarem; uma enfermeira precisou ajudá-la a se levantar. *Receio que será demais para você*, disse Jim naquele dia em que estavam na estação de Paddington. E era verdade; estava sendo demais. Ela sabia que seria assim, e mesmo assim havia tomado a sua decisão. E, semanas depois, quando estava no crematório, lembrando-se da vida de Jim, lembrando-se de tudo o que ele foi para a sua família e para ela, Eva soube que, se tivesse a chance, faria exatamente a mesma escolha.

Faria mesmo, Jim, ela pensa agora, acrescentando leite ao chá de Amy.

Eva leva a caneca até a sala.

— Que tal terminarmos a nossa conversa no estúdio?

— Seria maravilhoso — responde Amy, e elas saem para o jardim: o ar gelado, as plantas que delimitam o terreno desfolhadas e dormentes, esperando pela primavera. Na porta do estúdio, Eva para por um instante.

— O quanto você conhece da obra de Jim?

— Bastante, eu creio. Como a maioria das pessoas, *Três vezes nós* provavelmente é o trabalho que eu conheço melhor. É muito poderoso, ressonante. E li a respeito da exposição no Tate, aquela que reuniu a obra de Lewis Taylor e de Jim. Foi maravilhoso ver a continuidade entre elas. E as diferenças, é claro.

Eva sorri; talvez tenha subestimado Amy.

— Então você deve saber que temos *Três vezes nós* conosco agora. Estava em uma coleção privada, mas Jim a comprou de volta no ano passado.

As pinturas estão expostas na parede oposta do estúdio: três painéis unidos por dobradiças, dispostos de modo que as imagens laterais estão fechadas para quem as observa. Eva move as telas laterais para exibi-las e Amy fica diante da obra, com os olhos passando sobre cada um dos quadros. Uma mulher com cabelos castanho-escuros, olhando na direção oposta do observador, para um homem que está sentado atrás dela com uma expressão vazia, indescritível. Esse é o terceiro painel do tríptico. Os outros dois são quase os mesmos, com variações pequenas: no primeiro, a mulher está sentada, e o homem está em pé; no segundo, os dois estão sentados. Alguns detalhes menores da sala variam também: a posição do relógio na parede; os cartões e fotografias na cornija; a cor do gato que se espreguiça na poltrona.

— É lindo — diz Amy. — Essas cores... ele os pintou em meados da década de 1970, não foi?

Eva assente.

— Sim, em 1977, quando estava morando em St. Ives com Helena Robins. Sua companheira naquela época.

— É estranho olhar para ele aqui, agora, com você. A mulher nas pinturas... ela se parece muito com você.

O tríptico foi um presente: uma surpresa. Havia preparado tudo com Stephen Hargreaves. Ele a levou até o estúdio na manhã do seu aniversário — Jim ainda conseguia caminhar naquela época sem o auxílio da bengala e insistiu em que ela ficasse com os olhos fechados até estar lá dentro. Ao abri-los, ela olhou e viu a si mesma. Viu os dois.

— Agora você compreende que estava comigo durante todo esse tempo? — E em seguida ele a beijou, e ela pensou em todos os anos que a levaram até aqui; todos aqueles segundos, minutos e horas passados em outros lugares, com outras pessoas, fazendo outras coisas; nenhum deles desperdiçado ou razão para arrependimento, mas nenhum mais precioso para ela do que este momento, agora.

— Sim, parece mesmo, não é? — Eva fala com a voz tão baixa que a jornalista precisa se esforçar para ouvi-la.

Elas ficam em silêncio. Diante das duas, o tríptico. Pinceladas de tinta a óleo sobre a tela. Três casais. Três vidas. Três possíveis versões.

**

A história acaba aqui, também.

Há uma mulher em pé na área de Cambridge Backs. Uma grande faixa de terra e capim alto, marcada pela passagem constante de bicicletas.

Atrás dela, o ruído cada vez mais alto do trânsito. Na frente, uma fileira de árvores e, entre elas, a mulher consegue enxergar o alto da torre da capela do King's College.

— Foi aqui, eu acho — diz Eva. — Difícil se lembrar do ponto exato, mas parece que este é o lugar.

Penélope, ao seu lado, enlaça o braço de Eva com o seu.

— Não mudou tanto, não é? Afinal, olhando para o King's, poderíamos voltar exatamente a este lugar, bem no meio daquela loucura. Com toda a nossa vida pela frente.

Eva concorda com um aceno de cabeça. Uma garota se aproxima pedalando — cabelos escuros esvoaçantes, uma mochila preta pendurada no ombro —, toca a buzina da bicicleta, e elas se afastam para que ela passe. Eva ouve a garota soltar um xingamento enquanto prossegue e, por um momento, imagina como aquela garota as enxergou: duas mulheres idosas vadiando pela trilha. Espectadoras do fluxo e da urgência de vidas mais jovens.

— Não é mais o nosso lugar, não é mesmo?

Penélope aperta o braço de Eva.

— Sempre será o seu lugar, Eva. Seu e de Jim.

Eles haviam planejado virem até aqui juntos. Ela organizou o fim de semana: reservou um quarto num bom hotel, uma mesa em um restaurante. Na manhã em que viajariam, porém, Jim acordou pálido e exausto. Havia dormido mal, como frequentemente acontecia. Eva o ouviu durante a noite, virando-se de um lado para outro na cama, esbarrando na maçaneta da porta a caminho do banheiro. Ela olhou para Jim e disse:

— Vamos adiar a viagem para Cambridge por enquanto, querido. O que acha? Podemos descansar em casa mesmo. A cidade não vai a lugar nenhum, não é mesmo?

Tiveram de engolir aquela decepção; os dois sabiam que provavelmente não voltariam lá. A quimioterapia estava funcionando; afinal de contas, Jim ainda estava ali. Ainda estava com ela. Mas isso tudo tinha um custo: além da exaustão e das noites insones, havia também a náusea, a falta de apetite por comida, pelo vinho, por todas as coisas que costumavam lhe dar tanto prazer. Estava com o cabelo bem ralo e também estava perdendo peso. Eva tinha a impressão de que ele encolhia diante dos seus olhos.

— É o meu estilo. Viciado em heroína-fashion — disse Jim; continuaria a ter senso de humor até o fim.

Em casa, em Sussex. Passavam os dias lendo, ouvindo rádio e, nos melhores dias, viajando de carro até Brighton. O mar com a sua cor metálica, implacável; a praia, impossível de ser atravessada; o chão de pedriscos era precário demais para o frágil equilíbrio de Jim. Assim, caminharam lentamente pelo píer, sentaram-se em uma cafeteria e tomaram chá, observando as pessoas passarem por eles, flertando, beijando, discutindo. Eva e Jim conversavam cada vez menos; não porque não tivessem coisas a dizer, mas porque apreciavam o companheirismo do silêncio, e porque muito do que havia entre eles não podia ser expresso com palavras. Havia dor, medo e tristeza; e mesmo assim, naquelas tardes em Brighton, não sentiram tristeza. Tinham um ao outro. Tinham seus respectivos filhos, e os netos, e as mudanças intermináveis da vida. Também a alegria por Sophie haver retornado para eles. E o alívio de haverem encontrado um caminho de volta, um rumo ao outro.

No fim de tudo, a casa de repouso. Havia uma imensa nogueira no jardim, emoldurada pela janela do quarto de Jim; ele gostava de ficar deitado na cama, observando o brilho do sol nas nozes que caíam. Contou que costumava recolhê-las a caminho da escola quando era criança; guardava-as no bolso e voltava a pegá-las alguns meses mais tarde, com o brilho da casca já apagado. Alice — ela estava sentada ao lado da cama, observando o avô, os fios, os aparelhos, a cama de metal — ficou muito animada ao ouvir aquilo.

— Eu também faço isso, vovô. Eu também pego as nozes!

Eva ficou lá todos os dias, e quase todas as noites; conhecia cada uma das enfermeiras pelo nome. Eram gentis, em sua maioria, de uma maneira que excedia em muito a simples conduta profissional. Uma delas, uma nigeriana sorridente chamada Adeola, acabou se afeiçoando a Jim, e ele começou, em tom de brincadeira, a chamá-la de "esposa número dois".

— Sr. Taylor — dizia Adeola, piscando o olho, quando Eva aparecia na porta. — Sua esposa número um chegou. Quer que eu peça a ela que volte mais tarde? — E Jim, quando podia, sorria (e aquela imagem fazia o coração de Eva se retorcer) e dizia que talvez fosse melhor que Adeola deixasse Eva entrar, ou ela poderia começar a desconfiar de alguma coisa.

Aquelas quatro paredes. A cadeira na qual Eva passou horas sentada. A cama onde passou as noites com um cobertor de hospital, o sonho pontuado pelos bipes e murmúrios baixos dos aparelhos de Jim. Quando o momento finalmente chegou, era o meio da noite, mas ela já estava acordada: havia despertado alguns minutos antes, sabendo que a hora de Jim havia chegado. Ele estava com os olhos fechados, a boca aberta; ela colocou a mão diante dos seus lábios, sentiu a pressão ínfima da sua respiração. Estava vindo em arfadas agora, o som estranho e aterrorizante; mas ela não iria deixar que o medo a dominasse. Segurou na mão dele. Não demorou muito até que Jim partisse; em seguida, sentou-se ao lado dele, acariciando sua mão, até que Adeola chegou.

Agora, em Cambridge, Penélope diz:

— Vamos dar uma olhada no desenho outra vez.

Eva leva a mão até a bolsa; ali, guardada sob a capa do seu diário, há uma folha de papel. Ela a encontrou há cerca de uma semana, enquanto examinava a massa de cartas no estúdio de Jim. Havia sido arrancada de um bloco tamanho A5: um desenho a lápis, os contornos de uma mulher, dormindo de lado, as mãos juntas, como se estivesse em oração. Uma anotação no verso, com a letra de Jim, dizia: *E, dormindo — Broadway, Costwolds, 1976*. Ele nunca havia lhe mostrado aquele desenho; guardou-o em uma pasta cheia de contas. Eva perguntava a si mesma se ele se lembrava de que o desenho estava ali.

Eva olha para o desenho e depois o entrega a Penélope. Após alguns momentos de silêncio, Penélope o devolve.

— Terminou, querida?

— Sim, Pen — diz Eva. — Acho que terminou.

Agradecimentos

Muitas pessoas ajudaram a dar vida a este livro, ou me ajudaram a manter a sanidade enquanto eu tentava escrevê-lo.

Agradeço imensamente à minha equipe de leitores preliminares e seus olhos de águia, por todo o estímulo e conselhos: Jonathan Barnes, Fiona Mountford, Doreen Green, Simon Armson, Matthew Ross (ainda estou impressionada pela sua familiaridade com a catedral de Ely) e Sofia Buttarazzi. Obrigada também a David Race, Ellie e Irene Bard, e Conrad Feather.

A equipe de arquivamento e pesquisa dos jornais *The Guardian* e *The Observer* e Anne Thomson, arquivista do Newnham College de Cambridge, ofereceram perspectivas fascinantes sobre a história de suas respectivas instituições. Katharine Whitehorn gentilmente me ofereceu algumas reflexões sobre a época em que viveu em Cambridge e sobre Fleet Street. Obrigada a todos.

Sou grata a Judith Murray por sua sabedoria inestimável, seu apoio e por ser fabulosa; e a Kate Rizzo, Eleanor Teasdale, Jamie Coleman e a todos na Greene & Heaton. Obrigada também a Sally Wofford-Girand e a todos na Union Literary, e ao incrível Toby Moorcroft.

Tenho uma dívida também com Kirsty Dunseath e Andrea Schulz pela fé que depositaram no projeto, sua consideração e a revisão astuta, cuidadosa e sensível. Obrigada também a Rebecca Gray, Jessica Htay e a toda a equipe na Weidenfeld & Nicolson e Orion; e a Lauren Wein e a todos na Houghton Mifflin Harcourt.

Obrigada a Jan Bild, Peter Bild e Ian Barnett por seu apoio e fé incalculáveis no decorrer dos anos. E obrigada, acima de tudo, ao meu marido, Andrew Glen, por me aguentar — e, conforme ele mesmo disse, por tolerar o fato de que boa quantidade dos seus *bon mots* acabou inadvertidamente surgindo nestas páginas...

Finalmente, esta história inspirou-se bastante nas memórias da mãe de Peter, minha falecida avó adotiva, Anita Bild. Parte da história de Miriam Edelstein foi inspirada na vida de Anita; assim como Miriam, ela fez a jornada de Viena a Londres na década de 1930; e a casa da família Edelstein em Highgate é inspirada na de Anita, onde várias vezes nos sentamos para conversar sobre música e literatura. Gostaria de poder mostrar este livro a Anita. Gosto de imaginar que ela viria falar comigo depois e me dizer (assim espero!) que gostou do que leu para, em seguida, de maneira gentil, mas firme, corrigir o meu uso das palavras em alemão.

LB

Versão 1

Jim e Eva se conhecem no incidente da bicicleta

Versão 2

Há o incidente da bicicleta, mas Jim e Eva não se conhecem

Versão 3

Jim e Eva se conhecem no incidente da bicicleta

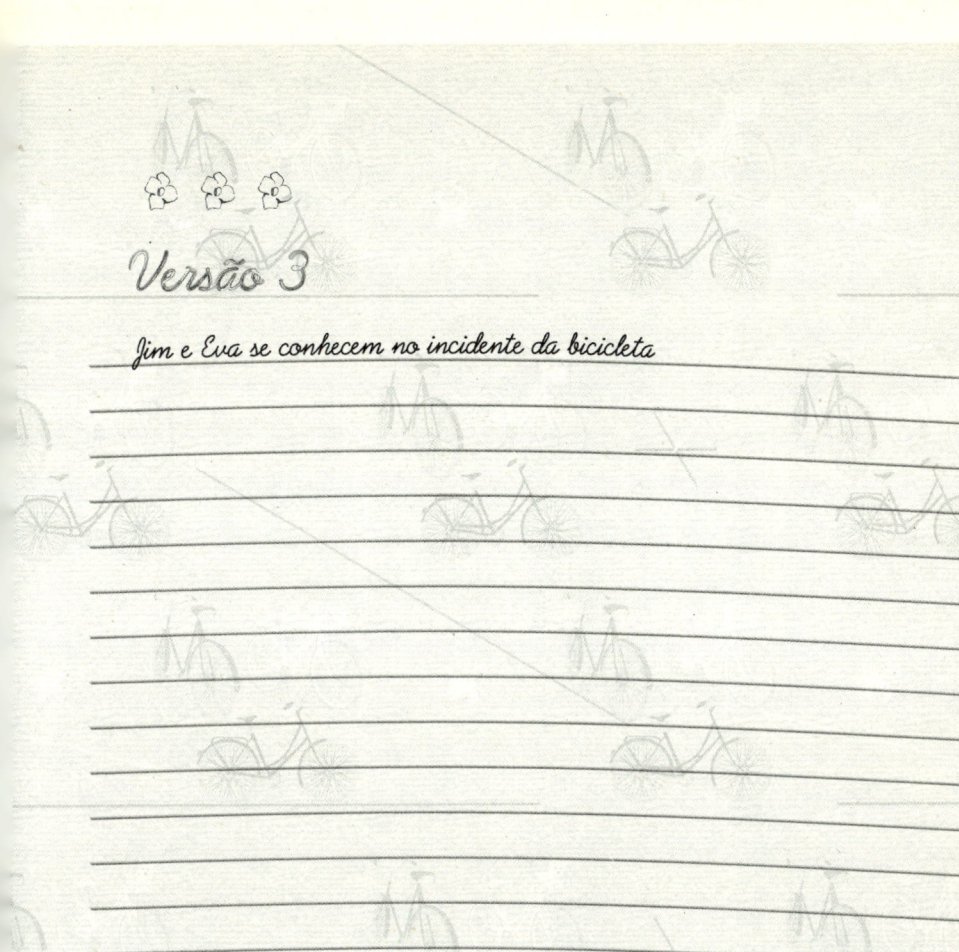